बिजली बचाने के तरीके

यह पुस्तक "बिजली बचाने के तरीके" एक शंखनाद है यह आह्वान् है स्वयं एवं देश के लिए **ऊर्जा संरक्षण** कर राष्ट्र प्रगति में अपना योगदान देने के लिए। मेरी यह छोटी सी कोशिश उन सोये हुए व्यक्तियों को जगाने की है जो ऊर्जा की कीमत नहीं जानते। ऊर्जा आपकी प्रगति बढ़ेगी और आपकी प्रगति देश की प्रगति है क्योंकि बिजली की बचत बिजली के उत्पादन से ज्यादा कीमती है।

राष्ट्र की प्रगति आपके और मेरे प्रयासों के समन्वय पर ही निर्भर है ऐसी मेरी सोच है।

बिजली बचाने के तरीके

यदा यदा हि ऊर्जायाः विनाशतेः
तदा तदा नवीन तकनीकैः सृजाम्यहमः
O.P.M.

लेखक

इंजी. ओ.पी. माहेश्वरी

एम.ई. (जियोटेक्नीकल), बी.ई. सिविल (ऑनर्स)

साईन्टिफिक पब्लिशर्स (इंडिया)

पो.बॉ. नं. 91 जोधपुर

इंजी. ओ.पी. माहेश्वरी
एम. ई. (जियोटेक्नीकल)
सिविल इंजीनियर, जोधपुर विद्युत वितरण निगम लि.,
जोधपुर (राजस्थान)

पता – ए– 161, कमला नेहरू नगर, द्वितीय फेज,
डिफेन्स कॉलोनी, जोधपुर (राज.)
फोन – 0291–2750836, 94600 08620

प्रकाशक
तनय शर्मा
साईन्टिफिक पब्लिशर्स (इंडिया)
5–ए, न्यू पाली रोड़, पो.बॉ. नं. 91
जोधपुर

Tel. :+91-291-2433323
Fax.:+ 91-291-2613449
E-mail: info@scientificpub.com
www.scientificpub.com

ISBN: 978-81-7233-611-0

लेजर टाईपसेट :
भारत में मुद्रित

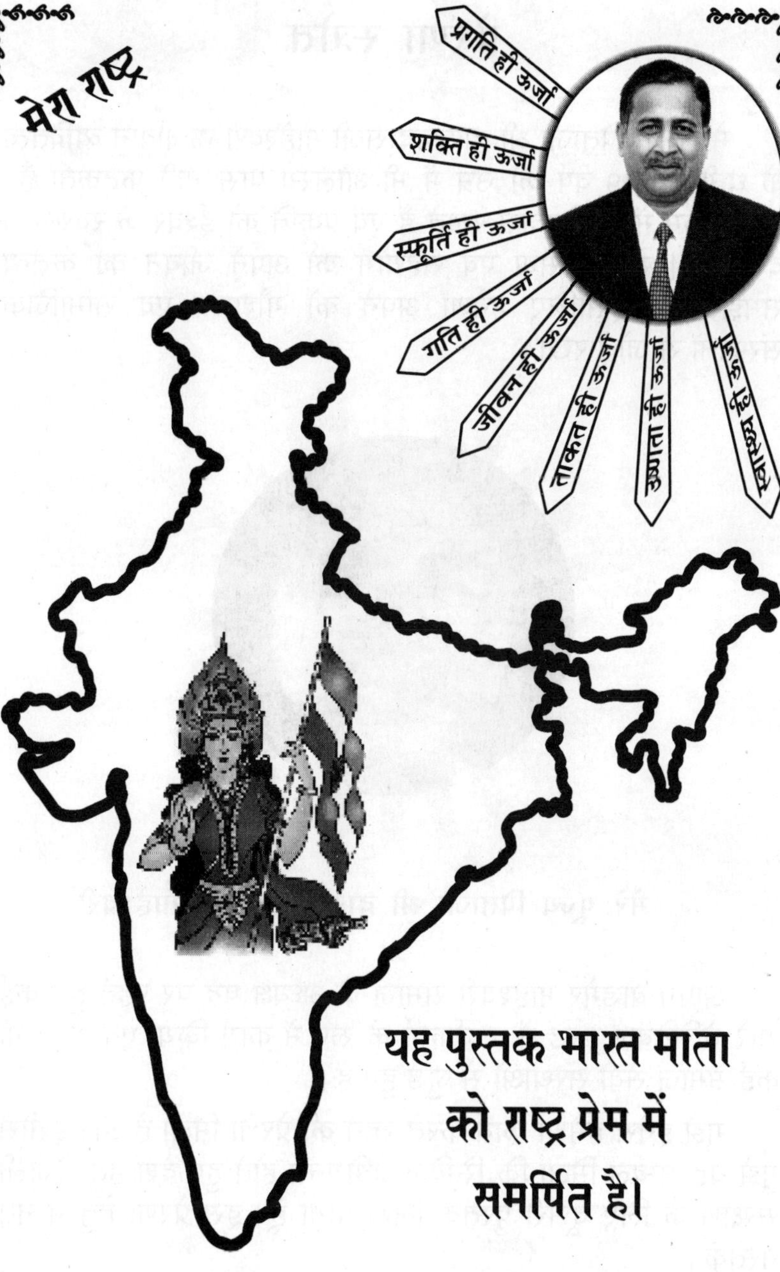

यह पुस्तक भारत माता
को राष्ट्र प्रेम में
समर्पित है।

प्रेरणा स्त्रोत

मेरे पूज्य पिताजी श्री द्वारकादासजी माहेश्वरी ऊर्जावान व्यक्तित्व के धनी थे। 79 वर्ष की उम्र में भी आलस्य पास नहीं फटकता है। हमेशा कर्म में ही विश्वास रखते हैं एवं प्रकृति को ईश्वर के स्वरूप में देखते हैं। समाज सेवा एवं सहयोग को अपने जीवन का कर्त्तव्य समझते हैं। इसीलिए हमेशा अपने को गौशाला एवं सामाजिक संस्थानों से जोड़े रखा।

मेरे पूज्य पिताजी श्री द्वारकाप्रसादजी माहेश्वरी

आपने बाड़मेर माहेश्वरी समाज के अध्यक्ष पद पर रहते हुए कई सारे चेरिटिबल ट्रस्ट में कार्यकर्ता के रूप में कार्य किया एवं आज भी कई समाज सेवी संस्थाओं से जुड़े हुए हैं।

मुझे इनसे हमेशा कार्य करते रहने की प्रेरणा मिली है और इसीसे मुझे यह सम्बल मिला कि सिविल अभियन्ता होते हुए देश हेतु बिजली संरक्षण के लिए दूसरी पुस्तक लिख पाया हूँ। इस प्रेरणा हेतु मैं नत् मस्तक।

मनुष्य बहुत होते हैं, पर मनुष्यता बिरलों में ही होती है।

सन्देश

सत्यमेव जयते

इंजी. ओ.पी. माहेश्वरीजी,

मुझे यह जानकर प्रसन्नता है कि ऊर्जा संरक्षण के लिए 'बिजली बचाने के तरीके' शीर्षक से एक हिन्दी पुस्तक का प्रकाशन किया जा रहा है।

आज के भौतिक युग में बिजली का उपयोग हर क्षेत्र में आवश्यक हो गया है। ऐसी स्थिति में इसका उत्पादन बढ़ाने के साथ-साथ बिजली के अपव्यय को रोकना भी आवश्यक है।

इसके महत्व को ध्यान में रखते हुए सरकार ने पानी बचाने के साथ बिजली बचाने और सभी को पढ़ाने का नारा दिया एवं उसका समाज पर रचनात्मक प्रभाव भी पड़ा।

मुझे आशा है नागरिकों में चेतना जगाने की दृष्टि से 'बिजली बचाने के तरीके' पुस्तक उपयोगी रहेगी।

मैं इस प्रकाशन की सफलता के लिए अपनी शुभकामनाएँ प्रेषित करता हूँ।

सद्भावी,

(अशोक गहलोत)

मुख्यमंत्री, राजस्थान

सन्देश

सत्यमेव जयते

इंजी. ओ.पी. माहेश्वरीजी,

सादर वन्दे।

बढ़ती लागत एवं उपलब्धता में कमी ने सारे विश्व में ऊर्जा बचत के प्रति जागृति उत्पन्न की है। एक सामान्य परिवार बचत की सहज विधियों को अपना कर अपने विद्युत उपभोग में एक तिहाई कमी सरलता से कर सकता है।

''बिजली कैसे बचायें'' पुस्तिका के माध्यम से आपने एक सराहनीय प्रयास किया था। इसकी सर्वत्र प्रशंसा हुई थी। इसी क्रम में ''बिजली बचाने के तरीके'' पुस्तक का प्रकाशन जन सामान्य को इन विधियों से अवगत करवाने और जागृत करवाने में सहायक होगा। ऊर्जा एवं पर्यावरण आज सारे विश्व के समक्ष एक गम्भीर चुनौती है। आपका यह प्रयास इस चुनौती का सामना करने में एक सार्थक कदम है।

मैं पुस्तक प्रकाशन की सफलता एवं आपकी सतत् प्रगति की कामना करती हूँ।

धन्यवाद

आपकी स्नेहांकाक्षी

(किरण माहेश्वरी)

संसद सदस्य, लोकसभा

राष्ट्रीय अध्यक्ष,

भारतीय जनता महिला मोर्चा

आशीर्वचन

परम प्रेमास्पद भाई श्री ओम प्रकाश जी माहेश्वरी,

यह जानकर प्रसन्नता हुई कि आपके द्वारा लिखित नई पुस्तक 'बिजली बचाने के तरीके' प्रकाशित हो रही है। इससे पूर्व आपके द्वारा लिखित पुस्तक 'बिजली कैसे बचाएँ' हमने देखी और पढ़ी है। हमारे समाज में कोई प्रबुद्ध व्यक्ति विद्युत-ऊर्जा के संरक्षण और संवर्द्धन के लिए इतना जागरूक और चिंतनशील है यह देखकर सहज ही प्रसन्नता होती है। **ऊर्जा चाहे संसाधनों से जुड़ी हो या स्वयं हमारे जीवन से, ऊर्जा ही वास्तव में जीवन और जगत के अस्तित्व का आधार है। जिसे ज्ञानी लोग आत्मा का नाम देते हैं वह आत्मा वास्तव में ऊर्जा का ही पिंड है।** इस संपूर्ण जगत के संचालन के पीछे एक विश्व-ऊर्जा काम कर रही है। हम ध्यान की दशा में मन की जितनी शांत और निर्मल स्थिति को प्राप्त करते हैं यह विश्व-ऊर्जा हमें उतनी ही मात्रा में प्राप्त होती है। हमें अधिक-से-अधिक ध्यान और योग करना चाहिए ताकि यह विश्व-ऊर्जा हमारे जीवन को अधिक स्वस्थ, स्फूर्त और शक्तिमान बना सके।

भाई श्री माहेश्वरी जी जीवन और जगत की ऊर्जा को बचाने और बढ़ाने के अनेक वैज्ञानिक और व्यावहारिक तरीके जानते हैं और अपनी नई खोज़ों से मानव-समाज को लाभान्वित करना चाहते हैं। एक सिविल इंजीनियर होने के बावज़ूद विद्युत-क्षेत्र में इतनी गहरी पकड़ के साथ खोजबीन करना, नये तरीके ईज़ाद करना निश्चय ही अभिनंदन के काबिल है। इनकी नई खोज़ों को आम जनमानस के बीच में लाया जाना चाहिए। यदि इन खोज़ों को बड़े पैमाने पर लागू किया जाए तो इससे न केवल पैसे की बचत होगी, अपितु स्वदेशी खोज़ों को भी संबल मिलेगा।

हमारा एक अनुरोध अवश्य है कि इस संपूर्ण किताब को सार रूप में पॉइंट-टू-पॉइंट पेश किया जाए ताकि वह हर घर और ऑफिस की टेबल पर रखा जा सके और हर कोई उन बिंदुओं से प्रेरणा लेकर व्यर्थ जा रही ऊर्जा को बचाने की जागरूकता रख सके। हमारी ओर से इस तरह के प्रकाशन का भावपूर्वक स्वागत है।

— श्री चन्द्रप्रभ

प्राक्कथन

ऊर्जा संरक्षण की जागृति उत्पन्न करने हेतु श्री माहेश्वरी द्वारा रचित पुस्तक बिजली बचाने के तरीके का अवलोकन करने पर पाया कि बिजली बचत के कई सारे तरीके सरल भाषा में सुझाये गये है। जो तकनीकी दृष्टि से काफी सुदृढ़ है चुंकि यह पुस्तक जन साधारण की भाषा, राष्ट्रभाषा हिन्दी में लिखी गई है। जिससे अधिक से अधिक व्यक्ति इसको पढ़कर, ऊर्जा सरंक्षण कर सकेंगे। इस पुस्तक में ऊर्जा संरक्षण के कई सारे बिन्दुओं को समझाने के लिए चित्रों एवं शब्दों द्वारा परिभाषित किया गया है। कठिन शब्दों के लिए शब्दावली भी दी गई है ताकि हर व्यक्ति ऊर्जा संरक्षण में कदम बढ़ा सके। पुस्तक के मुख्य भाग में भवन निर्माण द्वारा बिजली बचत के प्रयास को समझाया गया है ताकि उचित तकनीक के साथ निर्माण कर बिजली के सतत उपयोग में बचत की जा सके। जैसे भवन में ऊष्मारोधी पानी की टंकी बनाकर अनुकूल तापक्रम के पानी का प्रवाह बना सकते है, भवनों में प्राकृतिक प्रकाश व्यवस्था कर रोशनी, वेन्टिलेटिंग डक्ट (हवाकश) का उपयोग कर हवा का प्रवाह, भु–गर्भीय ऊष्मा का उपयोग कर बिना अतिरिक्त पम्प के अनुकूल तापक्रम का पानी नलों में लिया जा सकता है। सुसज्जित रसोईघर का निर्माण कर बिजली एवं ईधन में बचत कर सकते है। ऊर्जा के सबसे बड़े स्त्रोत सूर्य से मिलने वाली अक्षय ऊर्जा का उपयोग में लेने हेतु सौर ऊर्जा के उपकरणों का उपयोग समझाया गया है। प्रकाश किरणों का विभिन्न रंगों पर प्रभाव का विश्लेषण कर विभिन्न रंगों के उपयोग के तरीके सुझाये गये है शयन कक्ष कैसा हो, कैसे सोयें, बल्ब किस दीवार में लगायें, पंखे की ऊँचाई क्या रखें, खिड़की कहां बनायें, कैसी बनायें, आदि पहलुओं को चित्रों द्वारा समझाया गया है। प्राईवेसी के साथ रोशनी भी बनी रहे इस हेतु विभिन्न तरह के शीट का उपयोग, कृत्रिम ऊष्मा का ह्रास न हो इस हेतु ऊष्मारोधी दीवारें, भवन में कौनसा कक्ष कहां बनायें और कैसे बनायें इस हेतु ऑरियन्टेशन्स द्वारा प्लानिंग, अनुकूल भवन निर्माण के तरीकों का विश्लेषण किया गया है साथ ही भवनों के सौन्दर्यकरण हेतु वृक्षों एवं टैरेस गार्डन आदि को समझाया गया है। एक साधारण भवन को झोपड़ीनुमा बनाकर आधुनिकता के साथ प्राचीन

सभ्यता का सम्बन्ध बनाया रखा जा सकता है। बिजली बचाने के लिए वास्तुशास्त्र का कैसे उपयोग करें कि रूढ़िवादियों में न जाकर प्रकृति का अधिक से अधिक उपयोग किया जा सके। इस पुस्तक में घरों में उपयोग होने वाले बिजली के विभिन्न उपकरण जैसे गीजर, फ्रिज, टी.वी., ए.सी., पानी का पम्प, रिमोट, इस्त्री, कम्प्यूटर आदि के उपयोग के तरीकों के समझाये गये है जिन्हें अपना कर प्रतिदिन के बिजली उपयोग में कमी लाई जा सकती है। इलेक्ट्रोनिक्स उपकरणों के उपयोग से पंखों आदि में किस तरह से बिजली बचाई जा सकती है, **एल.ई.डी.(लैड बल्ब)के निर्माण से एक ऐसा बल्ब राष्ट्र को मिल रहा है** जिसमें साधारण इन्कैण्डेसेन्ट बल्ब के मुकाबले नगण्य विद्युत का व्यय होता है। साथ ही विभिन्न बल्बों के उपयोग एवं उसमें होने वाला बिजली व्यय का तुलनात्मक विश्लेषण किया गया है। हाईड्रोलिक जम्प के सिद्धान्त पर चलने वाला पानी के पम्प से बिना ईंधन के पानी को चढ़ाने का तरीका, पन विद्युत गृहों में बनने वाले एनर्जी डिसिपेटर में इस तकनीक का उपयोग कर पानी को अधिक ऊँचाई पर पम्प किया जा सकता है श्री माहेश्वरी द्वारा किये शोध में ऐशस्लरी से ऐशडाईक का निर्माण, ऑफटेक कम बाईपास का निर्माण की विधि समझाई गई है। बिना बिजली से चलने वाली फर्श ग्राईण्डिंग मशीन, शीव शेकर, लैड बल्ब टॉर्च आदि के निर्माण से दक्षता बढ़ाई जा सकती है। पुस्तक के एक भाग में जीवन में ऊर्जा के महत्व को छोटे–छोटे लेखों, कविताओं, स्लोगन, कहानी एवं पोस्टरों द्वारा समझाया गया है जो निश्चित ही जन साधारण में ऊर्जा संरक्षण की जागृति उत्पन्न करेंगे। पुस्तक में ऊर्जा संरक्षण हेतु तकनीकी जानकारी, गणनासुत्र, रोचक प्रयोग, ईधन बचत के तरीके, **ऊर्जा संरक्षण के कई सारे तरीके सुझाये गये है जो निश्चित ही राष्ट्रहित में माहेश्वरी का एक कदम है** पुस्तक को रोचक बनाने हेतु जगह जगह पर कार्टुन, कविताएं दर्शाई गई है। लेख भी छोटे–छोटे सारगर्भित है ताकि छोटी छोटी विधियों को उपयोग कर राष्ट्रहित में बिजली को बचाने का हर कोई नागरिक प्रयास कर सकें।

राष्ट्र एवं बिजली विभाग के हित में हो रहे बिजली संरक्षण हेतु इस प्रकाशन के लिए मैं अपनी ओर से शुभकामनाएं प्रेषित कर इस पुस्तक की सफलता की कामना करता हुँ।

(इंजी. एस.एन. पुरोहित)
उपमुख्य अभियंता
हैड ऑफ सिविल डिपार्टमेन्ट
जोधपुर डिस्कॉम, जोधपुर।

बिजली विभाग की नजर में

1. ऊर्जा दिवस 2008 को मेरे द्वारा लिखित पुस्तक बिजली कैसे बचायें? हेतु राज्य स्तरीय एवार्ड माननीय मुख्यमंत्री राजस्थान सरकार द्वारा दिया गया।

2. बिजली विभाग के कई सारे उच्च अधिकारियों ने पुस्तक **बिजली कैसे बचायें?** हेतु व्यक्तिगत सम्पर्क किया एवं विचार विमर्श कर इस कार्य हेतु सराहना की गई।

3. ऊर्जा संरक्षण सप्ताह में मेरा बनाया गया पोस्टर को बड़ा बनवाकर होर्डिंग रूप मे, विभाग की झांकियों में ट्रक पर लगवाकर जनता में जागृति हेतु शहर भ्रमण में उपयोग किया गया।

4. श्री माहेश्वरी ने इस विभाग की मासिक पत्रिका 'विद्युत वितरण संदेश' में जनसाधारण की भाषा में कई लेख प्रकाशित करवाये हैं। इनके प्रयासों से जनसाधारण में विद्युत बचत की चेतना जागृत हुई हैं। घरेलु इलेक्ट्रीक उपकरणों में बिजली बचाने के तरीके, हाईड्रोलिक रेम द्वारा पानी चढ़ाने के प्रयास, ऊर्जा डिसीपेटर का उपयोग, परावर्तित किरणों द्वारा प्रकाश एवं गर्मी, वास्तु एवं बिजली का सम्बन्ध, रसोई घर में बिजली बचाने के तरीके, ऐश स्लरी के उपयोग से ऐश डाईक के निर्माण में बचत आदि प्रयास प्रशंसनीय रहे हैं। इनके प्रशंसनीय कार्य एवं लगातार **प्रयास को देखते हुए इंजीनियर श्री ओ.पी. माहेश्वरी का नाम 'नेशनल एवार्ड फॉर आउटस्टेन्डिंग एफर्ट** इन सॉइन्स एण्ड टेक्नोलोजी कम्यूनिकेशन थ्रू बुक्स एण्ड मेगजीन्स' (National Award for Outstanding Effort in Science & Technology Communication through Books and Magazines) के लिये प्रस्तावित कर रहा हूँ।

Nominator's Signature

Jodhpur Vidhyut Vitran Nigam Limited

New Power House, Jodhpur-342 008 (Rajasthan)

समीक्षा-पूर्व पुस्तक की

दैनिक भास्कर में समीक्षा

मांग के अनुपात में बिजली की उपलब्धता का कम होना तथा दिन-प्रतिदिन इसका महंगा होता जाना सभी के लिए सिरदर्द का कारण बना हुआ है। ऐसे में बिजली बचत की विधियों की प्रामाणिक जानकारी के लिए कोई पुस्तक सामने आती है तो निश्चित ही इसका स्वागत किया जाना चाहिए। इस पुस्तक में बिजली विभाग के ही वरिष्ठ इंजीनियर [illegible]श्वरी ने कई ऐसी विधियां बताई है, जो हर स्तर [illegible] कारगर साबित होती है। पुस्तक में [illegible] दैनंदिन कार्यों में बिजली के उपकरण[illegible] परिवर्तन व परिवर्धन करके पचास से साठ प्रतिशत [illegible] इससे भी अधिक बिजली बचाई जा सकती है। पुस्तक सचित्र होने से बिजली बचत की विधियां सहज ही समझ में आ जाती है। पुस्तक की छपाई और सजावट उत्तम और मूल्य भी वाजिब है।

- समीक्षक
अरविंद त्रिवेदी

पद्म भूषण विजेता का आभार

Prof. Vijay Shankar Vyas
Professor Emeritus, institute of Development Studies

प्रिय श्री माहेश्वरी,

28 नवम्बर 07

आपके 22.11.2007 के पत्र एवं आपकी पुस्तक **बिजली कैसे बचायें ?** की प्रति के लिए अनेक धन्यवाद।

आपकी पुस्तक में दी गई हिदायते [illegible] तो आयेगी ही देश भर में व्याप्त उर्जा कंट को [illegible] उपयोगी पुस्तक को लिखने के लिए बहुत-ब[illegible]

कृपया सूचि[illegible] अधिक प्रतियां मंगावे तो उनकी क्या कीमत होगी ? हम इस पु[illegible] प्रसार अजित फाउंडेशन द्वारा पोषित 11 मोहल्ला पुस्तकालयों में करना [illegible]

आपका ही

शुभेच्छाओं के साथ,

(विजयशंकर व्यास)

पुस्तक चर्चा

राजस्थान पत्रिका में समाचार

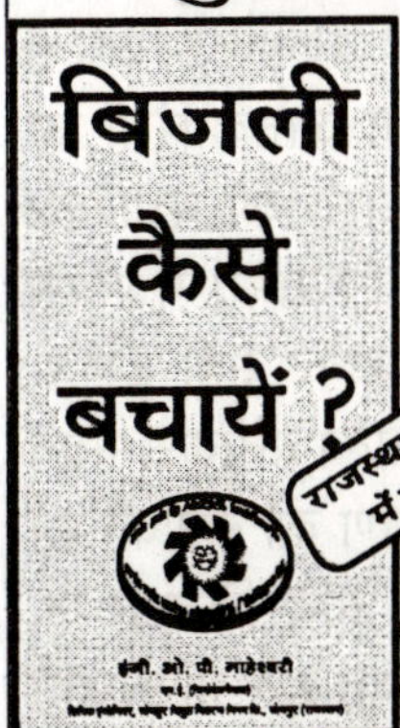

पुस्तक
बिजली कैसे बचाएं ?
लेखक
ओ.पी. माहेश्वरी
प्रकाशक
बिरला ऑफसेट
जोधपुर
मूल्य 130 रू.

ऊर्जा राज्य मंत्री भारत सरकार

विलास मुत्तेमवार
VILAS MUTTEMWAR

राज्य मंत्री (स्वतंत्र प्रभार)
नवीन और नवीकरणीय ऊर्जा
भारत सरकार
MINISTER OF STATE (INDEPENDENT CHARGE)
NEW AND RENEWABLE ENERGY
GOVERNMENT OF INDIA

प्रिय श्री माहेश्वरी जी,

दि.31/10/2007

सप्रेम नमस्कार

बिजली कैसे बचायें ? इस[illegible] किताब प्राप्त हुई . धन्यवाद. राष्ट्रहित में ऊर्जा संरक्षण हेतु एवं जन[illegible] आपने किया हुआ यह प्रयास अवश्य स्तुत है.

सदिच्छा के साथ,

आपका,

(विलास मुत्तेमवार)

अखिल भारतीय माहेश्वरी मंच

|| श्रीमहेश्वरायनमः ||

अखिल भारतवर्षीय माहेश्वरी महासभा

1 मेन सेक्टर, शास्त्रीनगर, भीलवाड़ा-311001 (राज०) फैक्स नम्बर 01482-252111
फोन नम्बर 01482-252000, 253516

रामपाल सोनी
सभापति

क्रमांक :- 2.3365

दिनांक 7-9-2008

श्रीयुत् ओ० पी० माहेश्वरी
[illegible]

जय महेश,

यह जानकर अत्यधिक प्र[illegible] सरकार द्वारा आपको ऊर्जा दिवस 2008 पर राज्य की [illegible] वसुन्धरा राजे द्वारा आपको "बिजली कैसे बचायें" [illegible] सम्मानित किया ।

आज पूरा [illegible] री राजस्थान प्रदेश बिजली की कमी से विकास की वह गति [illegible] रहा है, जिसकी आवश्यकता है । प्रदेश प्राकृतिक संसाधनों से परिपूर्ण [illegible] भी बिजली उत्पादन में पीछे है । आप द्वारा लिखित पुस्तक के आधार पर [illegible] कारखाने एवं विद्युत विभाग में बिजली बचत के उपायों को प्रयोग में लायेंगे, ऐसी अपेक्षा है ।

मुझे अत्यधिक प्रसन्नता है कि समाज के युवा अभियन्ता ने स्वयं की सोच एवं चिन्तन से एक अमूल्य सौगात समाज को दी ।

मैं आपके उज्ज्वल भविष्य की शुभकामना करता हूँ ।

भवदीय,

(रामपाल सोनी)

अध्यक्ष विद्युत विभाग द्वारा

श्रीमत पाण्डेय
आई.ए.एस.
अध्यक्ष एवं प्रबन्ध निदेशक

दिनांक 8 अक्टूबर, 2007

प्रिय माहेश्वरीजी,

आपके द्वारा प्रकाशित पु[illegible] "बिजली कैसे बचाएं" का अध्ययन करने [illegible] हुआ कि आपने इसमें जो ऊर्जा संरक्षण [illegible]ने का प्रयास किया है, वह [illegible]य है। विद्युत उपभोक्ताओं को [illegible]-रजाभा की ऊर्जा संरक्षण हेतु [illegible]गी प्रकाशन है।

आपके [illegible]शित पुस्तक के लिए आप द्वारा किए गये [illegible] के लिए आपको बधाई।

शुभकामनाओं सहित

आपका,

(श्रीमत पाण्डेय)

इंजीनियर श्री ओ.पी.माहेश्वरी,
ए-161, कमला नेहरू नगर-
द्वितीय विस्तार,
डिफेन्स कॉलोनी,
जोधपुर (राज.)

समीक्षा

आपके द्वारा भेजी गयी पुस्तक "बिजली कैसे बचाये?" प्राप्त हुई। वर्तमान समय में जल एवं बिजली की जितनी आवश्यकता है उससे अधिक शायद किसी अन्य की नहीं। जिस प्रकार जल संरक्षण के लिये सरकार द्वारा एवं विद्वानों द्वारा निरन्तर कार्य किया जा रहा है। उसी प्रकार बिजली संरक्षण हेतु भी निरन्तर प्रयास जारी है। आप सिविल अभियंता के पद पर रहते हुए छोटी–छोटी सी जानकारियाँ इस पुस्तक में प्रकाशित कर उपभोक्ताओं को बिजली बचाने के तरीके प्रकाशित किये हैं वे प्रशंसनीय एवं सराहनीय है। यह सही है कि हम इन जानकारियों को यदि अमल में लाये तो हम बहुत अधिक मात्रा में बिजली को बचा कर राष्ट्र को सम्बल प्रदान कर सकते हैं। उपभोक्ता वर्तमान समय में सबसे अधिक विद्युत खर्च से परेशान रहता है क्योंकि वह उसका सही ढंग से सदुपयोग नहीं कर रहा है। फ्यूज सी.एफ.एल. से लैंड बल्ब बनाकर, भवन निर्माण में हवा, रोशनी हेतु आपके द्वारा बताये गये निर्माण की बारीकी को अपना कर हर जगह बिजली बचाई जा सकती है। यदि बिजली का आपके द्वारा बताये गये तरीकों से उपयोग करेगा तो वह इस परिस्थिति से उबर कर और अपना आर्थिक खर्च भी कम कर सकेगा। जनोपयोगी प्रकाशनार्थ इस पुस्तक से उपभोक्ता अवश्य लाभान्वित होंगे। इसका मुझे पूर्ण विश्वास है।

आपके द्वारा प्रकाशित इस बहुपयोगी पुस्तक के लिये आपको हार्दिक बधाई एवं शुभकामनाओं सहित –

महाराजा गजसिंह
मारवाड़ जोधपुर

प्रस्तावना

इस पुस्तक के माध्यम से बिजली के उपयोग हेतु आपको आह्वान कर रहा हूँ क्योंकि बिजली का सही उपयोग देश की प्रगति है मगर यह भी नहीं कि अज्ञानतावश इसका अपव्यय करते रहे। जहां आप इसे बचा सकते है, जो सुविधाएँ प्रकृति से एवं आसानी से मिल सकती है उसके लिए कृत्रिम तौर तरीकों पर आश्रित होना यह ठीक नहीं है अतः कोशिश करें, नई तकनीक अपनाऐं, बिजली बचायें एवं बिल में राहत पायें। इस पुस्तक में छोटी–छोटी कई तकनीक को समझाया गया है ताकि इसका उपयोग कर आप अपने बिजली के बिल में कटौती कर सकते है।

यह पुस्तक ''बिजली बचाने के तरीके'' एक शंखनाद है यह आह्वान् है स्वयं एवं देश के लिए ऊर्जा संरक्षण कर राष्ट्र प्रगति में अपना योगदान देने के लिए। मेरी यह छोटी सी कोशिश उन सोयें हुए व्यक्तियों को जगाने की है जो ऊर्जा की कीमत नहीं जानते। ऊर्जा आपकी प्रगति है और आपकी प्रगति देश की प्रगति है क्योंकि बिजली की बचत बिजली के उत्पादन से ज्यादा कीमती है।

मैनें इस पुस्तक में अपने विचारों से ज्यादा अपने शोध एवं प्रयासों को दर्शाया है क्योंकि मैं सिविल अभियन्ता होते हुये भी छोटे छोटे कई सारे शोध से बिजली बचाने के बहुत सारे बिन्दुओं को छु पाया हूँ। राष्ट्र की प्रगति आपके और मेरे प्रयासों के समन्वय से ही निर्भर है ऐसी मेरी सोच है।

इंजी. ओ.पी. माहेश्वरी

यह पुस्तकअच्छी तब साबित होगी जब
आप बिजली बचाकर सतत् लाभ प्राप्त करेंगे।

इंजी. ओ.पी. माहेश्वरी

"बिजली बचाने के तरीके"

अनुक्रमणिका

{अ} बिजली बचत के प्रयास

★ ऊर्जा संरक्षण कैसे करें।

★ छोटे नुस्खे बड़े फायदे

★ रंग बिजली के संग

★ फ्यूज सी.एफ.एल. से जलायें ट्यूब लाईट

★ रसोई में ऊर्जा बचाइ़ये

01 ऊर्जा संरक्षण कैसे करे।

ऊर्जा संरक्षण वह कला है जिसमें ऊर्जा की खपत कम करते हुऐ अपने कार्य को संपादित करना होता है। ताकि कम लागत में अधिक उत्पादन एवं सुविधाएँ मिल सके। क्योंकि ऊर्जा है अनमोल, ऊर्जा की बचत ऊर्जा का उत्पादन है इस राष्ट्रीय कार्य में हमें भी भागीदार बनना है तो बिजली जो साधारणतया तीन कार्यो में उपयोग में आती है। अनुकूल वातावरण बनाये रखने के लिये, भवनों में रोशनी के लिये, विभिन्न उपकरणों एवं मशीनों के लिये। इस हेतु निम्न बातों पर ध्यान देना होता है, ताकि बिजली के अपव्यय में कमी लाई जा सके –

1 **प्रकृति का उपयोग** (Use of Nature) :– जहाँ तक हो सके प्रकृति के द्वारा मिलने वाले उपहारों पर अधिक से अधिक निर्भरता रखें एवं कृत्रिम ऊर्जा का कम से कम उपयोग करें, सूर्य की किरणें, बहती हुई हवा, पेड़–पौधे, झरनें, समुद्र, मैदान, पहाड़, भुगर्भ, ऊष्मा आदि से उचित वातावरण बनाये रखा जा सकता है।

2 **कम अपव्यय** (Minimum Losses) :- किसी भी निर्माण में, कारखानों में, मशीन में बनने वाली वस्तु का कम से कम अपव्यय होना चाहिये, अगर अवशेष ज्यादा रहते हो तो उस पर की गई ऊर्जा का व्यय भी हानिप्रद रहता है।

3 **नगण्य कमियें** (Less Short Comings) :- जहाँ तक हो सके कार्य व्यवस्थित तरीके से सम्पन्न होना चाहिए, जैसे अगर टेबल पर रोशनी चाहिए और बल्ब को 16 फीट उपर छत के पास लगा दिया है तो ज्यादा वॉट के बल्ब से कम रोशनी ही मिल पायेगी। ऐसी अनगिनत कमियों को देखकर ऊर्जा संरक्षण के लिए उनका निराकरण करें क्योंकि प्रगति का मूलमंत्र है ऊर्जा का भरपूर उपयोग।

4 **प्रत्यक्ष उपयोग** (Direct Use) :- जहाँ तक हो सके ऊर्जा का सीधा ही उपयोग करें उसके रूप को बदलकर या एकत्रित कर उपयोग करने से ऊर्जा की क्षति होती है ।

5 **उच्च दक्षता** (High Efficiency) :- कोई भी उपकरण अगर कम दक्षता दे रहा है तो उसमें ऊर्जा की हानि हो रही है। हानि वाले बिन्दुओं को ढूंढना होता है, और उसमें सुधार करके दक्षता बढ़ाई जा सकती है।

6 **उच्च तकनीक** (Super Technology) :- अगर नई तकनीक के साथ ऊर्जा का उपयोग किया जायेगा तो ऊर्जा की बचत होगी,

जैसे :– इलेक्ट्रोनिक्स रेग्यूलेटर के उपयोग से पंखा धीमी गति पर चलाने से कम ऊर्जा का व्यय होगा, जबकि रजिस्टेन्स कॉयल वाले रेग्यूलेटर के उपयोग से बिजली व्यय अधिक रहता है।

7. **अनुकूल निर्माण द्वारा** (Suitable Construction) :- निर्माण इस तरह से होना चाहिए कि भवन में कार्य करने का उचित वातावरण लम्बी अवधि तक मिलता रहे ताकि कृत्रिम ऊर्जा का कम से कम उपयोग हो। जैसे पानी की टैंक से पानी गुरूत्वाकर्षण प्रवाह से मिलता रहेगा तो हर समय अनावश्यक बिजली का व्यय नहीं होगा।
8. **बुद्धिमता से** (By Wisdom):- कब, किस समय, कितना, क्यों, कैसे आदि प्रश्न दिमाग में उत्पन्न कर उनके निवारण का तरीका निकालना होता है ताकि ऊर्जा का अधिक से अधिक सदुपयोग हो सके।
9. **विशेषज्ञों की राय से** (Experts Opinion):- ऊर्जा बचाने के अधिक से अधिक तरीकों की जानकारी के लिये प्रशिक्षित व्यक्ति की सलाह का उपयोग कर कमियों को दूर किया जा सकता है एवं नये साधन अपनाये जा सकते हैं।

ऊर्जा संरक्षण गणित

Energy conservation is arithmetic.
New sources can be added.
Losses can be subtracted.
Old technique can be divided.
New technique can be multiplied.

बिजली उत्पादन

ज्यों तिल माही तेल है,
ज्यों चकमक में है आग।
ऐसे ही बिजली उत्पादन है,
बचत में निहित है उत्पादन।।

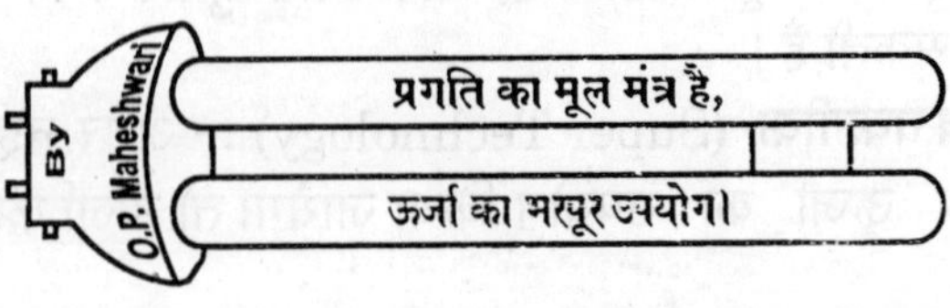

02 छोटे नुस्खे बड़े फायदे

ऊर्जा का उपयोग प्रगति का द्योतक है। ऊर्जा का समुचित उपयोग करके अधिक उत्पादन प्राप्त किया जा सकता है, अतः आवश्यकता है ऊर्जा का सदुपयोग करने की। लक्ष्य यह होना चाहिये कि कम लागत में अधिक व बेहतर उपयोग कैसे किया जाये। जिन जगहों पर विद्युत का क्षय हो रहा हो, वहाँ निम्न सावधानियाँ बरतें :–

1. **रिमोट से बन्द किये गये टी.वी., ए.सी., कम्प्यूटर आदि में लगभग 22 वॉट की बिजली की खपत होती है।** अतः इन उपकरणों को विद्युत स्विच से बन्द करके बिजली में बचत करें।
2. स्टेण्ड बाई पॉवर को बचाने के लिये माइक्रोवेव, ओवन, वाशिंग मशीन, कम्प्यूटर व इंडीकेटर स्विचों को विद्युत सप्लाई से बन्द करें। मसलन टाइमर वाला माइक्रोवेव व ओवन स्टैंडबाय मोड में अपने इस्तेमाल में आने के दौरान की मात्रा से कही अधिक बिजली का उपयोग करते हैं।

3. जहाँ तक हो सके टेबल लैम्प अथवा टास्क लाईट का प्रयोग करें ताकि जरूरत वाले स्थान पर उपयुक्त बिजली मिलती रहे।
4. घर के सारे स्विच बन्द करने के बाद भी यदि मीटर में यूनिट बढ़ रहे हो तो विद्युत लीक होकर अर्थिंग से कहीं जमीन या दीवार में जा रही है। अतः समय पर जांच अवश्य करें।
5. इमरजेन्सी लाईट, लेपटॉप, डिजीटल कैमरा, सेलफोन के

बेटरी चार्जर जब उपयोग में होते हैं, तब बिजली खर्च करते हैं यदि आवश्यकता नहीं हो तो चार्जर को प्लग से बाहर निकाल दें और बिजली अपव्यय रोकें।

6. प्रेस (इस्त्री) कुछ समय चालू छोड़नी हो तो अभ्रक अथवा एस्बेस्टस (फॉयर प्रुफ) पेड पर धीरे करके रखें एवं प्रेस का कार्य दिन में एक बार में ही पूरा कर लें। कपड़ों पर पानी छिटकने की बजाय पानी का हल्का स्प्रे ही करें।

7. गीजर से निकलने वाले गर्म पानी के नल व बाल्टी के मध्य रबड़ का लचीला पाईप लगा देने से ऊष्मा का क्षय कम होगा।

8. गीजर का तापक्रम 50 डिग्री से.ग्रे. पर सेट करलें, इससे विद्युत व्यय में 10% तक बचत होगी (see chapter 6) गीजर छोटी क्षमता का उपयोग करें ताकि बचे हुए गर्म पानी में ऊष्मा का क्षय न हो।

9. गर्म पानी की तरंगे लगातार ऊपर एवं ठण्डा पानी नीचे रहने की प्रवृति के कारण गीजर छोटी क्षमता के लगाने चाहिए ताकि बचे हुए पानी से ऊर्जा का ह्रास न हो।

10. गर्म पानी प्राप्त करने के लिए गीजर की बजाए गैस पर गर्म करना सस्ता पड़ता है और सोलर शीट्स से ज्यादा मात्रा में उपयोग आने वाले स्थानों पर बहुत ज्यादा सस्ता पड़ता है।

11. रेजीस्टेन्स कॉयल वाले इलेक्ट्रोनिक रेगुलेटर जो साधारणतया घरों में लगे होते है, धीमी स्पीड में काम लेने पर भी उतनी ही बिजली व्यय होती है

कैसे समझाऊं कि लाल आँखें पीने से नहीं, 200 वॉट के इन्केण्डेसेंट बल्ब की तेज रोशनी से हुई है।

जितनी की तेज गति में, अतः पंखों व कूलर आदि को तेज अथवा धीरे करने हेतु **इलेक्ट्रोनिक रेग्यूलेटर** लगा कर बिजली की बचत कर सकते है और रेजीस्टेन्स कॉयल द्वारा जो ऊर्जा हीट में व्यय हो जाती है उसे रोका जा सकता है।

12. वाशिंग मशीन में कपड़े धोने से आधा घण्टा पूर्व उन्हें सर्फ में भीगोकर रखने से सर्फ का पूरा उपयोग एवं बिजली की बचत की जा सकती है। जिस वांशिग मशीन के मॉडल में कपड़े धोने हेतु लोडर आगे होता है उसमें अन्य के मुकाबले में 25 प्रतिशत बिजली कम व्यय होती है।
13. कुछ समय कम्प्यूटर चालू रखना पड़े मगर काम नहीं करना हो तो मोनिटर बन्द करके खर्च होने वाली आधी बिजली में बचत कर सकते हैं।
14. ए.सी., फ्रीज, टी.वी. में लगने वाला स्टेबलाइजर इनके करीब ही लगाये, दूरी पर लगे होने पर पॉवर लोसेज होगा। इसी तरह केपेसिटर, ट्रांसफोर्मर भी स्त्रोत के नजदीक लगाने चाहिये।
15. टेबलपंखा / कम ऊंचाई पर लगा पंखा ज्यादा प्रभावी होता है। अगर छत की ऊँचाई ज्यादा है तो रॉड की लम्बाई बढ़ाकर पंखे को नीचे किया जा सकता है।
16. इन्कैन्डैसेंट बल्ब (साधारण बल्ब) की जगह कम्पैक्ट फ्लोरोसेंट लैम्प (सी.एफ.एल.) के उपयोग से बिजली के खर्च में बहुत ज्यादा बचत होती है। एक वॉट के सी.एफ.एल. में करीब 100 ल्यूमन की रोशनी होती है, जबकि एक इन्कैन्डैसेंट बल्ब में 35 ल्यूमन प्रति वॉट ही मिलती है।
17. नियोन लेम्प अथवा इंडीकेटर लेम्प लगातार जलते रहने से भी विद्युत व्यय होती है अतः इन्हें भी स्विच से जोड़ कर रखें।
18. इलेक्ट्रोनिक्स उपकरणों में अन्य इलेक्ट्रिक उपकरणों के मुकाबले विद्युत खर्च कम होता है। जैसे फैन

पढ़े पुस्तक में इस शोध को

रेगुलेटर, इलेक्ट्रिक बैल एवं ट्यूब लाईट जो इलेक्ट्रोनिक सर्किट पर बने हो, में विद्युत अपव्यय कम होगा। इलेक्ट्रोनिक्स बैलास्ट (चोक) वाली ट्यूब जिसके स्टार्टर नहीं लगा होता है, में 30% तक बिजली का कम व्यय होता है।

19. सी.एफ.एल. अथवा एल.ई.डी. अथवा नियोन लैम्प से बनी डिम लाईट तीन वॉट से लेकर माइक्रो वॉट तक की मिल जाती है अतः जीरो वॉट के नाम से प्रचलित बल्ब जो 16 वॉट का होता है, के मुकाबले लगातार एवं बहुत सारी जगहों पर उपयोग से बड़ी मात्रा में विद्युत बचत कर सकते हैं। **एल.ई.डी.** (see chapter 10) **के बने नाईट लेम्प में माइक्रोवॉट में बिजली व्यय होती है** अतः एक घर में करीब 75 रूपये प्रति माह की बचत कर सकते हैं।

20. ट्यूबलाईट के पीछे चमकीली चद्दर, फॉइल या रिफ्लेक्टर लगा कर रोशनी के प्रभाव को बढ़ाया जा सकता हैं।

21. डिमर स्विच की मदद से लैम्प की रोशनी को आवश्यकतानुसार कम कर बिजली व्यय कम किया जा सकता है।

22. हीटर और फ्रिज की कॉइल एवं ट्यूब लाईट, लैम्प आदि पर धूल नहीं जमा न होने दे धूल से इनकी दक्षता कम होगी।

23. फ्रीज के पीछे की दीवार में हवा का सरक्यूलेशन बनाये रखें एवं कन्डेन्सर कॉयल भी नियमित साफ करते रहें, इस हेतु पीछे की दीवार छिद्रमय (जालीदार) भी रख सकते हैं। (see chapter 8)

24 फ्रिज के डीफ्रोस्ट स्विच का उपयोग कम करके बिजली की सप्लाई सर्दियों में 4 घण्टे तथा गर्मियों में 2 घण्टे बन्द कर दी जाये तो बिजली की खपत में कमी लाई जा सकती है।

25. सी.एफ.एल. अथवा डायोड लेम्प लगा कर बिजली खपत में बहुत अधिक बचत की जा सकती है। समान रोशनी हेतु इसमें 8 से 10 गुणा बिजली की कम खपत होती है।

26. स्टडी टेबल पर लेम्प में लैड बल्ब लगाकर नगण्य विद्युत व्यय से अधिक रोशनी ले सकते है।

27. रात को जल्दी सोना व सुबह को जल्दी जगने की (अरली टु स्लीप, अरली टु राईज) आदत भी बिजली बचत में सहयोग देती है। खासकर दिन की पर्याप्त रोशनी में काम करने की आदत बनायें और रात्रि में विश्राम करें।

28. मशीनों की दक्षता बढ़ाने के सारे उपाय करें, घिसने वाले पार्ट्स में समय–समय पर ग्रीस आदि का उपयोग नियमित बनाये रखें।

29. फ्रिज में रखी जाने वाली गर्म वस्तु को पहले वातावरण के तापक्रम पर लाकर ही फ्रिज में रखें।

30. माईक्रोवेव का उपयोग सीमित एवं बिना ईंधन वाले बने हॉट केस का उपयोग बढ़ाकर खाना गर्म रखा जा सकता है।

31. सोलर उपकरणों के उपयोग से भी बिजली बचत की जा सकती है।

32. पानी के पम्प में सक्सन पाईप (पम्प से टैंक तक लगा पाईप) 3 मीटर ऊँचाई से ज्यादा नहीं होना चाहिए। अतः टैंक में पानी भरा होने पर ही पम्प को चालु करें। यह जितना कम होगा उतनी ही पम्प की दक्षता बढ़ेगी। एच.डी.पी.ई. पाईप में घर्षण कम होता है अतः जी.आई पाईप के मुकाबले बिजली वचाने नें ज्यादा उत्तम रहते हैं।

33. वॉटर पम्प के साथ पॉवर फेक्टर करेक्शन कैपेसिटर्स प्रयोग करें। मशीनों में अच्छी बियरिंग के उपयोग से बिजली व्यय में काफी बचत होती है।

34. जब सर्दी के दिनों में पॉवर कट नहीं के बराबर रहता है। तब इर्न्वटर में विद्युत सप्लाई बन्द कर दें, हो सके तो बैटरी के टर्मिनल को हटाकर विपरीत दिशा में विद्युत प्रवाह रोक कर बैटरी की उम्र भी बढ़ा सकते हैं।

35. डिजाइन वोल्टेज से कम वोल्टेज पर उपकरणों को उपयोग लेने पर अधिक करण्ट का प्रवाह होगा, जिससे विद्युत व्यय बढ़ेगा।

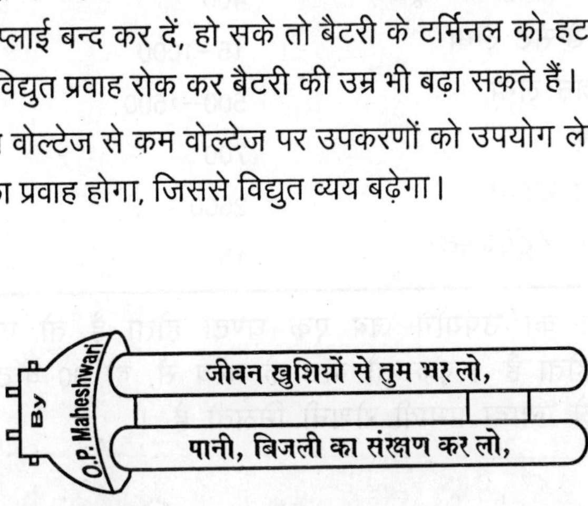

साधारण घरेलु उपकरणों में बिजली व्यय

उपकरण	वॉट (W)
ट्युब लाईट	06 से 40
टी.वी. (B/W)	80–110
रेफ्रिजरेटर (मध्यम साइज)	120
टी.वी. (रंगीन)	250
कॉफी मशीन	400
वेक्यूम क्लीनर	800–1000
लैड लैम्प	0.5 वॉट से कम
गीजर	2500–5000
नाईट लैम्प	15–16
प्रेस	1000–1500
एक एच.पी. पानी का पम्प	400–500
छत पंखा	40–80
कूलर	180
एयर कण्डीशनर (विण्डो)	2100
स्पिलट ए.सी., 1.5 टन	1800
माइक्रोवेव	900
मिक्सी (ग्राइंडर, ज्यूसर)	400
इन्कैन्डेन्सेंट लैम्प	15–1000
हैलोजन लैम्प	500–1500
टोस्टर	700
वॉशिंग मशीन	2500
रेडियो / ट्राँजिस्टर	15

1000 वॉट का उपयोग जब एक घण्टा होता है तो एक यूनिट का व्यय होता है । एक सौ वॉट के बल्ब से, दो 60 वॉट के बल्ब के मुकाबले ज्यादा प्रभावी रोशनी मिलती है ।

03 रंग बिजली के संग

बिजली को अगर बचाना है तो रंगों एवं प्रकाश का ज्ञान होना आवश्यक है क्योंकि रंग अपना प्रभाव दीवारों व साज–सज्जा पर ही नहीं छोड़ते अपितु मानव के मन मस्तिष्क में ऊर्जा का संचालन करते हैं। सफेद ग्लेज्ड टाईल 70 से 90%, पुरानी ईंटें 0.05%, मारबल सतह 50 से 60%, ग्रेनाईट सतह करीब 10 से 15%, पत्थर एवं कंकरीट की सतह 5 से 25% तक किरणों को परावर्तित करते हैं। अगर सतह फाईन टेक्सचर्ड है तो प्रकाश को परावर्तित करेगी एवं अगर सतह रफ टेक्सचर्ड (बड़े कणों वाली) है तो प्रकाश का विकिरण (डिफ्यूज्ड) होगा जिससे प्रकाश सभी ओर फेलेगा।

आसमान एवं पानी का रंग नीला, पेड़–पौधों का रंग हरा होता है अतः इन रंगों के मिश्रण से बनने वाले रंग ठण्डे व आरामदेह होते हैं। अतः शांत वातावरण की आवश्यकता वाले स्थानों पर इस रंग का उपयोग कर सकते है। इसी तरह पीला व लाल रंग सूर्य की तरह गर्मी का अहसास कराते हैं अतः कार्य स्थल पर इन रंगों से साहस एवं उत्साह का सृजन होता है। यही कारण है कि मन्दिर के गर्भगृह (मूर्ति स्थापित होने के स्थान) के रोशनदान से पूर्व की तरफ उगते हुए सूर्य की पहली किरण जब मूर्ति से टकराकर प्रकाश को परावर्तित करती है तो पूजा में मग्न व्यक्ति में नई ऊर्जा का संचार होता है और यही कारण हैं कि प्रातःकाल सूर्य नमस्कार करने वाले में दिनभर स्फूर्ति बनी रहती है।

प्रकाश जो कई रंगों से मिलकर बना होता है जब प्रिज्म में से निकलता है तो बैंगनी, नीला, आसमानी, हरा, पीला, नारंगी और लाल रंग में विभक्त हो जाता है या यह कहें कि सफेद रंग का प्रकाश मूल रूप से पीला, लाल एवं नीला रंग का मिश्रण होता है। इन तीन रंगो को प्राइमरी रंग कहते हैं, लाल और पीले से ऑरेंज, पीला व नीले से हरा, नीला व लाल से वॉयलट कलर बनता है इन तीनों रंगो को सेकेण्डरी रंग कहते हैं सफेद व काला रंग उदासीन रंग होते हैं किसी रंग में सफेद रंग मिलाने से रंग का टिन्ट हल्का हो जाता है जैसे लाल रंग में सफेद रंग मिला देने से गुलाबी रंग बन जाता है वैसे ही काला रंग मिलाने पर उस रंग का सेड गहरा हो जायेगा जैसे लाल में काला रंग मिलाने पर मेहरून रंग बन जाएगा। प्रत्येक रंग की विशेष आवृति (फ्रिक्वैन्सी), चमक (ग्लेयर) होती है जो हमारे अन्तःस्त्रावी तंत्र पर असर डालते हैं जिससे विभिन्न हॉरमोन का

नियन्त्रण होता है। यही कारण है कि नीला रंग शान्ति, अन्तता एवं शीतलता की अनुभूति कराता है, लाल रंग अग्नि और सूर्य का रंग माना जाता है यह रोमांस और भूख को जागृत करता है, नारंगी रंग उगते हुए सुर्य का रंग होता है लाल एवं पीले का मिश्रण होने के कारण शरीर में ऊर्जा का स्तर बढ़ाता है और हरा रंग आँखों में ताजगी देता है। काला रंग अवसाद जगाता है और गुलाबी रंग सदाबहार रंग है जो आक्रामकता को कम करता है। सफेद रंग मस्तिष्क में विचारों का संचरण करता है। सूर्य का प्रकाश विटामिन डी प्रदान करता है।

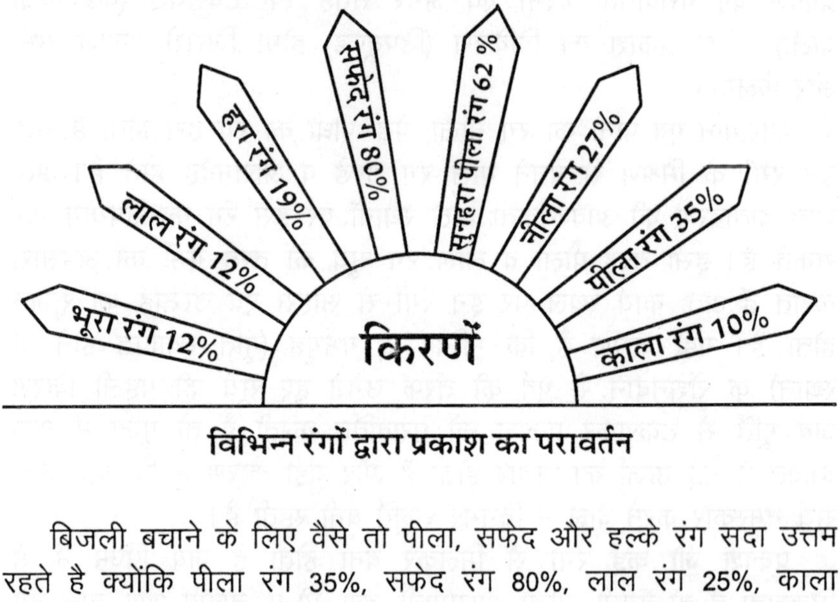

विभिन्न रंगों द्वारा प्रकाश का परावर्तन

बिजली बचाने के लिए वैसे तो पीला, सफेद और हल्के रंग सदा उत्तम रहते है क्योंकि पीला रंग 35%, सफेद रंग 80%, लाल रंग 25%, काला रंग 10%, नीला रंग 27%, भूरा रंग 12%, हरा रंग 19%, एल्यूमिनियम पेन्ट 22%, सुनहरा पीला 62% तक किरणों को परावर्तित करते हैं। इसी तरह सिल्वर नई कोटिंग से 92%, पॉलिस्ड एल्यूमिनियम शीट से 62%, निकल प्लेट से 55% तक किरणों को परावर्तित कर आधुनिक भवन के विभिन्न कक्षों में उचित रंगों का प्रभाव लिया जा सकता है। परावर्तित किरणें जितनी ज्यादा रहेगी, रोशनी भी ज्यादा रहेगी। शयन कक्ष में नीला एवं हरा रंग शान्ति प्रदान करता है। रसोईघर में पीला रंग ऊर्जामय वातावरण प्रदान करता है। अतिथि गृह (बैठक कक्ष) का प्रयोग कम समय के लिए होता है अतः आंखों को लुभाने वाले अलग–अलग रंगों का प्रयोग किया जा सकता है। प्रसाधन कक्ष में सफेद एवं नीला रंग सफाई एवं पानी के साथ रहने का एहसास कराते हैं। पूजा घर में शान्ति से स्मरण करना

होता है अतः सफेद, नीला एवं पीला रंग उत्तम रहते हैं। बच्चों के कक्ष में बच्चों के जोश उमंग को देखते हुए विभिन्न दीवारों में अलग–अलग चमकीले, चटकीले एवं भड़कीले गहरे रंगों का प्रयोग किया जा सकता है। कार्यालय कक्ष में दिन के समय कार्य होता है, अतः सफेद, पीला एवं नीला रंग रोशनी एवं आकर्षण को बनाये रखते हैं। नीला रंग मस्तिष्क में ठंडक प्रदान करता है, अतः बेहतर सोच एवं प्रस्तुति में मददगार रहता है।

अतः विभिन्न कक्षों में सजावट, टेक्चर एवं विन्यास में रंगों का इस तरह इस्तेमाल हो ताकि भवन की सार्थकता बनी रहे।

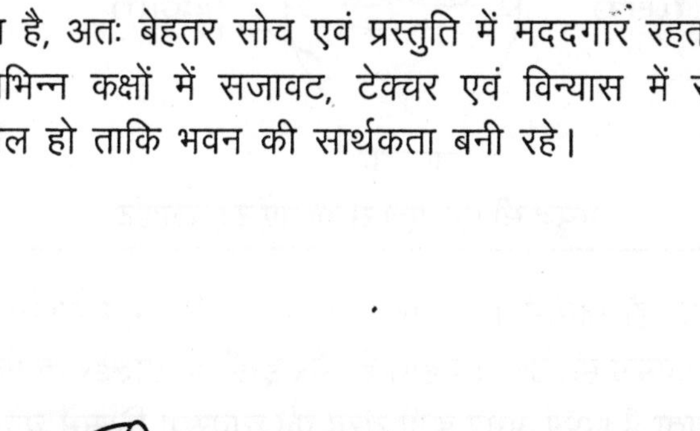

04 फ्यूज सी. एफ. एल. से जलायें घर पर ट्यूब लाईट

प्रायः फ्यूज हो गई सी. एफ. एल. को बाहर फेक दिया जाता है और बाजार से नई लाकर लगा दी जाती है। फ्यूज हो गई सी. एफ. एल. से घर पर ही इलेक्ट्रोनिक ट्यूब लाईट बिना खर्च के बनाई जा सकती है। जिसमें स्टार्टर और चॉक की भी आवश्यकता नहीं रहती है। यह ट्यूब लाईट सी. एफ. एल. की तरह ही एक ही पल में रोशनी देनी शुरू कर देती है। घर पर यह इलेक्ट्रोनिक ट्यूब लाईट बनाने के लिए निम्न सामग्री की आवश्यकता रहती है। एक फ्यूज सी. एफ. एल., तार, ट्यूब लाईट रॉड को लगाने के लिए होल्डरमय स्ट्रिप (स्ट्रिप में चॉक व स्टार्टर) नहीं लगा हुआ होना चाहिए आदि। फ्यूज सी. एफ. एल. पर से ट्यूब हटाने पर आप देखेंगे कि, सी. एफ. एल. के दोनों सिरों पर 2–2 टर्मिनल निकले होते है। अब अगर इन टर्मिनल को ट्यूब रॉड से जोड़ देंगे तो ट्यूब

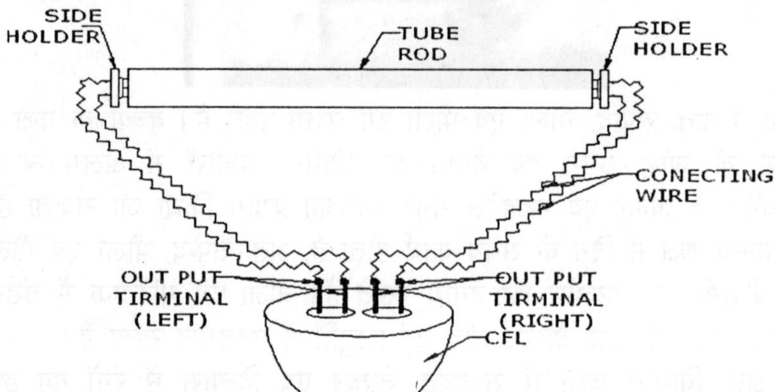

फ्यूज सी.एफ.एल से जलाऐं टयूबलाईट

लाईट प्रकाशित हो जायेगी। साधारण घर पर लगी ट्यूब लाईट में स्ट्रिप पर चॉक, स्टार्टर, साइड होल्डर लगे होते हैं और इन्हीं दो होल्डर के मध्य ट्यूब रॉड को लगाया जाता है। अब अगर इसी तरह की व्यवस्था जिसमें चॉक एवं स्टार्टर नहीं लगे हो और साईड होल्डर सी.एफ.एल. के आउट टर्मिनल से जोड़ दिये जाते हैं। यह ध्यान रखें कि सी.एफ.एल. के एक साइड के टर्मिनल ट्यूब स्ट्रिप

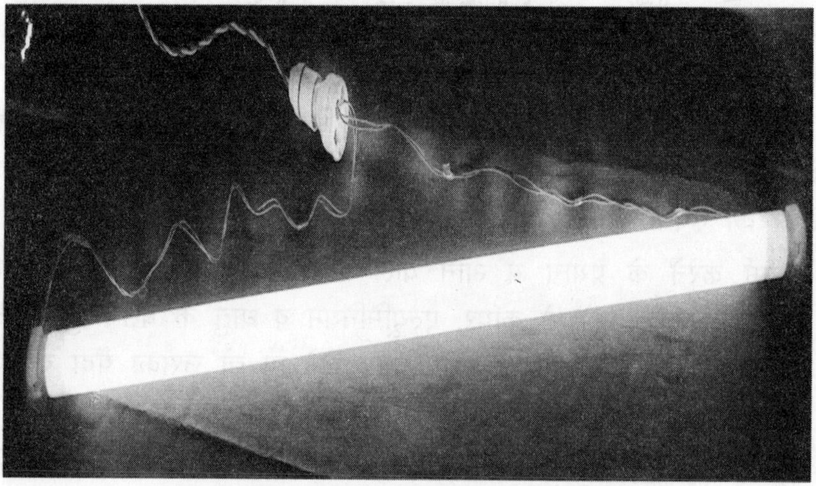

फ्यूज सी. एफ. एल. से जलती हुई ट्यूबलाईट रॉड

के एक साईड से जोड़ दिये जाये व दूसरी साइड के सी.एफ.एल. के टर्मिनल को ट्यूब के दूसरी साइड से तारों द्वारा जोड़ देने पर ट्यूब स्ट्रिप तैयार हो जाती है। अब सी. एफ. एल. को बल्ब के होल्डर में लगाकर रोशनी ली जा सकती है।

साधारणतया सी.एफ.एल. जितने वॉट की होती है, उससे डबल वॉट की ट्यूब रॉड को स्ट्रिप में लगाकर रोशनी ली जा सकती है। उदाहरण के लिए 36 वॉट की ट्यूब रॉड को प्रकाशित करना है तो 18 वॉट की सी.एफ.एल. से टर्मिनल निकालने होते हैं और अगर 23 वॉट की सी.एफ.एल. उपलब्ध है तो 40 वॉट की ट्यूब रॉड को प्रकाशित कर सकते हैं। हो सके तो सी.एफ.एल. के आउट टर्मिनल को सोल्डिंग द्वारा जोड़ें ताकि तारों के आपस में जुड़ने की सम्भावना नहीं रहे। चूंकि इस तरह की ट्यूब लाईट में चॉक एवं स्टार्टर नहीं लगे होते हैं एवं सी.एफ.एल. के डबल वॉट की ट्यूब प्रकाशित हो जाती है। **अतः 40 से 50 प्रतिशत तक बिजली के व्यय में बचत की जा सकती हैं** और हर समय चॉक एवं स्टार्टर के द्वारा होने वाली परेशानी से भी बचा जा सकता है। चॉक व स्टार्टर न होने के कारण यह ट्यूब लाईट बहुत ही सस्ती पड़ती है। जिससे बिजली बचाने में आप भी अपना योगदान दे सकते हैं।

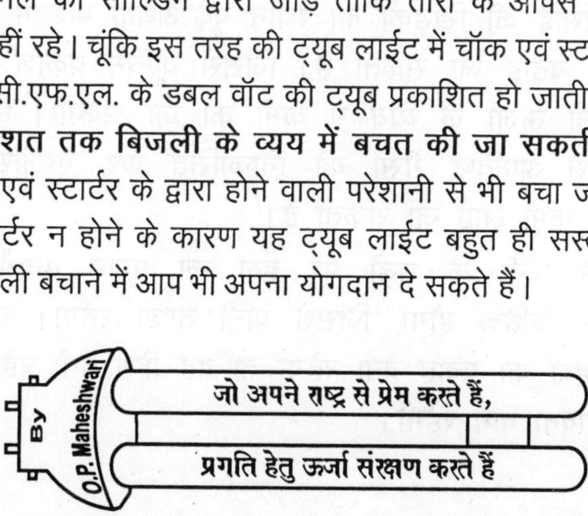

05 रसोई में ऊर्जा बचाईये

एक आवासीय भवन में ऊर्जा का अधिकतम उपयोग रसोईघर में होता है और ऐसे में अगर ऊर्जा बचाने की ठान ली जाये तो कुछ टिप्स का उपयोग कर ऊर्जा को बचाया जा सकता है।

1. गर्म करने के प्रयोग में आने वाले बर्तन ऊष्मा के सुचालक होना आवश्यक है। ऐसे से कॉपर, एल्यूमिनियम व धातु के बर्तन सुचालक होते हैं। अगर मिट्टी के बर्तन काम लेने हो तो उसका पैंदा काला कर देना चाहिए। आजकल स्टील के बर्तन के पैंदे पर तांबे (कॉपर) का तला लगा मिल जाता है जो ऊष्मा का अधिक सुचालक होता है।
2. दालों और सब्जियों को उबालने से पूर्व आधा घंटे भीगो देना चाहिए जिससे उबालने में कम ऊर्जा व्यय होगी, साथ ही उबालने में कुकर अथवा बन्द बर्तन का प्रयोग करना चाहिए।
3. किसी द्रव को उबालने के लिए ढक्कन लगे बर्तन में आधा गर्म होने तक तेज गति से ऊष्मा दी जाये व बाद में धीरे–धीरे गर्म करने से ईंधन की बचत होती है।
4. सोलर चूल्हों, सोलर गीजर का उपयोग सस्ता पड़ता है। लकड़ी व बिजली की बजाय गैस ईंधन का उपयोग अधिक सस्ता पड़ता है।
5. घर से रसोई की खिड़की का स्थान पूर्व अथवा पश्चिम में रख कर कार्यावधि बढ़ाई जा सकती है। जिससे कृत्रिम प्रकाश हेतु प्रयुक्त होने वाली ऊर्जा के व्यय में कमी की जा सकेगी। धुआंकश का निर्माण से अपविष्ट गैसों को निष्कासित कर, एग्जॉस्ट फेन के प्रयोग में कमी लाई जा सकती है।
6. रसोई में पानी के घड़ों पर हवा का प्रवाह बनाये रखने से एवोपरेशन अधिक होगा, जिससे पानी ठण्डा रहेगा। खाद्य सामग्री पर भी हवा का प्रवाह बना रहेगा तो वह फ्रेश बनी रहेगी व सड़ने की सम्भावना कम रहेगी।

7. रसोई में उचित प्रकाश बना रहेगा तो बिजली के प्रयोग में कमी आयेगी। रसोई की एक दीवार जो लॉबी अथवा डाईनिंग की ओर हो, नहीं बनाकर रसोई खुली–खुली बनाई जा सकती है।

8. किचन में गर्म किये हुए पदार्थ को स्टोरेज करने हेतु थर्माकॉल शीट की मदद से बन्द डिब्बा अथवा केसरोल बनाया जा सकता है, जिसमें खाने को अधिक देर तक गर्म अथवा ठंडा रखा जा सकता है। इस हेतु बाजार में मिलने वाले हॉटकेस आदि का भी प्रयोग किया जा सकता है। (see chapter 45)

9. खाने के बर्तन धोने का समय निर्धारित इस तरह से रखें कि घर में नल द्वारा मिलने वाला पानी सीधा उपयोग किया जा सके ताकि पानी को टंकी में ऊपर कम से कम चढ़ाना पड़े। इस हेतु कम ऊंचाई पर इन्टरमिडियेट टैंक भी लगाकर पानी की सप्लाई बनाई जा सकती है।

10. रसोई में बैठकर खाना बनाने की बजाय स्टेन्डिंग किचन सिस्टम से कार्य जल्दी सम्पन्न होता है एवं ऊर्जा में बचत होती है।

11. इलेक्ट्रोनिक उपकरण, सी.एफ.एल., डिमर, सोलर उपकरण आदि के प्रयोग से भी ऊर्जा बचाई जा सकती है।

12. ग्रामीण क्षेत्र में उन्नत चूल्हे का प्रयोग करके ईंधन का पूर्ण उपयोग किया जा सकता है। इनको बनाने के लिए ईंट एवं मिट्टी की आवश्यकता होती है एवं प्रशिक्षण कृषि विज्ञान केन्द्र से लिया जा सकता है। उन्नत फ्रीज, सोलर कूकर का उपयोग भी इस दिशा में क्रान्तिकारी कदम है। मध्यम सदस्यों वाले परिवार में डिश सोलर कूकर का प्रयोग करके सालाना 5–10 एल.पी.जी. सिलेण्डर की बचत की जा सकती है जबकि छोटे परिवार के लिए बॉक्स सोलर कूकर का प्रयोग करके ईंधन बचाया जा सकता है। सोलर स्टिम कुकिंग सिस्टम को बड़े स्केल पर लगातार बनने वाले खाने में बहुत ज्यादा ईंधन बचाया जा सकता है।

13. उबालने में सेपरेटर लगाकर एक साथ कई चीजों को उबाला जा सकता है। बर्तन ढ़क कर में उबालने से विद्युत अथवा ईंधन की बचत की जा सकती है।

14. ग्रामीण क्षेत्रों में जहाँ घरों में पशुपालन करते हैं, वहां गोबर गैस प्लांट लगाकर कुकिंग गैस व कम्पोस्ट खाद प्राप्त की जा सकती है।

स्टेण्डिंग रसोई

15. रसोई की सतह चिकनी व हल्के रंगों की बनी होनी चाहिए। खिड़कियों व दरवाजों से हवा का प्रवाह बना रहना चाहिए। रोशनी बनाये रखने के लिए स्काई लाईट, लालटेन सिस्टम अथवा चिमनी को बनाया जा सकता है।

16. थोड़ी मात्रा में भोजन सामग्री पकाने के लिये माइक्रोवेव, ओवन के मुकाबले कम विद्युत खर्च करता है।

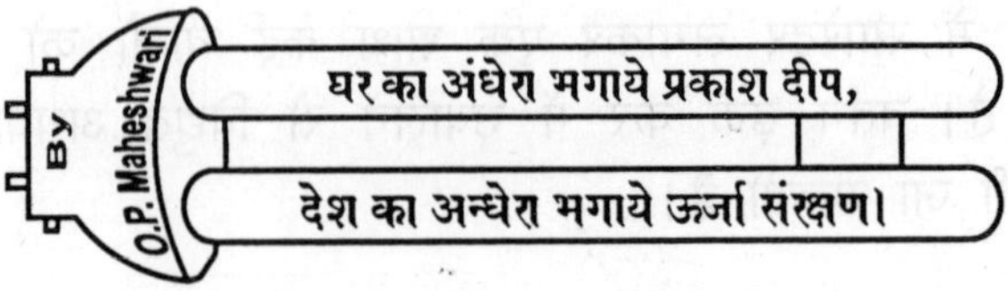

{ब} उपकरणों में बिजली बचत

★ गीजर के उपयोग में विद्युत क्षय की रोकथाम

★ बिना बिजली से चलने वाला पम्प **'हाईड्रोलिक रेम'**

★ फ्रीज का उपयोग, विद्युत क्षय रोकें

★ हस्त चलित सीव शेकर

★ नाईट लैम्प (लैड लैम्प) बनायें फ्यूज सी.एफ.एल. से

★ बिजली रहित फर्श ग्राइन्डिंग मशीन

★ बल्ब और बिजली व्यय

★ प्रकाश व्यवस्था में बदलाव से बिजली बचत

★ विद्युत लीकेज न हो

★ एयर कण्डीशनर एवं हॉट ब्लोवर का उपयोग

06 गीजर उपयोग में विद्युत क्षय की रोकथाम

आज कल बिजली के उपकरणों का उपयोग लगातार बढ़ रहा है। सर्दी के समय गीजर का उपयोग आम हो गया है। गीजर के उपयोग में अगर कुछ सावधानियाँ बरती जाये तो ऊष्मा का विकीरण कम करके बिजली के क्षय में कमी लाई जा सकती है। इस हेतु कुछ टिप्स इस प्रकार है–

गीजर से निकलने वाले गर्म पानी के नल व बाल्टी के मध्य अगर **रबड का छोटा पाईप (लचीला पाईप) लगा दिया जाए** तो पानी गिरते समय ऊष्मा का ठंडे वातावरण के कारण होने वाले ह्रास को कम किया जा सकता है।

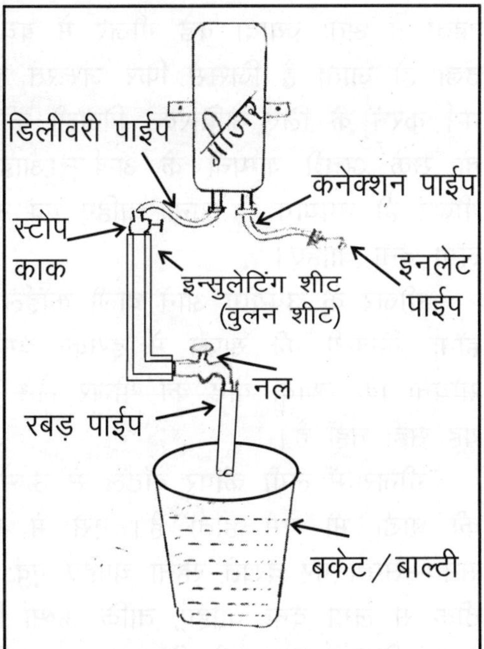

गीजर पाईप फिटिंग

गीजर की पाईप लाईन लगाते समय, गीजर से निकलने वाले डिलीवरी पाईप पर ही इन्सूलीशन शीट जैसे वूलन शीट आदि लपेट कर गर्म पानी की ऊष्मा के क्षय को कम किया जा सकता है। अगर पाईप चुनाई में दबाना है तो पाईप को चुनाई में दबाने से पूर्व ही उस पर वुलन शीट लगा कर दबा देना चाहिए। गीजर कनेक्शन के लिए प्रयोग में आने वाले दोनो इनलेट व आउटलेट पाईप धातु की बजाय पी.वी.सी. सिंथेटिक आदि कुचालक पदार्थ के लगाने चाहिए, इससे ऊर्जा क्षय की रोकथाम के साथ विद्युत फॉल्ट में भी सुरक्षा बनी रहती है।

गीजर के थर्मोस्टेट को 35 डिग्री से 50 डिग्री सेन्टिग्रेट के मध्य ही सेट करके रखने से ऊष्मा का कम ह्रास होगा और इससे 15 से 20 प्रतिशत तक बिजली व्यय में बचत होगी।

गर्म पानी की तरंगें नीचे से ऊपर की ओर उठती हैं। अतः पानी गर्म होने के बाद गीजर से लगा इनलेट पाईप एवं मिक्सर नल के द्वारा ऊष्मा का क्षय होना चालू रहता हैं अतः आवश्यक है कि जरूरत के समय ही पानी गर्म करें एवं गीजर भी कम क्षमता वाला लगाऐं क्योंकि गीजर कभी भी पानी से खाली नहीं रहता है। अन्तिम तापक्रम जो पानी निकाला जाता है वही तापक्रम का पानी गीजर में स्टोर किया हुआ भी रहता हैं अतः ज्यादा बड़े गीजर में बचा हुआ पानी थोड़े समय बाद ठंडा हो जाता है जिससे फिर जरूरत होने पर पुनः पानी को दोबारा गर्म करने के लिए अतिरिक्त बिजली की जरूरत पड़ती है। जहां तक हो सके अच्छी कम्पनी के आई.एस.आई. मार्क अच्छा थर्मोस्टेट लगा गीजर ही उपयोग में लाना चाहिए एवं सुरक्षा के लिए ई.एल.सी.बी. भी लगा देनी चाहिए।

गीजर के उपयोग आने वाली कोईल कम वॉट या अधिक वॉट का होना, बिजली की खपत में इसका प्रभाव नहीं पड़ता है। अतः यह सोचना कि ज्यादा वॉट का गीजर लेने पर बिजली ज्यादा खर्च होगी, यह सही नहीं है।

गीजर में लगी कॉपर बॉटल से ऊष्मा का परिचालन होने पर बाहर की बॉडी भी गर्म होती है। ऐसे में बॉटल पर लगे इन्सूलीन को समय–समय पर देखते रहना चाहिए एवं ढंग से लगा हुआ नहीं हो तो ठीक से लगा देना चाहिए, ताकि ऊष्मा विकिरण कम से कम रखा जा सके। बिजली बचत के लिए यह आवश्यक है ऊर्जा का क्षय कम से कम हो ताकि गीजर अपनी पूर्ण क्षमता के साथ गर्म पानी उपलब्ध करा सके।

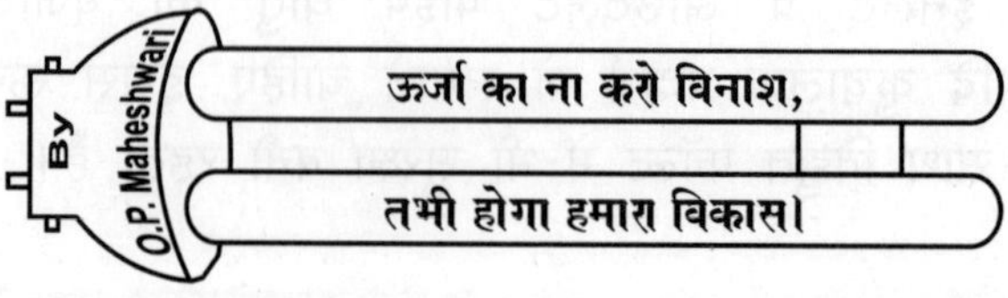

07

बिना बिजली से चलने वाला पम्प 'हाईड्रोलिक रेम'

हाईड्रोलिक रेम एक ऐसा पम्प है जिससे अधिक मात्रा में थोड़ी ऊँचाई से गिरने वाले पानी को थोड़ी मात्रा में अधिक ऊँचाई पर चढ़ाया जा सकता है अतः जहाँ अंडरग्राउंड टैंक व ऊँचाई पर पानी का टैंक बना हुआ है वहाँ कम ऊँचाई से आने वाले नल के पानी को इस पम्प के द्वारा ऊपर बने हुए पानी के टैंक में चढ़ाया जा सकता है। **इसमें किसी तरह की बिजली अथवा अतिरिक्त फ्यूल की आवश्यकता नहीं रहती है।** इसलिए इस पम्प में कोई बाह्य ऊर्जा की जरूरत पम्प चलाने में नहीं पड़ती है। ऐसी जगह जहाँ बिजली की कमी रहती है एवं पानी कम ऊँचाई पर उपलबध है उसमें से थोड़ा पानी सप्लाई हेड का 8–12 गुना अथवा पाईप के व्यास का 800 से 1000 गुना अधिक ऊंचाई पर बिना किसी अन्य ऊर्जा के पानी को चढ़ाया जा सकता है, एवं नीचे गिरने वाले पानी को कम दबाव वाले क्षेत्रों में उपयोग किया जा सकता है। एक

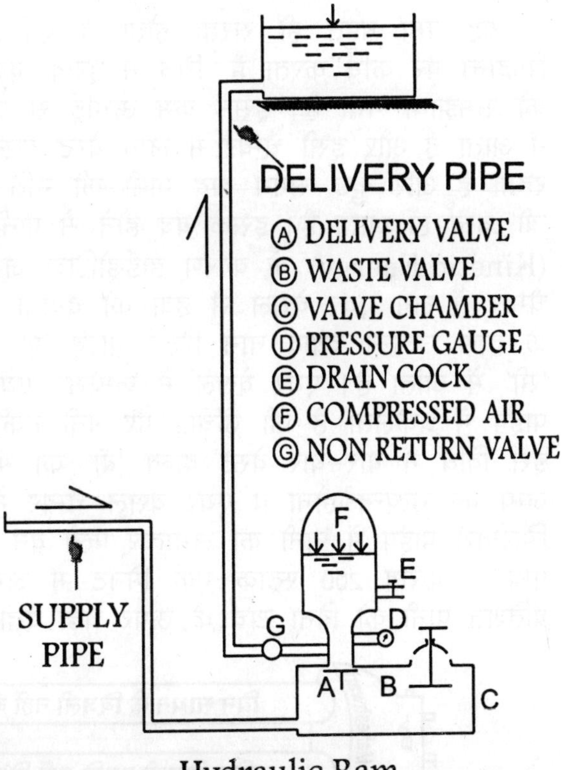

Hydraulic Ram

बार यह पम्प चालू होने के बाद इसके रख रखाव पर नगण्य ध्यान की आवश्यकता रहती है।

रेम पम्प उद्यान में

यह पम्प बहुत ही सस्ता होता है एवं हाईड्रोलिक जम्प के सिद्धान्त पर कार्य करता है, चित्र में इसके कार्य करने की प्रणाली को समझाया गया है। इसमें कम ऊंचाई से जब पानी चैम्बर 'सी' में आता है और इसी चैम्बर में लगा वेस्ट वाल्व से बाहर निकलता रहता है और कुछ समय बाद पानी की गति बढ़ने पर यह वाल्व 'बी' बन्द हो जाता है। इसके बंद होने से पानी की गतिशील ऊर्जा (Kinetic Energy) के कारण हाईड्रोलिक जम्प बनती है जो इस चैम्बर में लगे एयर वेसल से हवा को दबाता है। हाईड्रोलिक जम्प के द्वारा उत्पन्न दबाव नोन रिटर्न वाल्व 'ए' के द्वारा एयर वेसल 'सी' में जाता है। एयर वेसल में कम्प्रेसर एयर पानी को डिलीवर पाईप में धकेलता है जो ऊँचाई पर बनी टंकी में चला जाता है। इस विधि में बार–बार वेस्ट वॉल्व 'बी' का बंद होना, हाईड्रोलिक जम्प का उत्पन्न होना व एयर वेसल चैम्बर में हवा को दबाने से डिलीवरी पाईप में पानी का लगातार फ्लो बन जाता है। एक अच्छे पम्प में करीब 200 स्ट्रोक एक मिनट में लग जाते हैं और 50 प्रतिशत पानी को बिना खर्च के ऊपर चढ़ा देता है।

By O.P. Maheshwari

बिन साधन के बिजली नहीं बनती,

बिन बिजली प्रगति नहीं मिलती।

08 फ्रीज का उपयोग - विद्युत क्षय रोकें

- फ्रीज को दीवार एवं फर्श से 15–20 सेन्टीमीटर दूर रखना चाहिए ताकि कम्प्रेशर से निकलने वाली गर्म हवा कम्प्रेशर की कार्य क्षमता को कम नहीं करे।
- फ्रीज के पीछे की दीवार छिद्रयुक्त सामग्री (पोरस ईंट/जाली) से बनानी चाहिये।
- फ्रीज को केबीनेट में लगाना हो तो पीछे की दीवार के ऊपर व नीचे स्लिट छोड़े व खड़ी स्लिट पाईपों को समानान्तर खड़ा करके भी प्राप्त कर सकते हैं।

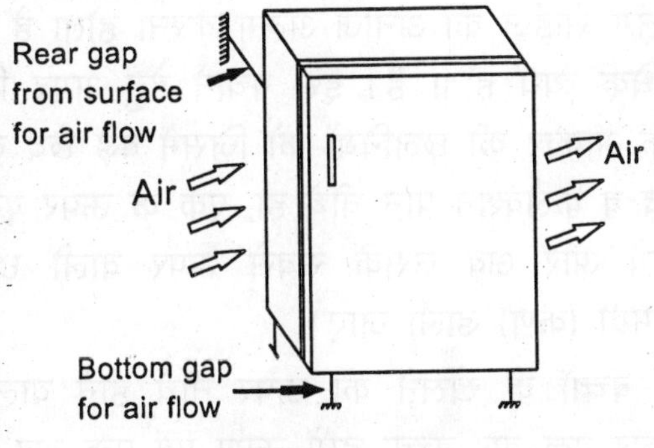

AIRATION OF REFFRIGERATOR / FREEZE

- फ्रीज के कन्डेन्सर कॉइल में धूल जमा हो जाने पर मोटर धीरे चलती है अतः कॉइल को नियमित रूप से साफ करते रहें और हवा का वेन्टीलेशन उस पर बनाए रखें।
- फ्रीज के फ्रीजर में छेददार प्लास्टिक मेट लगा देने से बर्फ जमने पर बर्तन नहीं चिपकेगें। इससे बर्तन एवं बर्फ निकालने में कम समय लगेगा एवं ऊर्जा की बचत होगी।
- फ्रीज के पीछे की दीवार पर प्लास्टर जिप्सम अथवा क्ले अथवा छिद्रयुक्त मसाले का होना चाहिये।
- फ्रीज में गर्म सामग्री न रखें, इससे अन्दर का तापमान बढ़ जाने के कारण ऊर्जा ज्यादा व्यय होती है।
- फ्रीज डिफ्रोस्ट करने हेतु विद्युत सप्लाई को आधे घंटे के लिये बन्द करके विद्युत खर्च बचाया जा सकता है। अगर ऐसा सम्भव न हो तो डिफ्रोस्ट स्विच से नियमित डिफ्रोस्ट करना चाहिये।
- फ्रीज की रबड़ सील कसी हुई एवं प्रभावी होनी चाहिये तथा फ्रीज का दरवाजा बार बार खोलने से भी ठंडक का क्षय होता है एवं विद्युत व्यय में बढ़ोतरी होती है।

09 हस्त चलित सीव सेकर

प्रायः ऐसा देखा गया है कि अलग अलग साईज के कणों को अलग करने के लिये अलग–अलग बार हाथ से छानना पड़ता है। उदाहरण के तौर पर अनाज में से तिनके, मिट्टी के कण, कंकर, पाउडर व अलग–अलग साईज का अनाज अलग करना होता है। इसमें समय एवं ऊर्जा का अधिक व्यय होता है। इसे बचाने हेतु अगर विभिन्न नाप के छेदों वाली एक आकार की छलनियों को जिसमें बड़े छेद वाली छलनी ऊपर एवं छोटे छेद व कलेक्शन पान नीचे हो, एक के ऊपर एक जमा कर सेट बना दिया जाये और अब उसके सबसे ऊपर वाली छलनी जिसमें छानने वाली सामग्री (कण) डाली जाए।

बच्चों के खेलने का ऊपर नीचे होने वाला झूला (सी–सौ) में जिस प्रकार एक बार बच्चा दायें ऊपर एवं एक बार नीचे हल्का सा दबाव लगा कर होता है, ठीक उसी तरह अगर उसके छोटे रूप में, मध्य में छलनियों का सेट लगा कर एक बार दायें झुकाएँ व दूसरी बार बायें झुकाएँ व साथ में हल्का सा धरातल पर छूने के कारण इम्पेक्ट लगे तो छानने की क्रिया चालू हो जाती है। एक साथ कई छलनियों में अलग–अलग नाप के कण इसी क्रिया को दोहराने के बाद मिल जायेंगे। इसमें सामग्री का वजन भी नहीं उठाना पड़ता है व काफी सामग्री साथ में छन कर मिल जाती है। अतः ऊर्जा की बचत के साथ दक्षता भी बढ़ जाती है।

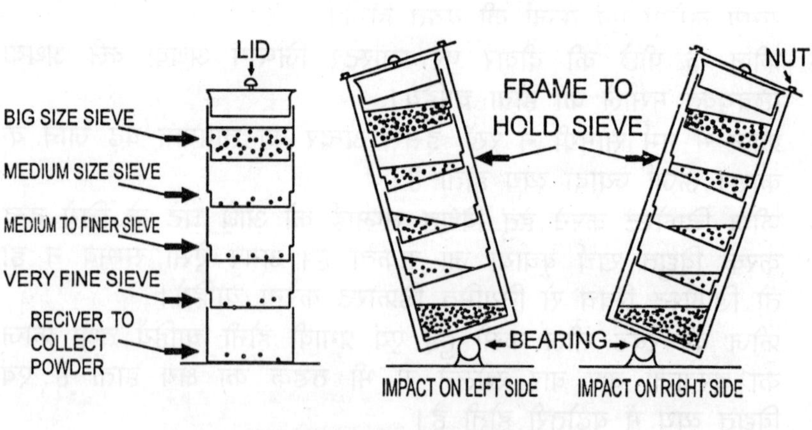

MANUAL SIEVE SHAKER

10 नाईट लैम्प (लैड बल्ब) बनाये फ्यूज सी.एफ.एल. से

फ्यूज सी.एफ.एल. से बना लैड बल्ब में बिजली की खपत नगण्य होती है अतः इसका उपयोग कर लगातार बचत की जा सकती है क्योंकि साधारणतया रात्रि में कम रोशनी के लिए जलने वाला बल्ब जो जीरो वॉट के नाम से प्रचलित है। उसमें 16 वॉट के लगभग बिजली का व्यय होता है और यह व्यय भी काफी लम्बी अवधि तक चलता रहता है। इसके लिए अगर एल.ई.डी. {लाईट इमेटिंग डायोड} से बना बल्ब यानि लैड बल्ब लगा दिया जाये तो बिजली के व्यय में काफी कमी लाई जा सकती है। लैड बल्ब में छोटा सा सेमी कन्डक्टर होता है जो प्रकाश पैदा करता है। छोटे बल्ब की तरह दिखने वाले लैड में कोई फिलॉमेन्ट नहीं होता है एवं पारे का उपयोग भी नहीं होता है। सफेद रोशनी के लिए इनडियम गेलिलियम नाईट्राईड (InGaN) पदार्थ का सेमीकण्डक्टर प्रयोग लेने से उजली सफेद रोशनी प्राप्त हो जाती है। एल.ई.डी. हरे नारंगी एवं लाल रंग की रोशनी में उपलब्ध रहती है।

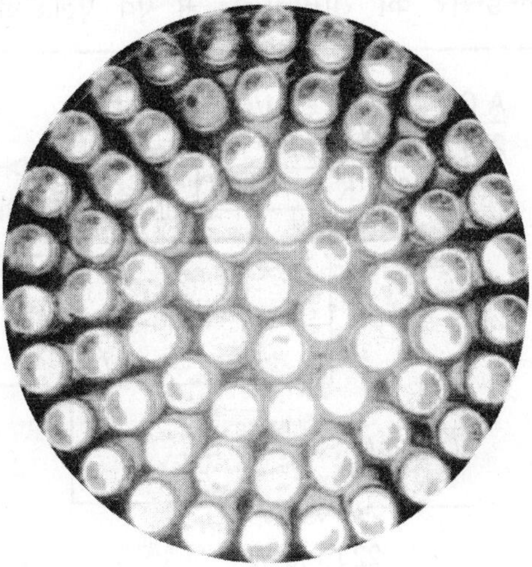

फ्यूज सी.एफ.एल. से L.E.D. का जलता हुआ लैम्प

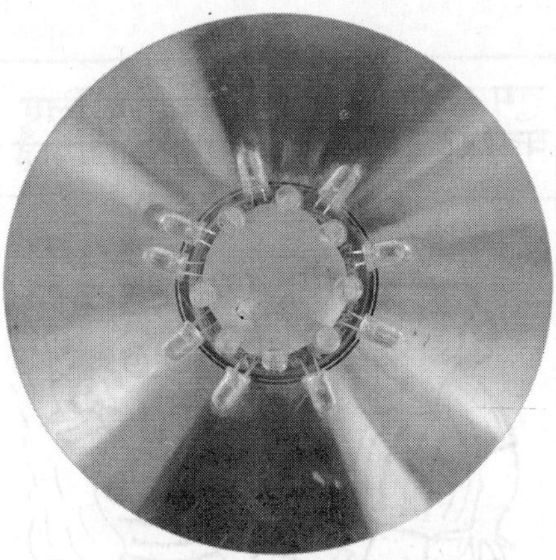

सी.डी.पर बना L.E.D. LAMP

इस बल्ब को बनाने हेतु बाजार से एल.ई.डी. खरीद कर लाएँ एवं खराब सी.एफ.एल. की ट्यूब को हटाकर उसमें लगे डायोड, रेजिस्टेन्स, के.पी.एफ. आदि को नीचे दर्शाये गये सर्किट डाईग्राम में लगा कर एवं कन्डेन्सर को सामानान्तर में एवं एल.ई.डी. को सीरीज में लगा कर घर

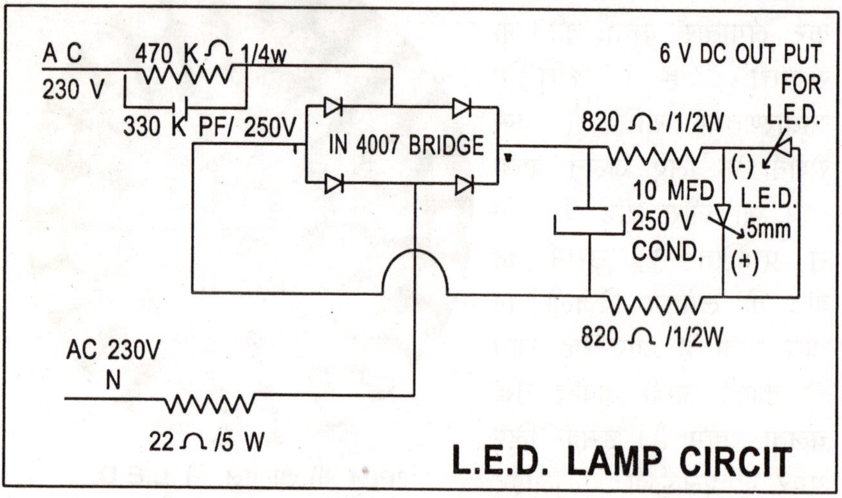

पर बल्ब तैयार किया जा सकता है। इसको और इफेक्टिव बनाने के लिए एल.ई.डी. को कम्प्यूटर की खराब सी.डी. पर लगाया जा सकता है ताकि प्रकाश के रिफ्लेक्शन का लाभ भी मिल सके। डिम लाईट को ज्यादा ऊँचाई पर न लगाकर होल्डर अथवा स्विच बोर्ड पर लगे प्लग में भी लगाया जा सकता है एवं सामने की दीवार पर दर्पण लगाकर प्रकाश को परावर्तित कराकर रोशनी के प्रभाव को बढ़ाया जा सकता है।

उपरोक्त विधि द्वारा बनाई गई डिम लाईट से प्रतिमाह विद्युत खर्च में काफी बचत की जा सकती है, क्योंकि डिमलाईट की जरुरत प्रत्येक घर, आफिस एवं भवनों में एक या अधिक

स्थान पर सिक्योरिटी पोइन्ट से भी लाईट जला कर रखी जाती है और यह प्रति रात 8–12 घंटे तक जलाये रखनी होती है अतः विद्युत व्यय में काफी बचत करके स्वयं एवं देश हित में ऊर्जा की बचत की जा सकती है। एल.ई.डी. से रोशनी एक ही दिशा में रहती है अतः स्टडी टेबल पर इसका बहुत अच्छा उपयोग हो सकता है। ऐसे ही किसी वस्तु को उजागर करने हेतु इससे रोशनी को केन्द्रित किया जा सकता है। 24 एल.ई.डी. को सीरीज में लगाने पर एक वॉट का बिजली का व्यय होता है उतनी ही रोशनी पाने के लिए साधारण बल्ब (इन्कैण्डैसेन्ट) बल्ब 40 वॉट के बराबर होता है। बाजार में आधे से तीन वॉट तक की सी.एफ.एल. भी प्रचलित है, उनका उपयोग करके भी विद्युत व्यय पर अंकुश लगाया जा सकता है। लैड बल्ब में ऊर्जा की खपत अन्य लेम्प के मुकाबले नगण्य रहती है और यह लेम्प आधे वाट से कम वाट का भी बनाया जा सकता है जो ऊर्जा बचत का बेहतरीन विकल्प है।

L.E.D. (लैड) लैम्प के फायदे

1. साधारण लैम्प में होने वाली बिजली व्यय के मुकाबले इस लैम्प में व्यय नगण्य होता है।
2. इस बल्ब से इन्फ्रारेड और अल्ट्रावायलेट किरणें नहीं निकलती है।
3. इस लैम्प में कोई भी हानिकारक गैस अथवा मरकरी आदि नहीं होती है।
4. चुकि यह फ्यूज सी.एफ.एल. से बनती है अतः लागत भी मरकरी और सोडियम लैम्प के मुकाबले बहुत कम होती है।
5. रंगीन, दुधिया एवं सफेद रोशनी भी इससे सभंव है।
6. यह लाइट "इको फैन्डली" होती है अतः पर्यावरण में किसी तरह की हानिकारक गैस अथवा किरणों का विसर्जन नहीं करती है।
7. इसमें मरम्मत की आवश्यकता नगण्य रहती है।
8. साधारण बल्ब, सोडियम लैम्प आदि के मुकाबले इस लैम्प की उम्र बहुत अधिक (10 गुणा से ज्यादा) होती है।

9. एल.ई.डी. उपकरणों के अन्दर रोशनी के लिए भी उपयोगी रहती है, जैसे – लेपटॉप, टी.वी., एल.सी.डी. आदि में।
10. फ्लड लाइट, होर्डिंग्स (Hoardings), फोक्स लैम्प आदि में भी इसका उपयोग बहुत प्रभावी रहता है।
11. लैड लैम्प को बाहरी क्षेत्र, स्ट्रीट लाइट में प्रयोग करने पर बिजली के व्यय में प्रतिदिन बहुत अधिक बचत हो सकती है।
12. पढ़ने हेतु टेबल पर रोशनी लेने के लिए यह लैम्प उपयोगी रहता है व हानिकारक किरणें नहीं होने के कारण आँखों पर भी बुरा प्रभाव अन्य लैम्प के मुकाबले नहीं पड़ेगा।
13. ऊर्जा की बहुत अधिक बचत होती है।
14. सजावट के लिए भी अन्य बल्ब के मुकाबले ज्यादा प्रभावी रहता है।

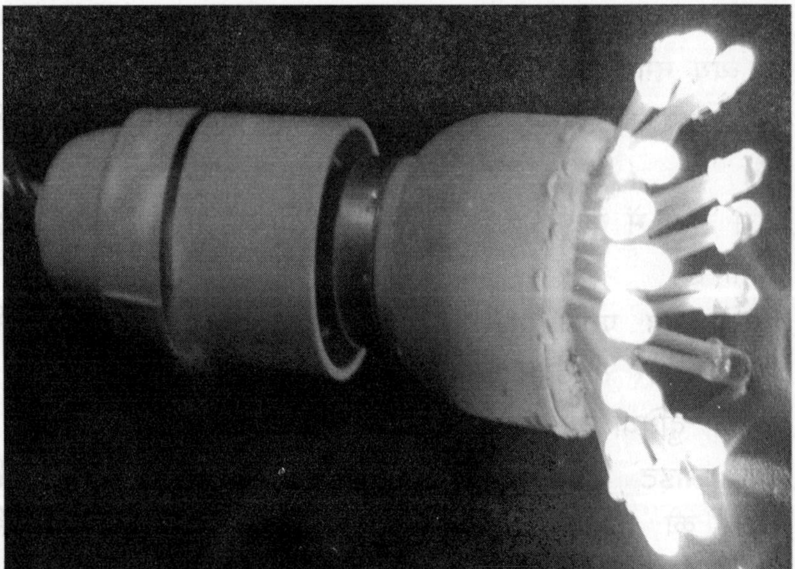

फ्यूज सी.एफ.एल. से L.E.D. का जलता हुआ लैम्प

15. एक दिशा में लाइट काम आने वाली टॉर्च के लिए भी उपयोगी रहता है।

16. एल.ई.डी. लैम्प छोटी बैटरी से भी प्रकाशित हो जाता है अतः बिजली का बहुत कम व्यय होता हैं।

17. इस बल्ब में बैलास्ट नहीं होती है अतः रोशनी में व्यवधान (इन्टरफरैन्स) नहीं पड़ता है।

18. मरकरी लैम्प एवं सोडियम लैम्प के मुकाबले बहुत छोटा सा लैड लैम्प बनाना संभव है।

⑪ बिजली रहित फर्श ग्राइन्डिंग मशीन

ऐसे निर्माण स्थलों पर जहाँ विद्युत सप्लाई उपलब्ध नहीं होती है ऐसे स्थानों पर हाथ से घिसाई करने के बजाय हाथ से चलने वाली मशीन से अगर घिसाई की जाये तो ऊर्जा का कई गुणा उपयोग एवं दक्षता बढ़ाई जा सकती है।

इस मशीन में बिलोना करने की मथनी (झेरनी) की तरह ही सिस्टम बनाना होता है। मथनी के तल पर कार्बोरेण्डम स्टोन की बनी तीन बट्टियाँ अथवा गोल चपटी डिस्क को लगा देते है। अब मथनी की खड़ी सॉफ्ट पर रस्सी लपेट कर बिलोना करने की तरह ही सॉफ्ट को घुमाया जाता है तो एक चक्र में कई गुणा ऊर्जा का उपयोग मिल जाता है जो दक्षता बनाने में सहयोग करता है। इस यंत्र को बनाने के लिये लकड़ी का स्टूल जिस पर पानी की टंकी व वजन लगा हो एवं स्टूल से जुड़ा बैठने व वजन देने के लिये पट्टा लगा हो ताकि सॉफ्ट को इस पर बैठकर घुमाया जा सके। चूंकि इस विधि में एक साथ कई बट्टियाँ फर्श पर घूमती है अतः ऊर्जा का पूर्ण उपयोग होकर दक्षता बढ़ाई जा सकती है।

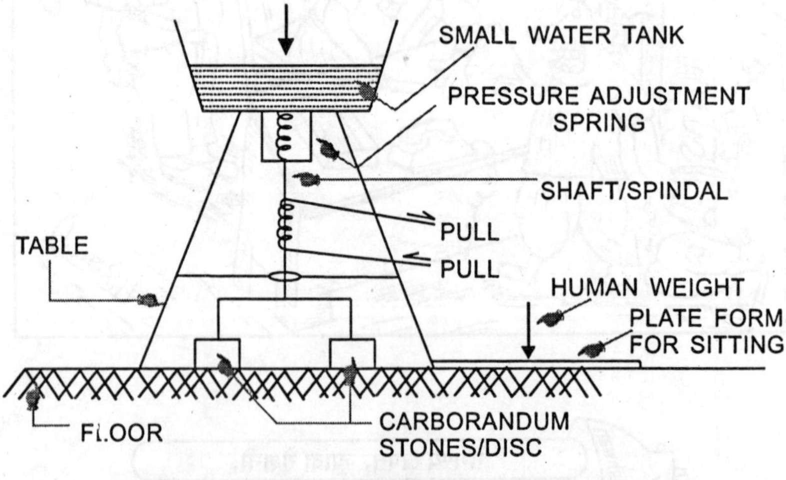

MANUAL GRINDING MACHINE

12 बल्ब एवं बिजली व्यय

कृत्रिम रोशनी के लिए उचित बल्ब का निर्धारण कक्ष के उपयोग के अनुसार करना होता है। अगर प्राकृतिक रोशनी नहीं मिल पा रही हो एवं रात्रि के समय रोशनी के लिए बल्ब की आवश्यकता रहती है। बल्ब की रोशनी का नाप ल्यूमन में होता है एवं प्रतिवर्ग मीटर पर मिलने वाली रोशनी को लक्स कहते हैं। इंसान की आँखें साधारणतया एक लाख लक्स तक रोशनी सहन कर सकती है। इससे ज्यादा रोशनी होने पर चमक को आँखे सहन नहीं कर पाती है अगर रोशनी 0.01 लक्स से कम है तो अन्धेरा अमावस्या की रात्रि की तरह लगता है। रोशनी कितनी होनी चाहिए इसके लिए निम्न अनुमान है :–

साधारण देखने के लिए	–	100–150 लक्स
कुछ कार्य या पढ़ने हेतु	–	300–400 लक्स
बहुत ही बारीक कार्य करने के लिए	–	700–2000 लक्स

इसके अलावा आवश्यक रोशनी के निर्धारण में बल्ब की लागत, उम्र और उसमें होने वाली बिजली का व्यय मुख्य बिन्दू रहता है जिसे देखते हुए साधारणतया निम्न बल्बों का प्रयोग करते हैं–

(A) साधारण बल्ब अथवा इन्कैण्डैसेन्ट बल्ब :– जब विघुतधारा पतले तार फिलामेन्ट में बहता है तो फिलामेन्ट गर्म होकर प्रकाश देता है इस बल्ब की दक्षता बहुत कम होती है और इससे रोशनी लेना मंहगा पड़ता है। इस बल्ब में 70% एनर्जी हिट के रूप बर्बाद होती है जो सी.एफ.एल. में नहीं होती है। इस बल्ब की उम्र भी बहुत कम होती है मगर सस्ते होने के कारण अधिकतर यह बल्ब काम में लिया जा रहा है। अधिक रोशनी के लिए इसी श्रेणी में होलोजन बल्ब आते हैं जो फलड लाईट रोशनी के लिए काम आते हैं। और उम्र भी अधिक होती हैं।

(B) फ्लोरोसेन्ट लैम्प :– एक काँच की ट्यूब में आर्क उत्पन्न कर गैस में प्रवाहित किया जाता है। इस आर्क से अल्ट्रावायलेट किरणें उत्पन्न होती है जो ट्यूब में लगे फास्फोरस कोटिंग के साथ मिलकर सफेद प्रकाश देता है। विद्युत प्रवाह को बनाये रखने के लिए इसमें चॉक (बैलास्ट) लगी होती है इनकी उम्र एवं लागत तुलनात्मक अधिक होती है। **(II)** सी.एफ.एल. भी इसी श्रेणी में आती है इलेक्ट्रॉनिक्स सर्किट होने के कारण इसमें हिट के रूप एनर्जी का व्यय नहीं होता है सी.एफ.एल. हरे, गुलाबी, औरेंज, लाल, पीले एवं सफेद रंग की ट्यूब में मिल जाती है मगर बाहरी क्षेत्र में पीले व आन्तरिक क्षेत्र में सफेद ही काम लेते हैं। प्रारम्भिक लागत, बल्ब के मुकाबले तीन से दस गुणा होती है मगर बिजली व्यय में बचत करने

के कारण कुछ ही माह मे इसकी लागत की भरपाई हो जाती है।

(III) सी.सी.एफ.एल. (Cold Cathode Fluoresent Lamp) :-

यह सी.एफ.एल. का नवीन तरीका है जिसमें इलेक्ट्रोड़ बिना फिलामैंट (Filament) के होता है इसमें वोल्टेज 5 गुणा ज्यादा व करण्ट 10 गुणा कम रखना होता है यही कारण है कि इसकी दक्षता (ल्युमन प्रति वॉट) सी.एफ.एल. के मुकाबले आधी ही होती है इस लैम्प की उम्र भी 50,000 घण्टों के लगभग होती है यह बल्ब भी तुरन्त चालु होने वाला होता है और इसकी ट्यूब 3 मि.मी व्यास की होती है इस लैम्प को टाईमर्स, डिमर, फोटो सैल्स से भी जोड़कर, कण्ट्रोल कर सकते हैं।

(C) मर्करी लैम्प :– ये बल्ब भवनों में लगाने के लिए उपयुक्त नहीं है मगर बाहरी क्षेत्र में लगाकर 60% तक बिजली के व्यय में कमी लाई जा सकती हैं। मर्करी लैम्प साधारणतया निम्न प्रकार के होते हैं :–

1 मर्करी वेपर लैम्प

2 मेटल हैलाईड लैम्प

ये बल्ब भी फ्लोरोसेन्ट बल्ब की तरह ही होते हैं मगर चालू करने के बाद रोशनी में कुछ मिनट का समय लेते हैं।

(D) सोडियम लैम्प :– इसमें पीले रंग की रोशनी मिलती है एवं बाहरी क्षेत्र में घनी रोशनी लेने के काम आते हैं। लो प्रेशर सोडियम लैम्प तुरन्त चालू हो जाता है, मगर पीले रंग की रोशनी देता है। ये निम्न प्रकार के होते हैं :–

1 हाई प्रेशर सोडियम लैम्प

2 लो प्रेशर सोडियम लैम्प

(E) नियोन लैम्प :– ये बल्ब कलर बल्ब के लिए तो उत्तम है मगर रोशनी इसमें कम मिलती है। अतः पार्किंग, सिग्नल आदि स्थानों पर काम में ले सकते हैं।

(F) लैड लैम्प :– छोटे बल्ब की तरह दिखने वाले इस एल0 ई0 डी0 लैम्प में कोई फिलामेन्ट अथवा गैस नहीं होती है इसमें सेमी कण्डेक्टर होता है जो रोशनी उत्पन्न करता है इसे चलाने के लिए डी.सी. करन्ट को डायोड के सेमी कण्डेक्टर में गुजारा जाता है जिससे इलेक्ट्रोन व पोजिटिव चार्ज आपस में मिल जाते हैं जो अपनी ऊर्जा को रोशनी में बदल देते हैं, लैड बल्ब प्लेन, प्लास्टिक अथवा ऐक्रेलिक मेटेरियल में लगा होता है और एक ही दिशा में रोशनी देता है। लैड बल्ब कई रंगों में उपलब्ध रहता है मगर सफेद रोशनी के लिए इण्डीयम गैलीयम नाईट्राईड का सेमी कण्डेक्टर काम में लिया जाता है। इससे बिजली का खर्चा इन्कैण्डैसेन्ट बल्ब की अपेक्षा नगण्य रहता है और उम्र भी बहुत अधिक रहती है। एक लैड की रोशनी बहुत कम होती है मगर सीरीज में साथ लगाकर रोशनी को काफी बढ़ाया जा सकता है। (see chapter 10)

<u>ल्यूमन</u> :– रोशनी नापने की इकाई जो एक मोमबत्ती को जलाने पर एक फीट की दूरी पर उपलब्ध रोशनी होती है।

<u>लक्स</u> :– ल्यूमन प्रति वर्ग मीटर

बल्ब से रोशनी कम होने के निम्न कारण हो सकते हैं, जैसे :-

1 बल्ब के पीछे एवं साईड में रिफलेक्टर का नहीं लगा होना।

2 बल्ब को कार्य स्थल से बहुत दूर लगा देना।

3 डस्ट एवं उम्र के साथ रोशनी का कम होना।

4 दीवारें, छत, फर्श, फर्निचर, आदि का सही चुनाव एवं सही रंगों का चुनाव न करना।

5 बल्ब को सही दिशा में केन्द्रित नहीं करना।

6 पुरानी तकनीक एवं बैलास्ट का उपयोग करना।

7 बारीक कार्य के लिए टास्क लाईटों का प्रयोग न करना।

अतः आवश्यकता है कि बिजली बचाने के लिए बल्ब का सही चुनाव एवं व्यवस्थित उपयोग करना होता है।

बल्ब (इन्कैण्डैसेन्ट) से **सी.एफ.एल.** उत्तम क्यों?

1. सी.एफ.एल. की दक्षता बल्ब से चार गुणा ज्यादा रहती है।
2. सी.एफ.एल. प्रत्येक होल्डर में लग सकती है जहां बल्ब (इन्कैण्डैसेन्ट) लगा सकते हैं।
3 सी. एफ. एल. में 50 से 80 प्रतिशत बल्ब के मुकाबले कम बिजली का व्यय होता है।
4. एक 18 वॉट की सी.एफ.एल. को 75 वॉट के बल्ब की जगह लगाकर 570 किलो वॉट बिजली अपनी उम्र में बचाई जा सकती है।
5. अच्छी एवं नई सी.एफ.एल. से दूधिया सफेद रोशनी मिल सकती है।
6. सी.एफ.एल. आधा वॉट तक की भी बाजार में उपलब्ध रहती है जबकि नाईट लैम्प में काम आने वाला जीरो वॉट के ताप से प्रचलित बल्ब 16 वॉट का होता है।
7. सी.एफ.एल. लगाने से वातावरण में कार्बन डाई ऑक्साइड तथा सल्फर ऑक्साइड का उत्सर्जन, परमाणु वेस्ट के खतरे से बचा जा सकता है।

समान रोशनी के लिए बल्ब व सी. एफ. एल. की तुलना

बल्ब	*सी.एफ.एल.*
40 वॉट	7 से 9 वॉट
60 वॉट	13 से 16 वॉट
75 वॉट	18 से 19 वॉट
100 वॉट	26 से 27 वॉट

एक 40 वॉट के ट्यूब रॉड से 2200 ल्यूमन रोशनी मिलती है। अतः भवन के विभिन्न कक्ष के लिए आई.एस.आई. 4648, रोशनी के लिए निम्न मात्रा को दर्शाया है।

स्थान	**इन्यूमिनेशन लक्स**	**साधारण बल्ब के वॉट**
रहने का कमरा, सिंक, बैडरूम, पढ़ने का कमरा	300	60
एप्रोच, बाथरूम, सीढ़ियां	100	25
ड्रेसिंग, रसोईघर, लोंड्री वर्कशॉप	200	40
गैरेज	70	25
सिलाई हेतु	700	100
डाईनिंग रूम	150	25

यह आवश्यक है कि बल्ब का चुनाव आवश्यक रोशनी की मात्रा के अनुसार किया जाये क्योंकि उपयुक्त बल्ब नहीं लगा होने पर कार्य करने में परेशानी आती है। जैसे अखबार पढ़ने के लिए 15 वॉट के 4 बल्ब लगा दिये तो उससे उतनी तेज रोशनी नहीं मिलेगी जितनी कि एक 40 वॉट की ट्यूब रॉड से।

बल्ब रोशनी एवं अनुमानित उम्र

बल्ब	रोशनी ल्यूमन प्रति वॉट	उम्र घण्टो में लगभग	बल्ब की तुलना में उम्र
इन्कैण्डैसेन्ट (फिलामेंट) बल्ब	12	1000	–
फ्लोरोसेन्ट ट्यूबलाईट	52	10000	10
मर्करी एच.आई.डी.	76	22000	22
मेटज हैलाईड	80	10000	10
सोडियम एच.आई.डी.	96	23000	23
सी.एफ.एल.	100	12000	12
लैड (100 नम्बर) 5mmsize	120 (एक दिशा में)	100000	100

बल्ब में बिजली व्यय का तुलनात्मक विश्लेषण

(प्रति ल्यूमन रोशनी हेतु)

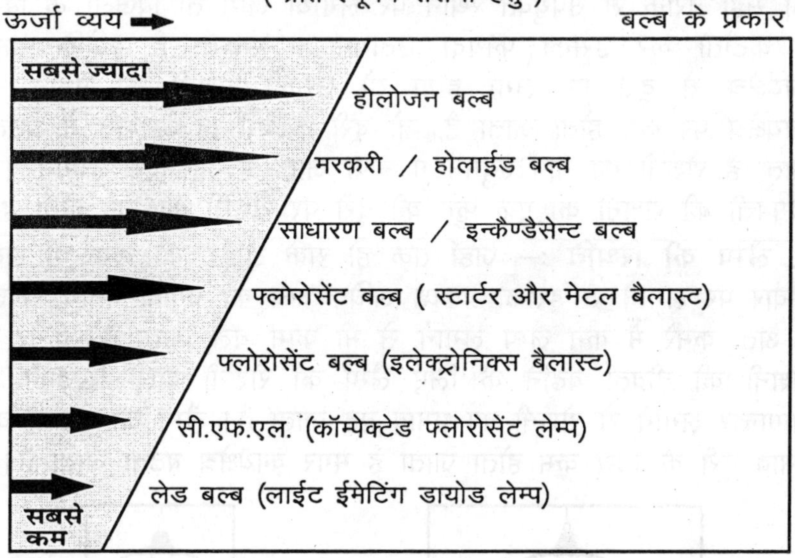

100 वॉट का बल्ब 10 घंटे जलने पर 1 यूनिट बिजली का व्यय होता है।

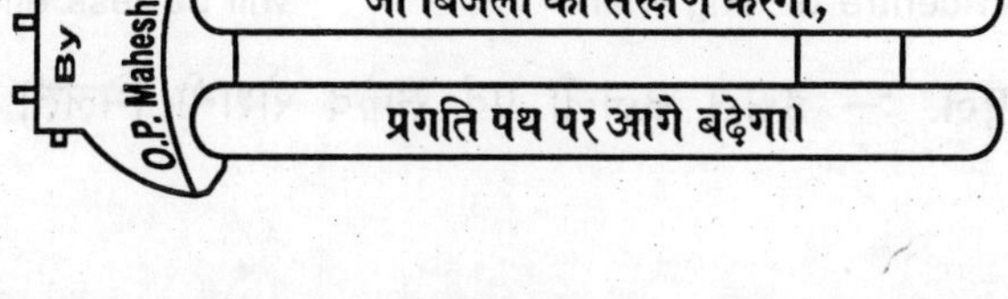

(13) प्रकाश व्यवस्था में बदलाव से बिजली की बचत

प्रकाश व्यवस्था के बिना प्राकृतिक छटा व सजावट का कोई महत्व नहीं रह जाता है। अच्छी प्रकाश व्यवस्था कमरे के सकारात्मक पहलुओं को उभारती है जिससे हर्ष और उल्लास का वातावरण बनता है जबकि अंधेरे से विषाद और अवसाद का। प्रतिदिन जीवन में हलचल उजाले से होती है जबकि अंधेरा उस हलचल को थाम देता है। उजाला आशा और सकारात्मकता का प्रतीक है जबकि अंधेरा शिथिलता एवं नकारात्मकता का। अतः गलत प्रकाश व्यवस्था नकारात्मकता को उभार देती है।

प्रकाश मनुष्य की कार्यक्षमता एवं कार्यवधि को बढ़ाता है। यदि बल्ब को सही तरीके से उपयुक्त स्थान पर लगाया जाये तो बिजली के बिल में कटौती कर इसका फायदा उठाया जा सकता है क्योंकि बल्ब कार्यक्षेत्र से दूरी पर लगा होगा तो उसकी रोशनी का प्रभाव भी कार्यक्षेत्र पर कम होता जाता है, जो दूरी के वर्ग के अनुपात में घटता जात: है रोशनी का नाप ल्युमन में नापा जाता है और एक ल्युमन एक मोमबत्ती की रोशनी को एक फुट की दूरी पर रोशनी का नाप होता है।

1. लैम्प की स्थिति :– जहाँ तक हो सके लाईट को कमरे में लंबी दीवार पर लगाने से इसका प्रकाश अधिक क्षेत्र को प्रभावी बनाये रखती है अतः कमरे में कम लैम्प लगाने से भी काम चल जाता है। कमरे में रोशनी की तीव्रता बढाने के लिए लैम्प को रोशनी वाली खिड़की के सामान्तर लगाने से रोशनी का प्रभाव बढ़ जाता है। लैम्प की रोशनी का प्रभाव दूरी के साथ कम होता जाता है मगर कार्यक्षेत्र बढ़ता जाता है।

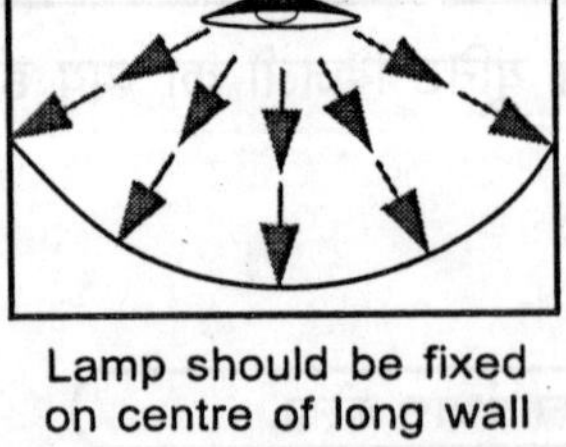

Lamp should be fixed on centre of long wall

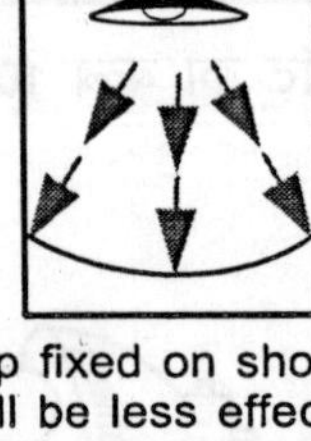

Lamp fixed on short wall will be less effective

2. सी.एफ.एल. :– इससे उजली एवं सफेद रोशनी मिलती हैं एवं कम

वॉट का सी.एफ.एल. भी बल्ब की बजाय अधिक प्रकाश देती है। एक अनुमान के अनुसार साधारण इन्कैण्डैसेन्ट बल्ब में करीब 35 ल्यूमन प्रति वॉट की क्षमता होती है जबकि 1 वॉट की सी.एफ.एल. में करीब 100 ल्यूमन प्रति वॉट, अतः सी.एफ.एल. के उपयोग से बिजली के व्यय में इसी अनुपात में काफी बचत होती है।

3. **स्पॉट लाईटः**

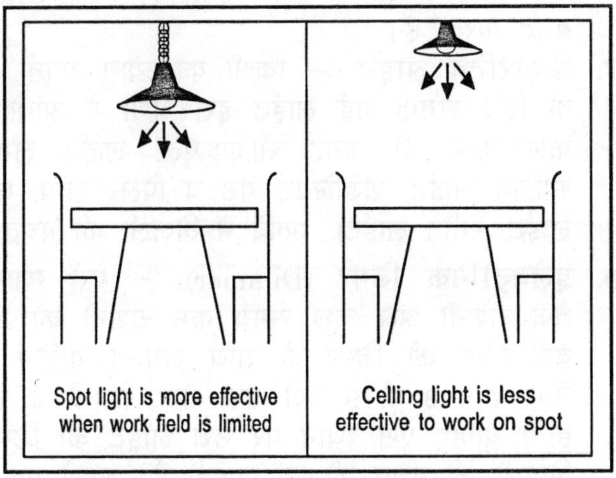

किसी स्थान विशेष को प्रकाशित करने के लिए एवं किसी वस्तु को उजागर करने के लिए स्पॉट लाईट से फोकस करते है। किसी शो पीस को दिखाने हेतु उस पर नजदीक से लाईट डाली जाती है ताकि कम वॉट की लाइट होते हुए भी ऑब्जेक्ट प्रकाशित हो कर स्पष्ट तरीके से नजर आए।

4. **हैंग लाईट** :– डाइनिंग टेबल तथा पढ़ने की टेबल पर लाईट को हैंग करके इस तरह लगाते है कि लाईट मुँह पर नहीं पड़े और स्थान पूर्ण प्रकाशित रहे। इससे कम वॉट के बल्ब से भी कार्य चल जाता है।

5. **रिफलेक्टर** :– जो क्षेत्र प्रकाशित करना है उस पर फोकस करते हुए रिफलेक्टर को लाईट के सामने लगाकर परावर्तित प्रकाश को लिया जा सकता है। बल्ब के पीछे लगे रिफलेक्टर से भी बल्ब की क्षमता बढ़ जाती है। रिफलेक्टर के लिए कोई भी चिकनी एवं चमकीली सतह का प्रयोग किया जा सकता है। किसी स्थान विशेष पर रोशनी के लिए रिफलेक्टर को कोनकेव गोलाई में रखकर केन्द्रित कर सकते हैं।

6. **डिम लाईट** (Dim light) :– रात्रि के समय सारी लाईट बंद करके सोने पर भवन में एक डिम लाईट की आवश्यकता रहती है ताकि अचानक उठने पर किसी वस्तु से टक्कर नहीं लगे इस हेतु छोटे बल्बों का प्रयोग भी खर्चीला है। 0.5 वाट से 3 वाट तक की सी.एफ.एल. अधिक रोशनी कम खर्चे में देती है। इस हेतु एल.ई.डी. (लैड बल्ब) (see chapter 10) से बनी डिम लाईट में बहुत कम माइक्रोवॉट विद्युत का व्यय होता है जो बिजली के बिल में काफी बचत करता है।

7. **डेकोरेटिव लाईट** :– किसी का ध्यान अपनी ओर आकर्षित करने के लिए लगाई गई लाईट इस श्रेणी में आती है। इस हेतु आज कल बल्ब की जगह सी.एफ.एल. लाईट लगाकर फानूस, लेम्प सीलिंग लाईट, शैडेलियर्ड गेट व पिलर लैम्प, कोर्नर लाईट, पिक्चर लाईट, रंगीन लाईटों आदि में बिजली की बचत की जा सकती है।

8. **इलेक्ट्रोनिक डिमर** (Dimmer) :– ऐसे स्थान जहाँ कुछ समय तेज रोशनी और कुछ समय कम रोशनी की आवश्यकता रहती है वहाँ लैम्प को डिमर के साथ लगाना चाहिये। जैसे कि पोर्च के नीचे शाम 8 से 9 बजे तक तेज रोशनी व रात्रि में कम रोशनी होनी चाहिए ऐसे स्थान पर उस लाईट को डिमर से जोड़ देने पर बिजली की बचत की जा सकती है। शहरों एवं कस्बों में लगी रोड़ लाईट्स जो अलग सर्किट पर चलती है उनमें भी यातायात के घनत्व के अनुरूप रोशनी डिमर से घटाकर लाइट खर्च में कमी लाई जा सकती है।

9. **पुश अथवा पुल स्विच लैम्प** :– ऑटोमेटिक पुश स्विच के द्वारा उन स्थानों में रोशनी रखी जा सकती है, जिसकी आवश्यकता नहीं होने पर स्वतः ही बंद हो जाती है। घर में बने स्ट्राँग रूम, बॉक्स रूम, लाईब्रेरी, डार्क रूम आदि में फ्रीज में लगे स्विच की तरह ऑटोमेटिक पुश अथवा पुल स्विच लगा देने से जब उस कमरे अथवा अलमारी का दरवाजा खोला जायेगा तो रोशनी हो जायेगी एवं बंद करने पर स्वतः बंद हो जायेगी। इस हेतु आजकल होटल के कमरे में बिजली का स्विच, कमरे के दरवाजे की चाबी हटाते ही बन्द हो जाता है और बन्द कमरे में बिजली का अपव्यय रूक सकता है।

10 **टास्क लाईट** (Task light) – कमरे में बनी अलमारियों, वार्डरोब, केबिनेट एवंम पूजाघर में कुछ समय के लिए ही रोशनी की जरूरत होती है ऐसे स्थानों पर अलग से बल्ब केबिनेट के अन्दर लगाया जा सकता है। जिसका स्वीच नजदीक में लगाकर पूरे कमरे में बड़े

बल्ब लगाने से बचा जा सकता है और लगातार होने वाले व्यय में कमी लाई जा सकती है।

11 **नॉन विजुअल लाईट** (Non Visual Light) खाना गर्म करने, पौधों की वृद्धि के लिये अलग से स्वीच लगाकर नियन्त्रित लाईट ली जाती है।

12. **नियोन लेम्प** (Xenon lamp) :– इस तरह के बल्ब से रोशनी बहुत कम होती हैं मगर रंगीन बल्ब के लिये बहुत उत्तम रहते हैं, अतः पार्किंग सिग्नल, विज्ञापन बोर्ड आदि के लिये उपयोग कर सकते हैं।

13 **सेन्सर्स** (Sensors) – सभा भवन, मीटिंग रूम आदि में जब कोई व्यक्ति नहीं हो तो स्वीच बंद हो जाना चाहिए। इस हेतु मानव ओक्यूपेन्सी सेन्सर या मोशन सेन्सर का प्रयोग कर सकते हैं ताकि भवन में कोई ना होने पर स्वीच स्वतः बंद हो जायें इसी तरह बाहरी सड़कों तथा गलियों की लाईट जब दिन की रोशनी में जरूरत न हो तब फोटो सेन्सर या एस्ट्रोनोमिकल टाईम स्वीच (Astronomical time switch) की मदद से बिजली के अपव्यय को कम किया जा सकता है।

14. **स्विच अंडर चेयर** :– जो लोग अलग चैम्बर में बैठते हैं वे अपनी सीट पर होते हैं तो कूलर, एग्जॉस्ट एवं सीलिंग फैन, लाईट, टेबल लैम्प, हीटर आदि की जरूरत रहती है मगर जब चेम्बर में कोई नहीं होता है तो केवल एक लाईट से कार्य हो सकता है। ऐसे में सीट के नीचे आटोमेटिक पुश टाईप स्विच लगाया जा सकता है ताकि मुख्यकर्त्ता के सीट पर बैठते ही ऑन हो जाये तथा वजन हटते ही स्विच ऑफ हो जाये। टू वे स्विच से दोनों व्यवस्था भी बनाई रखी जा सकती है। ऐसे अनगिनत तरीके है जिनकी सहायता से बूंद–बूंद करके बिजली का घड़ा भरा जा सकता है।

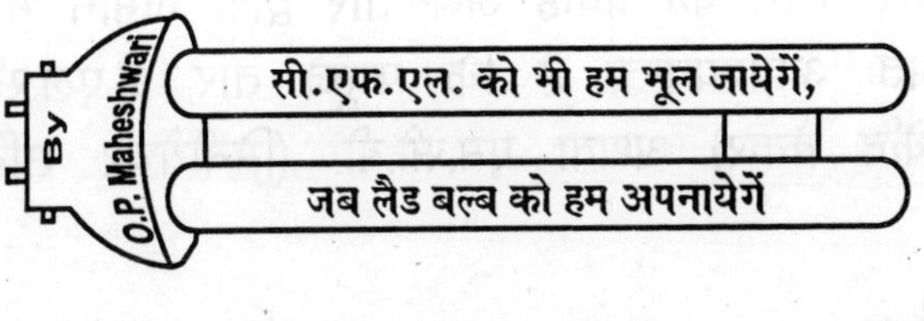

14 विद्युत लीकेज न हो

यह कई लोगों को कहते हुए सुना होगा की घर की सारी बत्तियां बंद रहने पर भी हमारा बिजली का मीटर चलता रहता है। इस हेतु मैं यह भ्रांति मिटा देना चाहता हूँ कि मीटर फिजूल में नहीं चलता है। अपितु कुछ ऐसी विद्युत की हानियां हो रही हैं। जिन पर आपका ध्यान ही नहीं गया। जैसे कि छोटे छोटे इण्डिकेटर स्विचों का हर समय चालू रहना, बिजली के तारों से इंडक्शन लॉस होना, फेज तार को स्विच की बजाय होल्डर में सीधा लगाना, फेज वायर का अर्थ तार से जुड़ जाना आदि। जब तार में क्षमता से अधिक करंट का प्रवाह होता है तब तार गर्म

होना शुरू हो जाता हैं और इस पर लगा पी.वी.सी. पिघलना शुरू हो जाता है। अन्य कई कारणों से भी दो तार आपस में चिपक सकते हैं और करंट का प्रवाह अर्थ–तार द्वारा जमीन में चालू हो जाता हैं अतः आवश्यकता है कि फ्यूज तार, ई.एल.सी.बी. (अर्थ लीकेज सर्किट ब्रेकर) अथवा एम.सी.बी. (मिनीयेचर सर्किट ब्रेकर)

ऐसे समय सही कार्य करें एवं उसी समय ट्रिप हो जाये तो विद्युत के अनावश्यक प्रवाह को रोका जा सकता है। तारों में लीकेज नापने के लिए मैगर का उपयोग करते हैं इस टेस्ट में कंडक्टर और अर्थ के बीच रैजिस्टैंस नापी जाती है ताकि लीकेज करंट निकाली जा सके। यह लीकेज करंट सर्किट की कुल करंट का 1/5000 वां हिस्से से अधिक नहीं होनी चाहिए। इसको मैगर से नापे गये रैजिस्टैंस से निकाला जा सकता है।

$$\text{लीकेज करंट} = \frac{\text{सप्लाई वोल्टेज}}{\text{मैगर द्वारा नापी गई इंसुलेशन रैजिस्टैंस}}$$

इसका मतलब यह भी नहीं होता कि आप अपने विद्युत उपकरणों को अर्थ तार से नहीं जोड़ें क्योंकि अर्थ–तार लाईन में हो रहे अनावश्यक विद्युत फॉल्ट से उपकरण एवं मानव दोनों की रक्षा करता है और विद्युत प्रवाह मानव शरीर से न होकर चालक तार द्वारा अर्थिंग में चला जाता है क्योंकि अर्थ तार का रेजिस्टेंस 1 ओम से कम होता है। अतः सुरक्षा नियमों के तहत इसे लगाना भी अति आवश्यक है। साथ ही उचित मानक दण्ड की ई.एल.सी.बी., एम.सी.बी., फ्यूज तार लगाकर इस लीकेज एवं दुर्घटना से बचा जा सकता है। साधारणतया घरों में पोंसलिन के फ्यूज में धातु का तार लगा होता है जो ज्यादा विद्युत प्रवाह होने पर तुरन्त पिघल कर उपकरणों को बचा देता है यह धातु साधारणतया 50 प्रतिशत टिन (सीसा) व 50 प्रतिशत जस्ते का पतला तार होता है। विद्युत सर्किट में सुरक्षा के उपाय होना आवश्यक है अन्यथा दुर्घटना की सम्भावना बनी रहेगी।

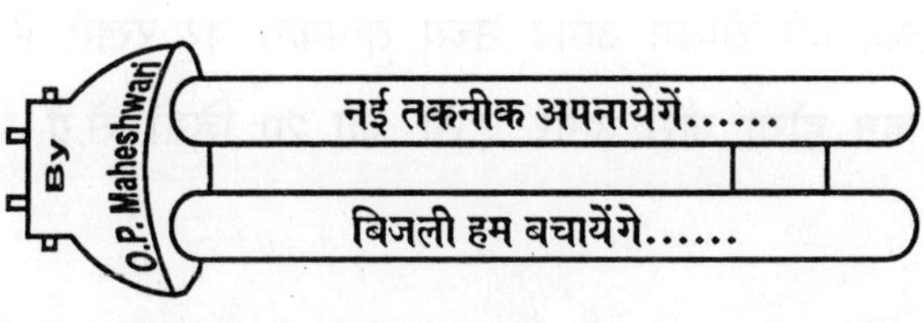

15 एयरकण्डीशनर एवं हॉट ब्लॉवर का उपयोग

स्वस्थ शरीर का तापक्रम 98.4 डिग्री फारनाईट (यानि लगभग 37 डिग्री से.ग्रे.) होता है। फिर भी सुहाना वातावरण की अनुभूति के लिये गर्मी में ठंडक एवं सर्दी में गर्म हवा की चाह मन में रहती है। मगर तापक्रम उतना ही रहना चाहिये जिसे शरीर आसानी से सहन कर सके। बहुत कम या अधिक तापक्रम शरीर की त्वचा एवं रक्त प्रवाह के लिये हानिकारक रहता है एवं शरीर में कई सारी बीमारियाँ हो जाती है। उदाहरण के तौर पर जब काँच की गिलास में बहुत अधिक गर्म पेय डाला जाता है तो बाहर से ठंडी होने के कारण तड़क जाती है। इसी तरह शरीर के लिये भी तेज गर्मी व अधिक ठंडक हानिकारक रहती हैं।

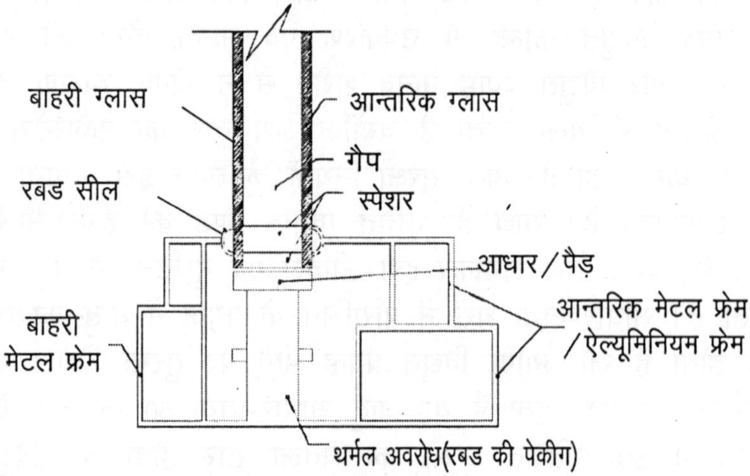

खिड़कियों में डबल ग्लास फ्रेम

ठंड व गर्मी का अहसास वातावरण की गर्मी, नमी एवं बहती हवा से ज्यादा होता है अतः जब ए.सी. चल रहा हो तो उसके साथ पंखा चलता रहने से तापक्रम के प्रभाव को शरीर पर अधिक सहजता से अनुभव कर सकते हैं। ए.सी. की सेटिंग अगर उच्च तापक्रम पर रखते है तो बिजली का व्यय भी कम होगा जैसे अगर ए.सी. को 20 डिग्री से.ग्रे. तापक्रम की

बजाय 25 डिग्री से.ग्रे. पर चलाये एवं सर्दी में 16 डिग्री से. की बजाय 20 डिग्री से. पर चलाये तो बिजली के व्यय में 5 प्रतिशत तक बचत हो जाती है। सामान्य पंखे में प्रति घंटा 30 से 50 पैसे एवं ए.सी. में 8 से 12 रूपये प्रति घंटा बिजली का व्यय होता है अतः ए.सी. के साथ पंखा चलाने से आरामदायक हवा ज्यादा रहेगी। साधारण घरों में विण्डो अथवा स्पिलिट टाईप का ए.सी. प्रयोग होता है। एक समान क्षमता के लिए स्पिलिट ए.सी. में विण्डो ए.सी. के मुकाबले कम विद्युत का व्यय होता है। ए.सी. की क्षमता बनाये रखने के लिए फिल्टर (हवा जहाँ से अंदर ली जाती है) को समय समय पर साफ करते रहना चाहिए।

इसी तरह हॉट ब्लॉवर जिसे सर्दी में गर्म हवा के लिये काम लेते हैं, की कॉइल कम वॉट की एवं पंखे के आर.पी.एम. ज्यादा होने पर सुखद हवा का अनुभव होगा एवं बिजली बचत भी होगी।

खिड़कियों मे डबल ग्लास अथवा दो ग्लास के मध्य गैप देकर ऊष्मा का परिवहन कम किया जा सकता है ग्लास को लगाने के लिए जो मैटल फ्रेम (साधारणतया एल्यूमिनियम तथा लोहे का) लगता है उसकी भी चालकता कम करने से ऊष्मा का परिवहन कम हो जाता है इसके लिए अन्दर एवं बाहर के फ्रेम के मध्य रबड़ अथवा प्लास्टिक का स्पेशर लगा देते हैं ताकि ऊष्मा बाहर से अन्दर व अन्दर से बाहर न जा सके। ए.सी. एवं ब्लॉवर लगे कमरे के खिड़कियाँ एवं दरवाजे एयर टाईट रखने से ऊष्मा का ह्रास कम होगा। जहाँ तक हो सके, कमरे की छत ज्यादा ऊँचाई पर ना रखें व फॉल्स सीलिंग से इसे कम कर दें क्योंकि कमरे की साईज जितनी कम होगी उतना ही ए.सी. एवं ब्लॉवर प्रभावी रहेगें। जहाँ ज्यादा आवागमन रहता है उन स्थानों पर डबल डोर भी लगा कर ऊष्मा की हानि को कम कर सकते हैं। कुचालक (इन्सुलेटेड) पदार्थ की बनी वॉलपेनलिंग भी ऊष्मा के ह्रास को कम करती है।

ए.सी. को आधा घंटा चलाने के बाद कमरे का तापक्रम जब अनुकूल हो जाए एवं आद्रता रहित वातावरण बन जाये तब ए.सी. को बन्द कर देना चाहिये या ऑटोमेटिक टाईमर स्वीच को इस हेतु निर्धारित कर देना चाहिये। वातावरण के तापक्रम पर कमरे का तापक्रम निम्न तरह से रख सकते हैं :–

$$\text{कमरे का तापक्रम डिग्री से.ग्रे.} = \frac{\text{वातावरण का तापक्रम डिग्री से.ग्रे.} + 37 \text{ डिग्री से.ग्रे.}}{2} \pm 7 \text{ डिग्री से.ग्रे.}$$

बहुत कम तापक्रम पर ए.सी. को चलाने में जहाँ बिजली का व्यय ज्यादा होता है वहीं स्वास्थ्य के लिए हानिकारक भी रहता है। बिजली का उपयोग बढ़ायें मगर दुरूपयोग एवं अपव्यय पर लगाम भी लगायें।

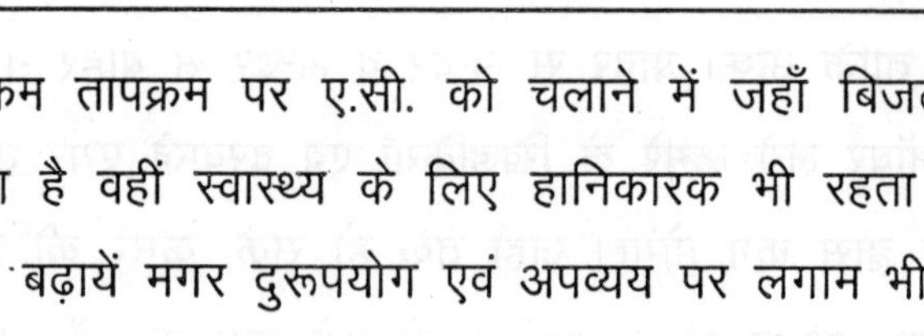

{स} निर्माण में बिजली बचत

- ★ ऊष्मारोधी पानी की टंकी
- ★ प्राकृतिक हवा - वेन्टिलेटिंग डक्ट से
- ★ भूगर्भ ऊष्मा से अनुकूल तापक्रम
- ★ सुसज्जित रसोई घर एवं बिजली की बचत
- ★ ऊष्मारोधी दीवारें एवं बिजली बचत
- ★ लाईटिंग इन इण्डस्ट्रीज
- ★ केपीसिटर्स का उपयोग
- ★ छज्जों से वांछित प्रकाश
- ★ अनुकूल भवन निर्माण एवं बिजली की बचत
- ★ वृक्षों से भवनों का सौन्दर्यकरण
- ★ परावर्तित किरणों से भवन में रोशनी एवं गर्मी
- ★ भवनों में प्राकृतिक प्रकाश व्यवस्था
- ★ भवनों में सौर ऊर्जा का उपयोग
- ★ ओरिएन्टेशन्स द्वारा रोशनीमय घर
- ★ रोशनी हेतु शीट का उपयोग
- ★ ग्रीन हाउस (पौधा घर)
- ★ टर्बो वेन्टिलेटिंग एग्जॉस्ट फैन
- ★ टैरेस गार्डन
- ★ निर्माण द्वारा बिजली बचत के नुस्खे

(16) ऊष्मारोधी पानी की टंकी

साधारणतया छत पर बनी पानी की टंकी में यह समस्या महसूस की जाती है कि उससे आने वाला पानी सर्दियों में ठण्डा व गर्मियों में गर्म आता है जबकि अण्डरग्राउण्ड टैंक का पानी गर्मियों में ठण्डा व सर्दियों में गर्म रहता है अतः आवश्यकता है छत पर बनने वाली पानी की टंकी को ऊष्मारोधी बनाई जाये। इसके लिए पानी की टंकी की छत, फर्श, दीवारों व ढक्कन में सेण्डविच ऊष्मारोधी पदार्थ जैसे थर्मोकॉल, वूल, एस्बेस्टस आदि डाल सकते हैं। एक अच्छी पानी की टंकी बनाने के लिए आन्तरिक सतह आर.सी.सी. अथवा पी.वी.सी. आदि की बना सकते हैं। इस सतह के बाद कुछ कैवेटी 1" से 3" रखी जानी चाहिए जिसमें ऊष्मारोधी पदार्थ भरा जा सकता है। वैसे कैवेटी वॉल से बनी टंकी भी ऊष्मारोधी होती है। बाहरी सतह ईटों की या प्रचलित चुनाई की हो सकती है। इस तरह बनाई गई पानी की टंकी पर बाहरी वातावरण की ऊष्मा का प्रभाव नहीं पड़ेगा व पानी उपयुक्त तापक्रम का मिलता रहेगा, अतः पानी को गर्म अथवा ठंडा करने के लिए गीजर अथवा कूलर में बिजली की खपत कम होगी।

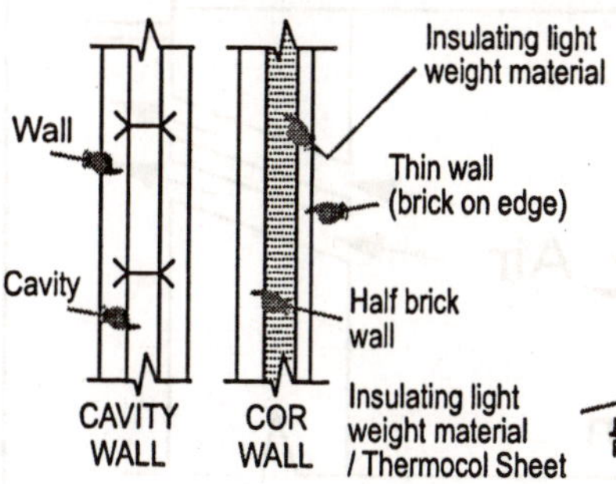

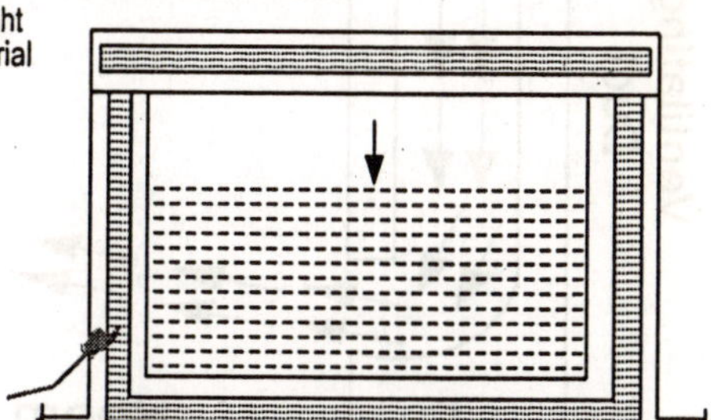

HEAT INSULATED WATER TANK

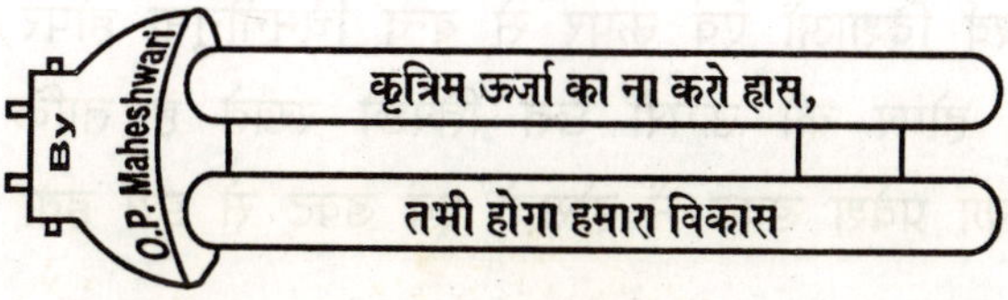

17 प्राकृतिकहवा - वेन्टीलेटिंग डक्ट (हवाकश) से

उन भवनों में, जहाँ बाहरी दीवारें एक दूसरे से सटी हो एवं भरपूर हवा का प्रवाह बनाने के लिये खिड़कियाँ, रोशनदान, दरवाजें कम मिल रहे हो, ऐसे भवनों में छत से कमरों की दीवार में अथवा दीवार के बाहर डक्ट बना कर प्राकृतिक हवा को कमरों में प्रवेश कराया जा सकता है। वैसे यह विधी गाँवों में प्रचलित है एवं रसोई में बनने वाली चिमनी की तरह हवामय डक्ट एवं ऊपर होपर बनाया जाता है। अगर भवन बनाते समय ही इसे बनाया जाए तो विशेष अतिरिक्त लागत नहीं आती है। मगर बाद में बनाने पर इसमें छत से कमरों तक उतरने वाली डक्ट की लागत अतिरिक्त आ जाती है। इस विधि से भवन की छत

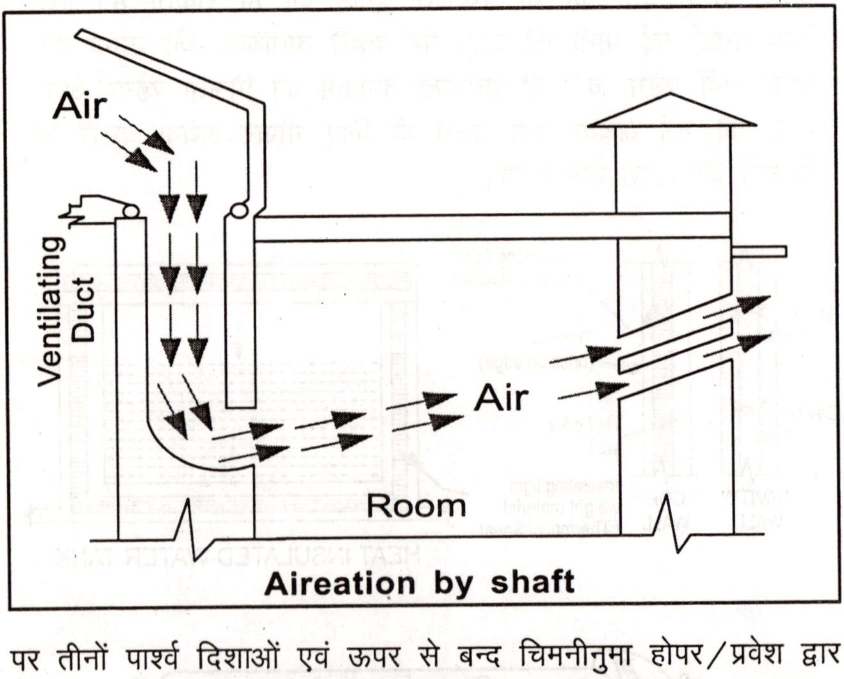

Aireation by shaft

पर तीनों पार्श्व दिशाओं एवं ऊपर से बन्द चिमनीनुमा होपर/प्रवेश द्वार बना देते हैं, होपर की ऊपरी छत तिरछी रखते है ताकि अधिक से अधिक हवा का प्रवेश डक्ट में होसके एवं डक्ट से इस हवा को कक्ष में

खिड़कीनुमा द्वार बना कर प्रवाह का नियंत्रण किया जा सकता है।

इसको और अधिक प्रभावी बनाने के लिये छत पर कूलर अथवा हवा को अन्दर की ओर धकेलने वाला पंखा भी लगा सकते हैं ताकि नीचे के कमरों में बिना शोर गुल किये हवा का प्रवाह बढ़ाया जा सके। उत्तर पश्चिमी भारत में गर्मियों में हवा दक्षिण पश्चिम दिशा से प्रवाह होकर आती है एवं सर्दियों में जब आवश्यकता कम रहती है तब यह उत्तर दिशा से प्रवेश करती है। अतः चिमनी/होपर का खुला मुँह दक्षिण पश्चिम दिशा में रखना उपयुक्त रहता है। होपर को प्रभावी बनाने के लिये इसमें रिवॉल्विंग व्यवस्था भी बनाई जा सकती है ताकि हवा की दिशा के अनुरूप इसको घुमा कर एवं रोक कर अधिक से अधिक हवा को प्रवेश कराया जा सके। कमरों में हवा का प्रवाह प्रभावी बनाने के लिये जिस दिशा में खिड़की बनाई जाती है उसके ठीक विपरीत दिशा की दीवार में रोशनदान अथवा ओपनिंग बना कर हवा के निकास की व्यवस्था की जानी चाहिए। इस तरह जब शहरीकरण में प्राकृतिक हवा का प्रवाह बना रहेगा तो बिजली की खपत में कमी लाई जा सकेगी।

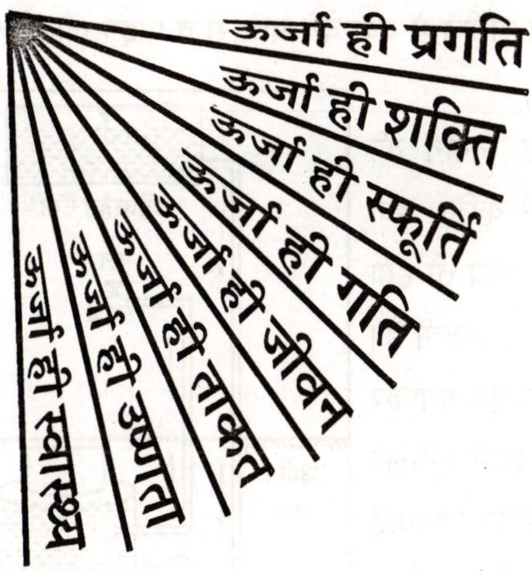

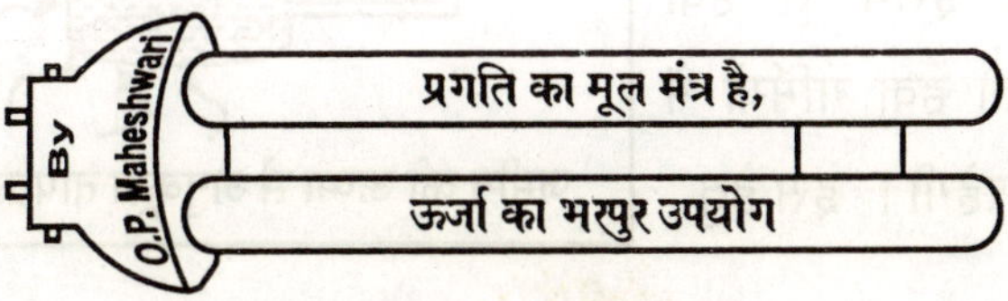

(18) भूगर्भ ऊष्मा से अनुकूल तापक्रम

साधारण घरों में बने हुए बेसमेंट (अण्डर ग्राउण्ड) जमीन के लेवल से नीचे बना होता है इस बेसमेंट में तापक्रम बाहरी वातावरण के विपरीत रहता हैं यानि सर्दी के मौसम में गर्म एवं गर्मी के मौसम में ठण्डक रहती है अब अगर जमीन में पानी का टैंक गाड़ दिया जाये व इस टैंक को ओवरहैड टेंक व पानी के आउटलेट से जोड़ दिया जाये तो आउटलेट में अनुकूल तापक्रम का पानी मिलता रहेगा क्योंकि **जमीन में दबे हुए टैंक में पानी जमीन के तापक्रम के अनुसार रहेगा** जबकि ओवरहैड टेंक में पानी गर्मियों में गर्म व सर्दियों में ठण्डा रहता है। पानी की कितनी मात्रा की आवश्यकता रहेगी। यानि पानी के डिस्चार्ज के अनुरूप टेंक का नाप तय करना होता है क्योंकि जमीन में दबे हुए टेंक में पानी को कुछ समय के लिए ऊष्मा ग्रहण करने हेतु रोकना भी होता है।

चूंकि जमीन की ऊष्मा के कारण पानी उचित तापक्रम का मिलता रहता है एवं पानी भी बिना किसी अतिरिक्त पम्प के द्वारा मिलता है अतः निर्माण के समय एक टैंक को जमीन में दबा देने मात्र से व पाइप जोड़ने से अनुकूल पानी मिल जाता है।

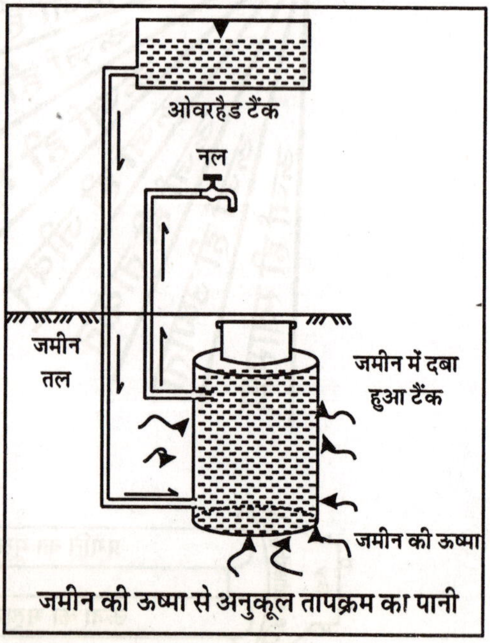

जमीन की ऊष्मा से अनुकूल तापक्रम का पानी

इसी तरह जमीन की ऊष्मा के सम्पर्क में कृत्रिम हवा को प्रवाहित किया जाये तो हवा गर्मियों में ठण्डी मिल सकती है। इस हेतु जमीन में पाइप दबाकर या ट्रैन्च बनाकर उसमें इम्पेलर फेन से हवा प्रवाहित करवाई जाये या कमरे में ही एक्जोस्ट फेन लगाकर इसमें से हवा खींची जाये तो हवा गर्मियों में ठण्डी मिलती रहेगी। इस हेतु

कूलर में चलने वाले पम्प की बिजली बचत के साथ पानी के व्यय में भी बचत होगी। साथ ही प्राकृतिक ठण्डी हवा का प्रवाह कक्ष में बनाये रखा जा सकता है।

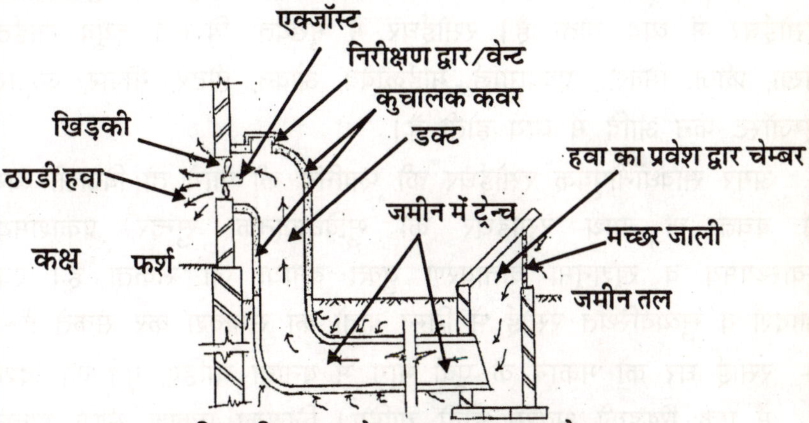

जमीन की ऊष्मा से हवा का ठण्डा होना

जमीन की ऊष्मा से कक्ष में ठण्डी हवा का प्रवाह

ट्रैन्च के तापक्रम को नियंत्रित करने वाले मुख्य निम्न घटक रहते हैं –

1. ट्रैन्च निर्माण का पदार्थ एवं उसकी पोरोसिटी (छिद्रमयता)
2. ट्रैन्च में रहने वाली नमी एवं आर्द्रता (Humidity)
3. ट्रैन्च की जमीन तल से गहराई एवं लम्बाई
4. आवश्यक हवा की तीव्रता (Intensity) एवं तापक्रम
5. ट्रैन्च का आकार, प्रवेश द्वार व उसकी दिशा आदि

ट्रैन्च में हवा दक्षिण–पश्चिम दिशा से प्रवाहित करवाई जाये तो गर्मियों में कुछ समय के लिए बिना पम्प के भी ठण्डी हवा मिल सकती हैं इस तरह बनी ट्रैन्च में लगे फेन से अनुकूल हवा कक्ष में बनाये रखी जा सकती है।

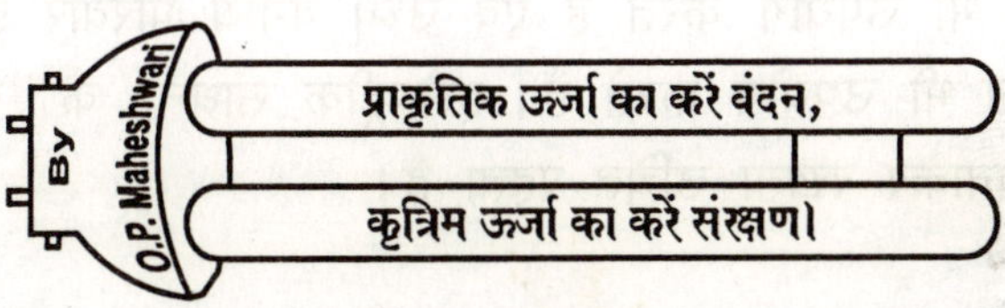

19 सुसज्जित रसोईघर एवं बिजली बचत

एक मध्यम परिवार में व्यय होने वाली बिजली का मुख्य भाग रसोईघर में व्यय होता है। रसोईघर में मुख्यतः बिजली ट्यूब लाईट, पंखा, फ्रीज, मिक्सी, एक्वागार्ड, माईक्रोवेव, ओवन, हीटर, गीजर, ज्यूसर, एग्जॉस्ट फेन आदि में व्यय होती है।

अगर सावधानीपूर्वक रसोईघर की प्लानिंग की जाये तो बिजली व्यय में बचत के साथ रसोईघर को सुविधाजनक, सुन्दर, .प्रकाशमय, स्वास्थ्यमय व खुशनुमा वातावरण युक्त बनाया जा सकता है। एक आदर्श व सुव्यवस्थित रसोई में निम्न बातों का समावेश कर सकते हैं–

– रसोई घर को मकान के पूर्वी भाग में बनाना चाहिए, पूर्व की दिशा में एक खिड़की अवश्य होनी चाहिए। जिसका प्रकाश सीधा भोजन बनाने के स्थान अर्थात स्टेण्ड पर आना चाहिए ताकि मच्छर आदि उत्पन्न होने में प्रतिरोध बना रहे।

– रसोई घर के पश्चिम दिशा में रोशनदान व खिड़की भी आवश्यक है। इससे समय से पूर्व रसोई में अन्धेरा महसूस नहीं होगा तथा हवा का आवागमन भी बना रहेगा जिससे एग्जॉस्ट फेन भी कम चलाना पड़ेगा।

– रसोई के निर्माण के समय ही फ्रीज, मिक्सी, सिंक, ओवन, केबिनेट, गैस सिलेण्डर व गीजर के स्थान का निर्धारण कर लेना चाहिए ताकि रसोई के कामकाज में कम से कम बाधाएँ आये।

– खुली–खुली व प्रकाशमय रसोई रखने हेतु आजकल रसोई का स्टैण्ड व खाने का कमरा (डाइनिंग लॉबी) को साथ साथ बना दिया जाता है।

– रसोई में उत्पन्न होने वाले धुंए के निकास हेतु धुँआकश अथवा चिमनी भी बना सकते हैं। आजकल मध्यमवर्गीय परिवार एग्जॉस्ट फेन का भी उपयोग करते हैं एवं उच्च वर्गीय परिवार इलेक्ट्रोनिक्स केचर का भी उपयोग करते हैं। इलेक्ट्रीक साधन के साथ चिमनी वगैरह बनाकर रखना उचित रहता है।

- किचन स्टेण्ड के ऊपर ही बिजली का प्लग, रोशनी हेतु लेम्प आदि लगे होने चाहिए।
- जहाँ रसोई में भट्टियाँ काम में आती हो वहाँ धुआँकश छत में लालटेननुमा बनाया जा सकता है ताकि धुआँ सीधा ही ऊपर उठकर बाहर निकल जाये। लालटेन की दो साईड ग्लास की रखी जा सकती है ताकि रोशनी भी मिलती रहे।
- रसोई का सीधा सम्बन्ध स्टोर, पेन्ट्री डाईनिंग, सिंक, वाटर स्पेस से होना चाहिए ताकि विभिन्न सेल्फों का सामान व्यवस्थित रखा जा सके। प्रकाश व्यवस्था के लिए इसमें रोशनदान ग्लेज्ड पेनल अवश्य रखें। बेस कैबिनेट के दराजें सरकाये जाने की व्यवस्था रखें। हो सके तो मोड्यूलर एसेसरीज लगाकर स्टोरिंग सुविधा बढ़ाई जा सकती है। रिवोलविंग एवं मूवेबल फर्नीचर ज्यादा सुविधाजनक होते हैं।
- रसोईघर में हवा का क्रोस वेन्टिलेशन स्वच्छ वातावरण के साथ पानी को घड़े में ठण्डा करने में, फ्रीज की दक्षता बनाये रखने में, पकाई हुई सामग्री को अधिक समय तक ताजा रखने में मददगार होती है मगर गैस चूल्हे पर इसका प्रभाव सामान्य रखते हेतु स्टेण्ड के पास की खिड़की का तलिया (सिल) स्टेण्ड के टोप लेवल से 9'' से 12'' तक ऊपर रखा जा सकता है।
- रसोई में लगने वाली वॉटर कूलिंग मशीन, फ्रीज आदि के कूलिंग कॉयल व मशीन पर हवा का सर्कूलेशन बनाये रहने पर बिजली कम व्यय होगी।
- रसोई में लगा छत पंखा व तेज हवा से चूल्हे में आग की लपटें बुझ जाती है अतः दीवार पर लगा पंखा (वॉल फेन) ज्यादा प्रभावी रहता है और बिजली में बचत भी करता है।
- सूर्य पथ को ध्यान में रखकर खिड़की अथवा रोशनदान से प्रकाश को रसोई में लिया जा सकता है। पूर्व दिशा से सुबह व पश्चिम दिशा से सायंकाल में प्रकाश लेने पर रसोई में प्रकाशमय कार्यावधि ज्यादा रहेगी जो बिजली के बचत में सहयोग करेगी।
- स्पॉट लाईट एवं कार्य क्षेत्र में पास लगे लैम्प से कम वॉट के बल्ब से अधिक प्रकाश छोटे क्षेत्र में लिया जा सकता है। डाईनिंग टेबल पर छत से लटकती हुई फैन्सी लाईट से टेबल को प्रकाशमय रखा जा सकता है। रसोई की दीवारों एवं फर्नीचर पर हल्के सफेद एवं पीले रंगों से रोशनी का आभास मिलता है। चिकनी सतह भी

1. फ्रीज
2. ड्रेन बोर्ड
3. सिंक
4. पानी का स्थान
5. सर्विस प्लेटफार्म
6. बर्नर
7. डाइनिंग टेबल
8. सेल्फ
9. गीजर
10. माइक्रोवेव
11. शोकेस
12. केबिनेट पर प्लेटफार्म
13. छत पंखा
14. वॉटर प्यूरिफायर
15. दीवार पंखा
16. चिमनी
17. बर्तन स्टेण्ड
18. स्पॉट लाईट
19. मूर्ति

V-3 स्कर्टिंग पर छोटी खिड़की

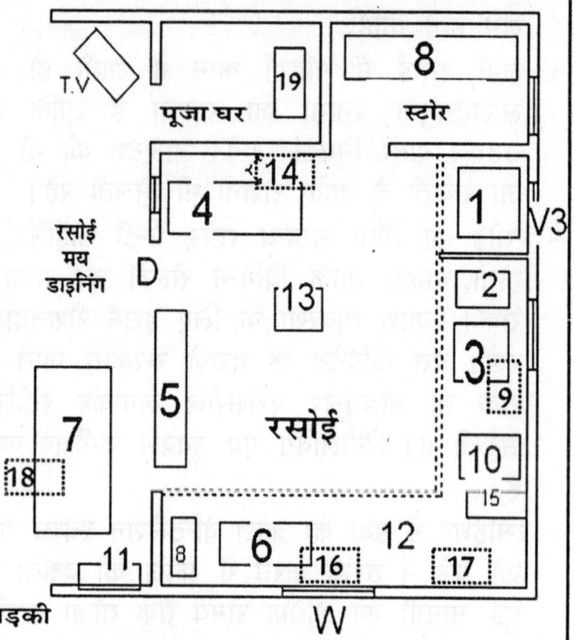

रसोईघर की व्यवस्था

रोशनी के विकिरण में सहयोग देती है। रसोई में बारीक कार्य नहीं होने पर कम वॉट की सी.एफ.एल. लाईटों का उपयोग करके भी बिजली में बचत की जा सकती है। सी.एफ.एल. लाईट आधा वॉट तक की मिल जाती है जिसे रसोईघर में कार्य समय के पश्चात् छोटी बड़ी आवश्यकताओं की पूर्ति हेतु बल्ब के स्थान पर जलाये रखा जा सकता है।

– रसोई को समुचित ढंग से व्यवस्थित रखने से बिजली के साथ समय एवं ऊर्जा की बचत होती है। रसोई के स्वच्छ वातावरण से कार्य करने का उत्साह भी बना रहता है और सरकार का नारा 'पानी बचाओ, बिजली बचाओ' में भी सहयोग हो सकता है। बिजली की बचत ही बिजली का उत्पादन है। जिसे व्यवस्थित ढंग से रसोई का निर्माण कर प्राप्त किया जा सकता है।

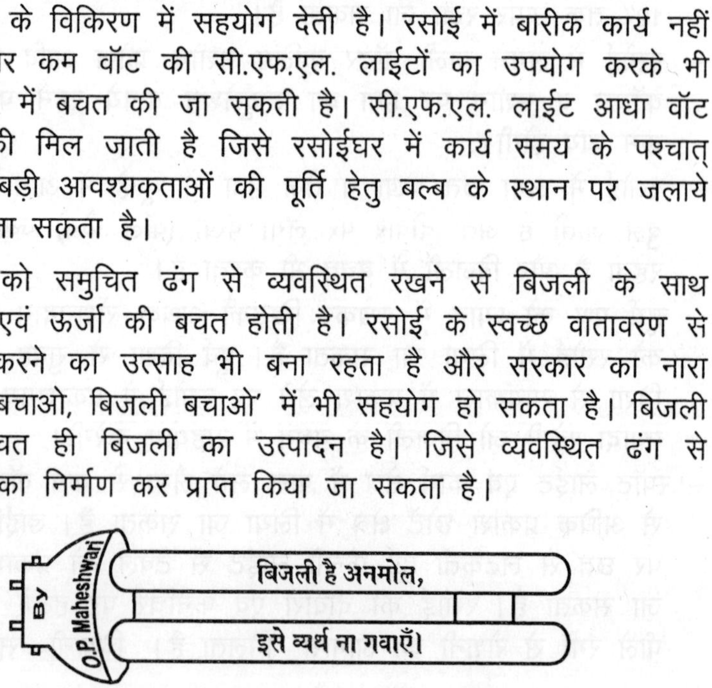

20 ऊष्मारोधी दीवारें एवं बिजली की बचत

भवन में कृत्रिम साधनों का उपयोग करते समय ऊष्मा का ह्रास ना हो इसके लिए अगर सही मेटीरियल से दीवारें बनायी जाये तो एस्थेटिक व्यू (Asthetic View) के साथ जगह का सही उपयोग एवं अच्छी सतह प्राप्त की जा सकती है। कक्ष आवश्यकता से बड़े न रखे क्योंकि कृत्रिम साधनों के इस्तेमाल में ऊर्जा का क्षय होगा अतः ऊष्मारोधी दीवारें ऊष्मा के कुचालक पदार्थ का इस्तेमाल करके बनाई जा सकती है एवं बड़े कक्ष को बांटा जा सकता है। काली सतह सफेद सतह के मुकाबले दो गुनी अधिक ऊष्मा ग्रहण करती है, सफेद रंग 100%, पीला रंग 140%, हरा रंग 155 से 170%, लाल रंग 160 से 165%, नीला रंग 170 से 180% एवं काला रंग 190 से 210% तक ऊष्मा का

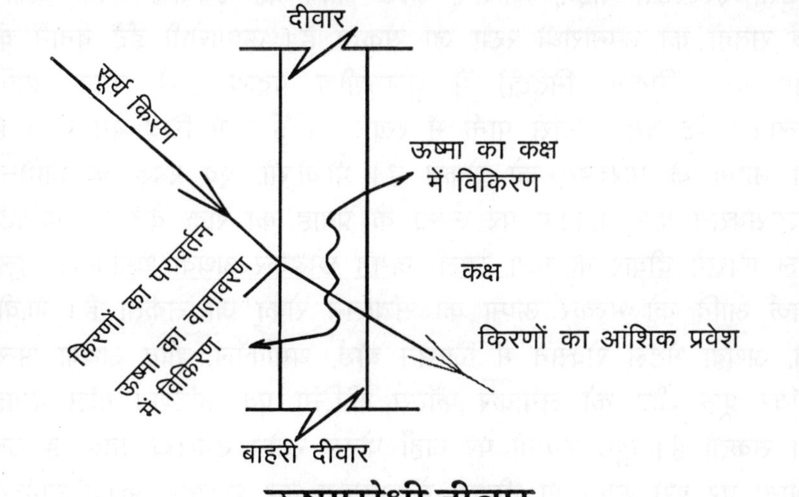

ऊष्मारोधी दीवार

अवशोषण करते हैं। धातु की छत एवं दीवारें क्ले के मुकाबले 6 से 10 गुना अधिक ऊष्मा को प्रभावित करते हैं। वैसे तो क्ले ब्रिक्स, गारा आदि से ऊष्मारोधी दीवारें बनाना सदियों से प्रचलन में है मगर ये दीवारें और भी कई तरह से तैयार की जा सकती है जैसे लकड़ी के पैनल्स, हार्ड बोर्ड, एवं प्लाईवुड शीट से बनी दीवारें घरेलू उपयोग हेतु कार्य कर लेती है मगर इण्डस्ट्रीयल उपयोग हेतु इन्हें केमिकल जैसे अमोनियम डाई फॉस्फेट, सोडियम आर्सिनेट, या बाजार में उपलब्ध फायर रजिस्टेंट पेंट से उपचारित करके ऊष्मा को परावर्तित करा

सकते हैं। ग्लेज्ड सेरेमिक टाईल, सेरेमिक ब्रिक्स, टाईल्स टुकड़ी, सेरेमिक पाउडर, जिप्सम ब्लॉक और पोरस स्लेब, डोलोमाइट एवं एल्यूमिना मिट्‌टी से बनी ईंटों द्वारा, घास एवं पेपर की लुग्दी को स्टेबलाजिंग पदार्थ के साथ दबाकर ईंटें, टाईल्स से उष्मारोधी दीवारें बनाई जा सकती है।

बाजार में उपलब्ध पी.वी.सी, फाईबर ग्लास एवं एक्रेलिक शीट से चिकनी एवं कई रंगो की फिनिशिंग प्राप्त की जा सकती है। दो ग्लास के मध्य फिगर्ड अथवा पारदर्शी वूलन फाईबर्स अथवा कपड़ा लगाकर सेंडविच पेनल्स द्वारा पार्टिशन तैयार कर सकते हैं जिसका व्यू बहुत सुंदर रहता है। चिकनी एवं सफेद फाईन टेक्चर्ड सतह प्रकाश को 70 से 90 प्रतिशत तक परावर्तित करते हैं अतः इनके उपयोग से कक्ष का अनुकूल तापक्रम भी बनाये रखा जा सकता है। टेराकोटा के होलो पॉटस्, एस्बेस्टस पाईप, जिप्सम, कार्क आदि का उपयोग करके दीवारें एवं सतहों को ऊष्मारोधी रखा जा सकता है। ऊष्मारोधी ईंटें बनाने के लिए क्ले (चिकनी मिट्‌टी) में घुलनशील पदार्थ जैसे नमक आदि मिलाकर ईंटें बनाये जिसे पानी में रखने पर ईंटों में छिद्र बन जाते हैं जो ऊष्मा के परिवहन को रोकते हैं। पी.वी.सी. एवं रबड़ के विभिन्न होलोसेक्सन कम तापक्रम पर ऊष्मा के प्रवाह को रोक देते हैं। कैविटी वॉल जिसमे दीवार के मध्य खाली जगह छोड़कर अथवा थर्मोकॉल, वूल, कार्क आदि को भरकर ऊष्मा का संचालन रोका जा सकता है। पी.वी. सी. अथवा मेटेल सेक्सन में जिप्सम बोर्ड, थर्मोकॉल, शीट अथवा अन्य फॉयर प्रूफ शीट को लगाकर फॉल्स सीलिंग एवं पार्टिशन वॉल बनाई जा सकती है। कुछ स्थानों पर जहाँ पोरस स्टोन उपलब्ध रहता है उन स्थानों पर इसे सीधा भी दीवारों में उपयोग कर प्लास्टर अथवा टाईल्स द्वारा ऊष्मा के विकिरण को रोका जा सकता है। अगर आपके कक्ष का तापक्रम नियंत्रित रहेगा तो स्वतः ही कृत्रिम ऊर्जा साधनों का उपयोग सीमित रखा जा सकेगा।

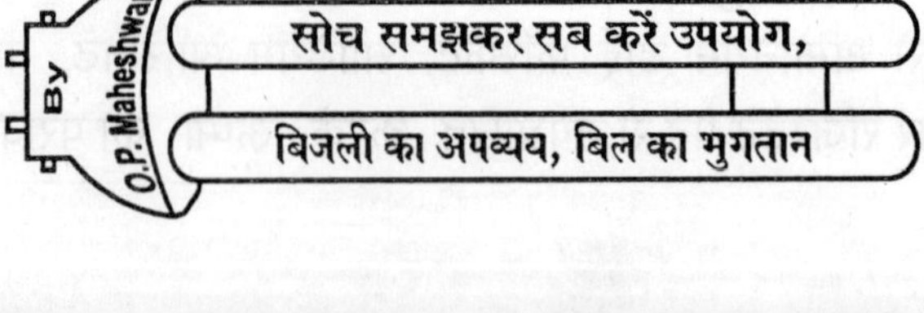

21 लाइटिंग इन इण्डस्ट्रीज

किसी कार्यस्थल पर अच्छी रोशनी के लिए यह जरूरी है कि रोशनी एक समान एवं आवश्यक घनत्व (इन्टेन्सिटी) की हो। अगर रोशनी अधिक होगी तो आंखों में चमक और कम रोशनी में अंधेरे का अनुभव होगा। साधारणतया देखने के लिए रोशनी 100 लक्स, पढ़ने के लिए 400 लक्स एवं बारीक कार्य के लिए 2000 लक्स तक की रोशनी आँखें सहन कर पाती है। अतः इस रोशनी को

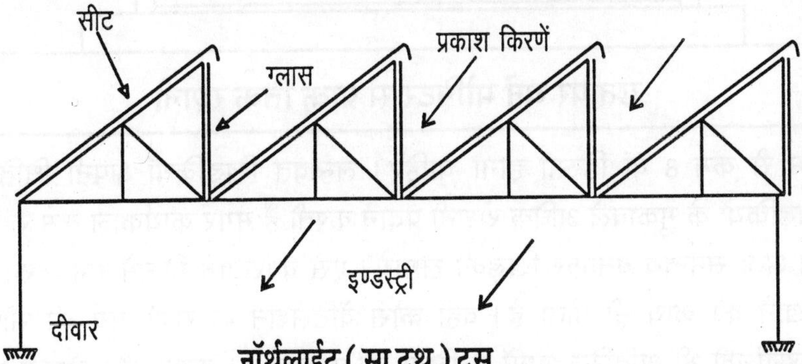

नॉर्थलाईट (सा टुथ) ट्रस

बनाये रखने के लिए जहाँ तक हो सके प्राकृतिक तरीकों का उपयोग करें। क्योंकि कृत्रिम साधनों से मिलने वाली बिजली महंगी पड़ती है। एक समान रोशनी देने के लिए सूर्य की किरणों की डिफ्यूज्ड लाइट जो साधारणतया उत्तर दिशा से मिलती है, लेना उपयुक्त रहता हैं इस हेतु इण्डस्ट्रीज की छत बनाते समय उसे चारों ओर से अपारदर्शी रखने की बजाय, ट्रस व दीवारों से रोशनी हेतु पारदर्शी शीट लगा सकते हैं। यह रोशनी नोर्थ लाईट ट्रस अथवा छत पर चिमनी अथवा डोम बनाकर भी ली जा सकती है। दीवारों से रोशनी लेने के लिए रोशनदान व खिड़की उपयुक्त आकार व नाप की सही स्थान पर बनानी होती हैं। किसी भी भवन में खिड़कियों द्वारा प्रकाश खिड़कियों की ऊँचाई से दो गुना दूरी तक फैलता है। अतः जहाँ भवन की आंतरिक चौड़ाई अधिक हो वहां छत पर लालटेन, मोनिटर (स्काई लाईट खिड़की) आदि भी बनाकर रोशनी दी जा सकती है। कैंचियों में "सा टूथ" रोशनदान बनाकर भी रोशनी दी जा सकती है। मुख्य कार्यस्थल पर प्रकाश हेतु खिड़कियों का क्षेत्रफल फर्श के क्षेत्रफल का

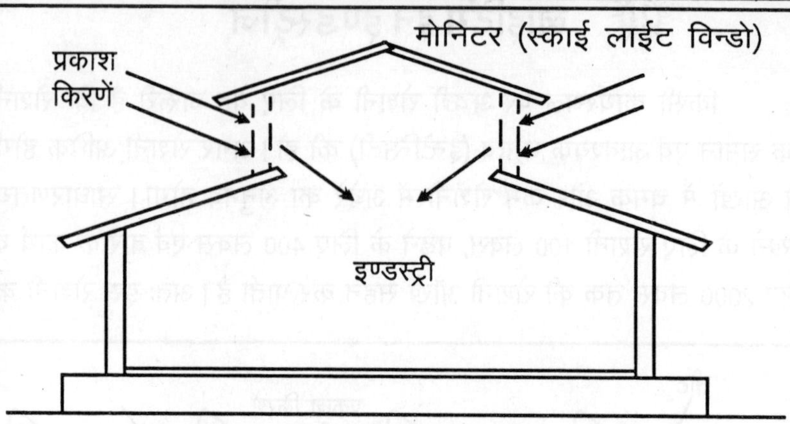

छत पर बनें मोनिटर से प्राकृ तिक रोशनी

कम से कम 8 वां हिस्सा होना चाहिए। लम्बवत खिड़कियाँ अपनी क्षितिज खिड़कियों के मुकाबले अधिक रोशनी प्रदान करती हैं मगर कार्यकाल कम रहता है। अतः समन्वय बनाकर खिड़की लगायें। ऐसे कारखाने जिनमें गर्म करने व सुखाने का कार्य भी होता है। वहाँ क्रोस वेंटिलेशन के साथ सूर्य की सीधी किरणों को भी आंतरिक भागों में लिया जा सकता हैं। ऊष्मा और रोशनी को बढ़ाने के लिए किरणों को परावर्तित करने वाली सतह जैसे चिकनी सतह, दर्पण आदि का उपयोग कर सकते हैं। एक ही केन्द्र बिन्दू पर कई सारे रिफ्लेक्शन आने से प्रकाश में उपस्थित इन्फ्रारेड किरणों के कारण सतह का तापक्रम बढ़ जाता है। दर्पण की संख्या बढ़ाकर यह तापक्रम भट्टी एवं बॉयलर के बराबर बढ़ाया जा सकता है और विद्युत ऊर्जा में कमी लाई जा सकती है। अगर कृत्रिम रोशनी की आवश्यकता रहती हैं तो बल्ब कार्यस्थल के नजदीक रहने चाहिए। जहाँ तक हो सके बल्ब लम्बी दीवार पर लगाना चाहिए ताकि रोशनी अधिक क्षेत्र में फैले।

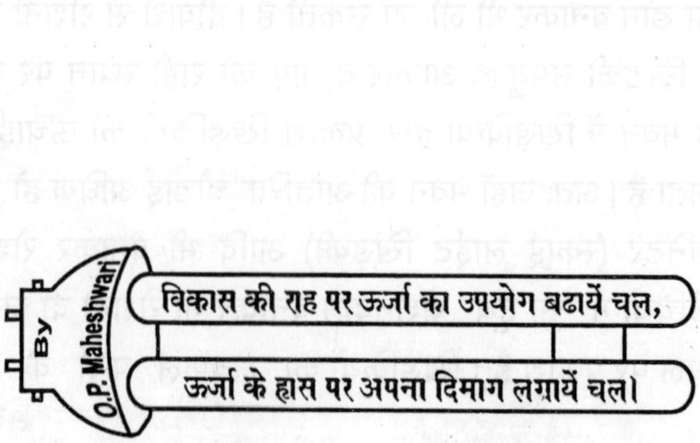

22 केपेसिटर्स का उपयोग

केपेसिटर्स वह उपाय है जिसके द्वारा विद्युत एनर्जी को कंडेन्सर में इकट्ठा कर सकते है और जब आवश्यकता हो ले सकते है कंडेन्सर में चालक दो प्लेटे इन्सूलेटिंग पदार्थ द्वारा अलग रखे हुए होती है। इन्सूलेटिंग पदार्थ साधारणतया ग्लास, अभ्रक, सेरेमिक, प्लास्टिक आदि में से एक होता है एवं चालक पदार्थ में एल्यूमिनियम की प्लेटे होती है। इन चालक प्लेटों को विद्युत के नेगेटिव व पोजेटिव तारों से जोड़ देते हैं। जिससे इलेक्ट्रोन का प्लेटों के मध्य प्रवाह चालु हो जाता है।

केपेसीटर को मोटर के साथ लगाने से करन्ट कम हो जाता है और पॉवर फेक्टर बढ़ जाता है इस तरह की व्यवस्था एक बार अपना ली जाये जो विद्युत लोसेज कम हो जाते हैं फिर केवल रख–रखाव का खर्चा ही रहता है यही कारण है केपेसीटर लगाना इन्जिनियर की पहली प्राथमिकता रहती है।

केपेसीटर लगाने से कृषि उपभोक्ताओं एवं औद्योगिक उपभोक्ताओं के फायदे निम्न रहते हैं –

अ. कृषि उपभोक्ता –

1. केपेसीटर लगाने से उपभोक्ताओं द्वारा ली जाने वाली करन्ट कम होती है। इससे वोल्टेज ड्रॉप में कमी आने से अच्छे एवं ज्यादा वोल्टेज मिलते हैं वोल्टेज में उतार चढ़ाव कम आयेगा।
2. कृषि उपभोक्ताओं को मोटर स्थिर पावर लोड होती है। यानि अगर वोल्टेज ज्यादा होंगे तो करन्ट कम होगी। केपेसीटर लगाने से बढ़े वोल्टेज कम करन्ट के कारण और बढ़ जाते है। कम करन्ट ड्रा करने से मोटर की लाइफ भी बढ़ जाती है एवं मोटर गर्म कम होगी।
3. मोटर पम्प के रख रखाव का खर्चा कम आयेगा एवं कम करन्ट ड्रा करने से ट्रान्सफॉर्मर पर भी भार कम होता है और उसकी लाइफ बढ़ जाती है या उस पर और अधिक लोड दिया जा सकता है। उदाहरण के तौर पर 20 HP की मोटर का वास्तविक लोड 14–92 KW होता है जबकि 0–7 पावर फेक्टर पर KVA 21–34 तथा 0–95 पर KVA 15–71 होगा। इस प्रकार 20 HP की मोटर 16 KVA से भी चलाई जा सकती है तथा ट्रान्सफॉर्मर के जलने का भी खतरा नहीं रहेगा। लेकिन ऐसे मामलों में पावर फेक्टर पर बहुत ध्यान देने की आवश्यकता होती है।

ब. औद्योगिक उपभोक्ता – पावर नेटवर्क में केपेसीटर लगाने के निम्न फायदे हैं

1. लाईन लोसेज में कमी आती है जो कि करन्ट के वर्ग के अनुपात में होती है।
2. वोल्टेज ड्रॉप कम होता है और वोल्टेज रेगुलेशन में सुधार होता है।
3. केपेसीटर हमेशा अपने स्थान से जनरेटर तक के भाग में करन्ट कम करता है या पावर फेक्टर में बढ़ोतर करता है। इसलिये केपेसीटर जितना लोड के नजदीक होगा उतना ही ज्यादा फायदेमंद होगा। इस तरह केपेसीटर अगर मोटर साथ

ही लगाये तो सबसे उत्तम होता है। लेकिन कई बार ऐसा करना संभव नहीं होता और फिर अगला विकल्प डिस्ट्रीब्यूशन ट्रान्सफॉर्मर (DT) के एल.टी. पर लगाना होता है। इससे पूरे नेटवर्क में (एल.टी. लाईन को छोड़ कर) लोसेज कम हो जाते है। 33/11 KV सबस्टेशन पर केपेसीटर अन्तिम विकल्प के रूप लिया जाना चाहिये क्योंकि इससे 33 के.वी. लाईनों और उससे ऊपर नेटवर्क में लोसेज कम हो जाते है लेकिन 11 KV लाईन, एल.टी. लाईन और DT पर वोल्टेज रेगुलेशन में सुधार के अलावा कोई फर्क नहीं पडता।

DT पर स्विच केपेसीटर या फिक्स केपेसीटर लगाये जा सकते हैं। स्विच केपेसीटर में तीन केपेसीटर होते हैं जो आवश्यकता के अनुसार सर्किट में आते हैं इससे पावर फेक्टर 1.0 के करीब लाया जा सकता हैं लेकिन स्विच केपेसीटर की लागत बहुत ज्यादा होती है और फिर LT लेवल पर पावर फेक्टर युनिटी होगा तो जेनरेटर लेवल पर लाईन के जाल के कारण पॉवर फेक्टर लीडिंग हो जायेगा जो कि फायदेमंद नहीं है। (लाइनों का केपीसीटेन्स ट्रान्सफॉर्मरों के इन्डक्टेन्श से बहुत अधिक होता है।) इसलिये ट्रान्सफॉर्मर की एल.टी. पर या ट्रान्सफॉर्मर से दो तिहाई दूरी पर एल.टी. लाईन पर फिक्स केपेसीटर लगाकर भी पॉवर फेक्टर 0.93:0.94 लाया जा सकता है।

केपेसीटर लगाने से ओद्योगिक को, कृषि उपभोक्ताओं को मिलने वाले फायदों के अलावा भी कहीं–कहीं पर निम्न फायदे और भी होते हैं –

1. औद्योगिक उपभोक्ताओं का पावर फेक्टर अगर 0.90 से कम होता है तो पॉवर फेक्टर में प्रति 0.01 कमी पर 1% KWH के बराबर पेनल्टी लगती है। इस प्रकार केपेसीटर लगाने से पेनल्टी से बचा जा सकता है।
2. औद्योगिक उपभोक्ता अगर अपना पॉवर फेक्टर 0.95 से ज्यादा कर ले तो उनकी पॉवर फेक्टर में प्रति 0.01 बढ़ोतरी पर KWH का 1% इन्सेन्टीव दिया जाता है।
3. केपेसीटर लगाने से करन्ट में कमी आती है तथा KVA कम हो जाता है इससे डिमाण्ड चार्जेज से बचा जा सकता है या निश्चित KVA से ज्यादा किलोवॉट पॉवर ड्रा की जा सकती है। बड़े औद्योगिक उपभोक्ता अपना पॉवर फेक्टर बढ़ाने के लिये इन्टेलिजेन्ट पॉवर फेक्टर पैनेल लगा सकते हैं जिनकी लागत 60 हजार से ज्यादा होती है लेकिन ऐसे उपभोक्ता पॉवर फेक्टर पेनेल्टी के कारण लागत को सिर्फ 4–6 माह में वसूल कर लेते हैं।

सन्दर्भ :- विद्युत वितरण संदेश जनरल नवम्बर 2005 से

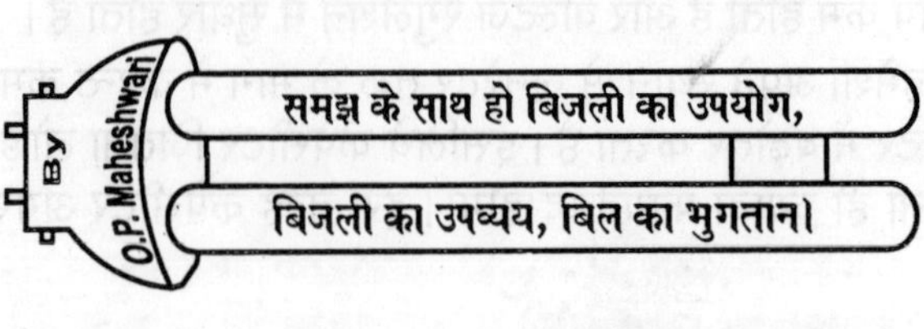

23 छज्जों से लेवें वांछित प्रकाश

छज्जों का मुख्य कार्य अवांछनीय किरणों को रोकना एवं वर्षा से भवन के दरवाजों, खिड़कियों को बचाना होता है। अगर सावधानी से छज्जों की डिजाईन व सामग्री का चुनाव किया जाये तो वर्षा के बचाव के साथ अवांछनीय किरणों को रोका जा सकता है छज्जें सही तरह से डिजाईन कर लगे हो तो आन्तरिक भाग को ठण्डा करने के लिए उपयोग आने वाली ऊर्जा को 20% तक बचत कर सकते हैं, दिवारों के पास वृक्ष एवं झाड़ियाँ लगाकर छज्जो की दक्षता में और बढोतरी की जा सकती हैं छज्जा कितना रखना है इसे ज्ञात करने के लिये दिवार पर यूनिट लम्बाई की वस्तु (पेंसिल अथवा लकड़ी का टूकड़ा) की छाया की लम्बाई (L) नाप ली जाती है खिड़की के नाप (H) मे यूनिट लम्बाई का भाग देने पर छज्जे का प्रोजेक्शन (P) ज्ञात किया जा सकता है (P = H/L) एवं वांछित किरणों को भवन में प्रवेश करा कर भवन को प्रकाशमय रखा जा सकता है।

सन सेडिंग डिवाईस निम्न प्रकार के हो सकते हैं:–

(अ) प्राकृतिक डिवाईस (ब) कृत्रिम डिवाईस

(अ) प्राकृतिक डिवाईस (Natural Device) – प्राकृतिक डिवाईस के तौर पर पेड़ पौधों को उचित स्थान पर लगा देना चाहिये ताकि गर्मियों में हवा को ठंडी बनायें एवं सूर्य किरणों को रोके एवं सर्दियों में प्रकाश किरणों को रोके रखें। इस हेतु डेसीडियस वैरायटी (पतनशील) पौधों का चुनाव किया जा सकता है।

(ब) कृत्रिम डिवाईस (Artificial Device) – इसमें मुख्यतया लूअर्स, छज्जे व जाली आदि आते हैं। लूअर्स में क्षितिज (हॉरीजेन्टल) एवं ऊधर्व (वर्टीकल) अथवा किसी कोण पर लगातार पट्टियें लगी होती है ताकि ये अवांछनीय किरणों को रोक सके एवं उनके मध्य भाग में से डिफ्यूज्ड लाईट व हवा को लिया जा सके।

छज्जों के तौर पर अगर फाइबर शीट एवं ग्लास का उपयोग किया जाये तो ये वांछित प्रकाश को बनाये रख सकते है। छज्जों के लिये

पश्चिम दिशा में बरामदा भी बनाया जा सकता है। छज्जे दीवार से बाहर कितने निकाले, इस हेतु इकाई लम्बाई की छाया कितनी लम्बी है, नाप लेते हैं एवं खिड़की की ऊँचाई में भाग देने पर छज्जे का प्रोजेक्शन मालूम किया जा सकता है।

रोशनी लेने के लिये छत पर बनी ओपनिंग पर डोमनुमा छज्जा अथवा तिरछी फाईबर शीट भी लगा सकते है ताकि वांछित किरणों का प्रवेश बना रहे। स्क्रीन (जालियों) के तौर पर घर में लगे दरवाज, खिड़कियाँ व दीवारों से दूर लगी सीमेन्ट, पत्थर, मेटल आदि की डिजाईन जाली हो सकती है ताकि जरूरत के समय प्रकाश किरणों को लिया जा सके व जरूरत न होने पर इन्हें बन्द करके रोका जा सके। इन बातों के अलावा अगर छज्जों का तिरछापन, आकार व मेटीरियल पर भी ध्यान दिया जाए तो प्रकाश किरणों का काफी फायदा लिया जा सकता है।

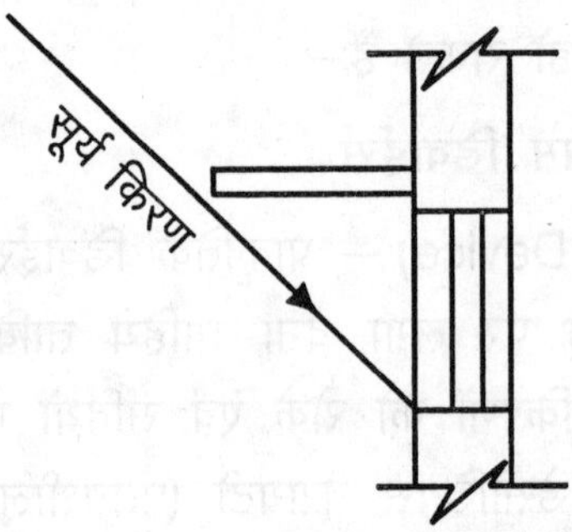

छज्जा

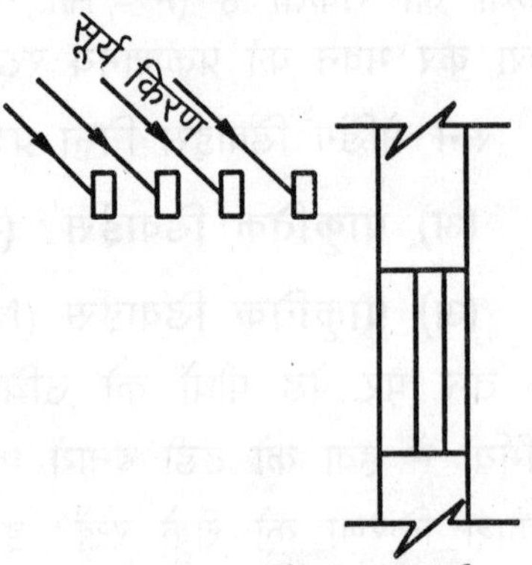

वर्टीकल लूअर्स

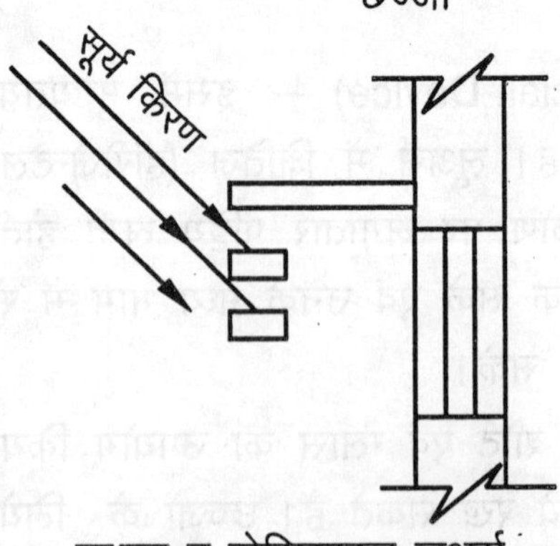

छज्जा व होरिजण्टल लूअर्स

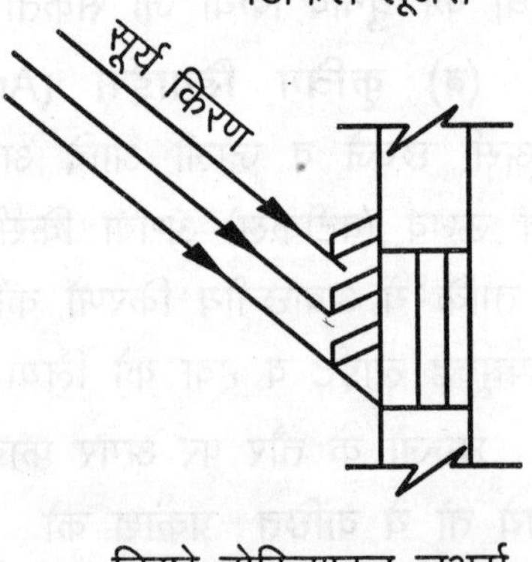

तिरछे होरिजण्टल लूअर्स

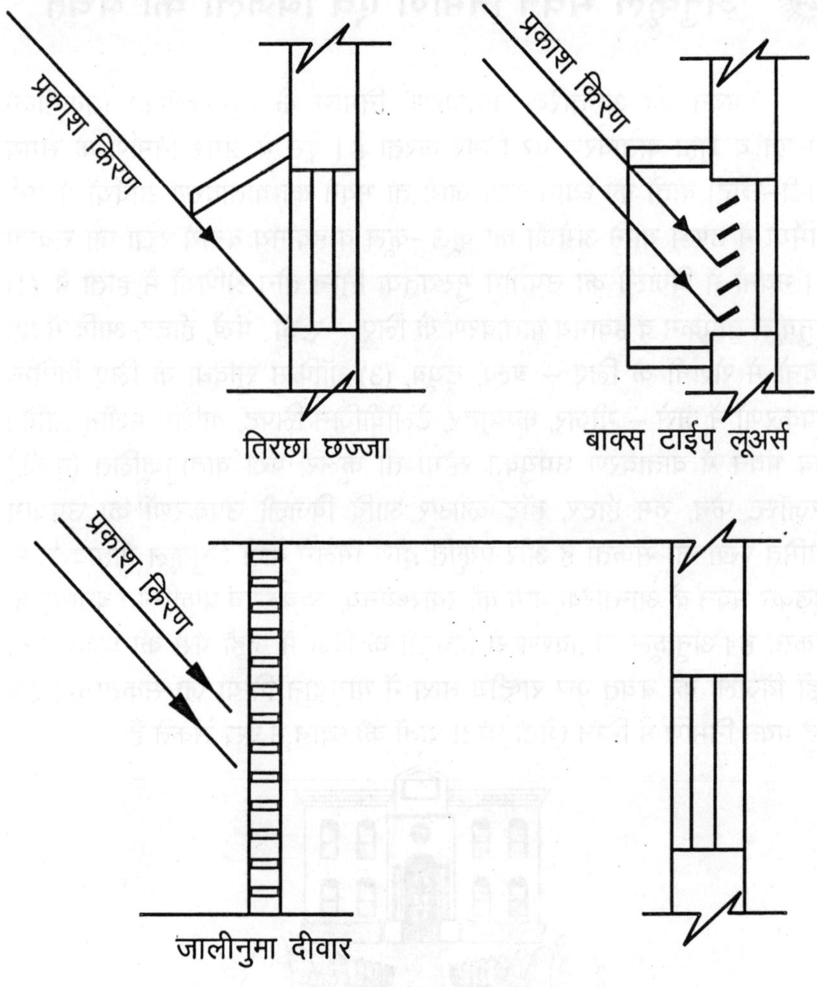

छज्जों के प्रकार

By O.P. Maheshwari

महान् देश में अपना कार्य,
बिजली बचाओ उन्नति बढाओ।

24 अनुकूल भवन निर्माण एवं बिजली की बचत

भवन का आन्तरिक वातावरण, निर्माण के तौर–तरीकों (तकनीक) सामग्री व बाह्य वातावरण पर निर्भर करता है। ऐसे में अगर निर्माण के समय छोटी–छोटी बातों का ध्यान रखा जाये तो भवन का वातावरण सर्दियों में गर्म, गर्मियों में ठण्डा यानि अंग्रेजी का कूल–कूल व हवामय बनाये रखा जा सकता है। भवनों में बिजली का उपयोग मुख्यतया निम्न तीन श्रेणियों में होता है, (1) अनुकूल तापक्रम व हवामय वातावरण के लिए – ए.सी., पंखे, हीटर, आदि में (2) भवनों में रोशनी के लिए – बल्ब, ट्यूब, (3) ऑफिस सुविधा के लिए विभिन्न उपकरणों में जैसे – गीजर, कम्प्यूटर, टेलीवीजिन लिफ्ट, वाशिंग मशीन आदि। जब भवन में वातावरण उपयुक्त रहेगा तो कूलर, पंखे वातानुकूलित (ए.सी.) एग्जॉस्ट फेन, रुम हीटर, हॉट ब्लोअर आदि बिजली उपकरणों का उपयोग सीमित रखा जा सकता है और प्रकृति द्वारा मिलने वाले अनुकूल वातावरण से जुड़कर भवन के आन्तरिक भाग को स्वास्थ्यमय, स्वच्छ एवं प्रफुल्लित बनाया जा सकता है। अनुकूल वातावरण से बिजली के बिल में जहाँ पैसे की बचत होगी वहीं बिजली की बचत कर राष्ट्रीय धारा में योगदान किया जा सकता है। इस हेतु भवन निर्माण में निम्न छोटी छोटी बातों को ध्यान में रख सकते हैं :–

1. बेसमेन्ट (Basement) बनाकर :– जमीन के अन्दर का वातावरण सर्दियों में गर्म एवं गर्मियों में ठण्डा रहता है। अतः भवन का कुछ भाग अगर अण्डरग्राउण्ड में बनायें तो भूगर्भ के वातावरण का फायदा लिया जा सकता है। जब अनुकूल तापक्रम बेसमेन्ट में रहेगा तो कृत्रिम बिजली के साधनों का उपयोग सीमित किया जा सकता है। इस हेतु बेसमेन्ट में खिड़कियाँ आदि भी बना देनी चाहिए ताकि हवा का बदलाव भी बनाये रखा जा सके एवं रोशनी हेतु रोशनदान की सिल को टेपर

(तिरछी) करके बेसमेन्ट में रोशनी बढ़ाई जा सकती है। (see chapter)

2. निर्माण सामग्री द्वारा :– भवनों पर सूर्य की किरणें सबसे पहले छत व दीवारों को गर्म करती है अगर वे चालक पदार्थ काले होंगे तो आंतरिक कक्ष भी गर्म हो जायेगा, अगर निर्माण सामग्री का तापक्रम बहुत जल्दी गर्म एवं ठण्डा हो जाता हो तो वह अनुकूल वातावरण नहीं दे सकते। इस हेतु जिस सामग्री का वजन व चालकता अधिक होगी उस पर तापक्रम का प्रभाव उतना ही अधिक होगा। कुछ निर्माण सामग्रीयों का सामान्य वजन निम्न लेते हैं :

सैण्डस्टोन	–	2200 से 2400 किलोग्राम प्रति घनमीटर
ईटें	–	1600 से 2000 किलोग्राम प्रति घनमीटर
आर.सी.सी.	–	2300 से 2550 किलोग्राम प्रति घनमीटर
लोहा	–	7840 से 7850 किलोग्राम प्रति घनमीटर
जिप्सम	–	1600 से 2200 किलोग्राम प्रति घनमीटर
टेराकोटा	–	1870 से 2370 किलोग्राम प्रति घनमीटर
रबर	–	940 से – किलोग्राम प्रति घनमीटर
राख	–	600 से 670 किलोग्राम प्रति घनमीटर
कार्क	–	240 से – किलोग्राम प्रति घनमीटर
फॉम	–	10 से 40 किलोग्राम प्रति घनमीटर

हल्के वजन वाली सामग्री का उपयोग भवन को ठण्डा रखने में अधिक उपयोगी रहता है यही कारण है कि ईटों व गारे के बने भवन, पत्थर व सीमेन्ट से बने भवनों के मुकाबले वातावरण को अधिक अनुकूल रखते है। अतः उपलब्ध सामग्री में से इस तरह से उनका इस्तेमाल करें कि आवश्यक निर्माण कार्य भी हो जावे एवं भवन का आन्तरिक भाग अनुकूल बना रह सके, जैसे कि अगर छत का ऊपरी भाग (Terrace) अगर सीमेन्टेड अथवा पत्थर का होता है तो मडफसका, चूने की चट्ट, क्ले चिप्स, टेरेजो, टूटी हुई चीनी मिट्टी की टाईलों के टुकड़ी आदि फर्श के मुकाबले तापक्रम का प्रभाव अधिक आयेगा। ऐसे में भवन को ठण्डा रखने के लिए छत की ऊपरी सामग्री का इस तरह से चुनाव करें कि छत की ऊपरी परत ऊष्मा को कम से कम शोषित करने वाली हो, ताकि नीचे की दृढ़ (Rigid) परत में ऊष्मा का प्रवाह कम हो। इस हेतु ऊपरी सतह के नीचे मुरम, सिण्डर, ईटों

का खरंजा, मिनरलवूल, थर्मोकोल, फाईबर बेल्ट, एस्बेस्टस, कॉर्कशीट, उल्टे कुल्हड़े व मटके आदि की एक परत भी डाली जा सकती है। यह सेण्डविच परत रिजिड सतह की ऊष्मा को नीचे प्रवेश करने से रोकेगी, जो आन्तरिक तापक्रम को बनाये रखने में मदद करेगा। आन्तरिक भाग में भी नीट (Neat) सीमेन्ट व मेटल की बजाय लकड़ी, चूना, चिकनी मिट्‌टी, जिप्सम, पी.ओ.पी. आदि की सतह देने से बाह्य तापक्रम को कुछ हद तक नियन्त्रित किया जा सकता है। इस हेतु फॉल्स सिलिंग, वॉल पेनलिंग, जिप्सी बोर्ड, पी.ओ.पी, प्लास्टर, थर्माकोल सीट, पर्दे आदि भी तापक्रम को नियन्त्रित करते हैं। दीवारों, छतों के निर्माण में भी उपयुक्त सामग्री का प्रयोग करने से भवन गर्मियों में ठण्डे रखे जा सकते हैं जैसे चूना गारा, चिकनी मिट्‌टी, फायर ब्रिक्स, क्ले ब्रिक्स का प्रयोग सीमेन्ट पत्थर के मुकाबले तापक्रम नियन्त्रिण में अधिक उपयुक्त रहते हैं।

3. सन ब्रेकर (Sun Bracker) के निर्माण से :– सूर्य की अनावश्यक किरणों को काटने/रोकने के लिए सन ब्रेकर का निर्माण किया जाता है। किरणों को रोकने के तरीकों में छज्जों, बरण्डा, बालकॉनी, होरीजेन्टल लूअर्स, शेड्स आदि का निर्माण कर सीधी पड़ने वाली किरणों को रोका जा सकता है। अस्थाई साधनों में पर्दे, ब्लाइंड्स एवं विभिन्न तरह की जालियों का प्रयोग कर सकते हैं। हल्के रंग के पर्दे एवं ब्लाइंड से कुछ रोशनी ली जा सकती है। एवं सीधी पड़ने वाली किरणों को रोका जा सकता है। भवन की छत पर चिकनी मिट्‌टी की टाईलों, लकड़ी की चिप्स, घास फूस, फाईबर ग्लास आदि का शेड बनाकर भी नीचे की सतह ठण्डी रखी जा सकती है। वर्टीकल सन ब्रेकर हेतु दीवार के एक भाग को प्रोजेक्ट कर देते हैं ताकि प्रोजेक्टेड दीवार की छाया दीवार पर पड़े। इस हेतु वर्टीकल सन ब्रेकर भी बनाया जा सकता है।

सन ब्रेकर लगे होने से दीवार की सतह पर छाया बनी रहेगी एवं आन्तरिक भागों में रोशनी बनी रहेगी। जिससे दीवार व छत वगैरह अधिक गर्म नहीं होगी व बाह्य व आन्तरिक भाग के वातावरण के तापक्रम में अन्तर बनाये रखा जा सकता है।

4. ओरियेन्टेन्स (Orientation) द्वारा :– सूर्य पूर्व में उदय होकर

पश्चिम में अस्त होता है। शुष्क गर्म क्षेत्र में सूर्य की सीधी किरणों से बचाव व हवा के प्रवेश हेतु उचित खिड़कियाँ बनाकर भवन के आन्तरिक भाग में अनुकूल वातावरण बनाये रखा जा सकता है।

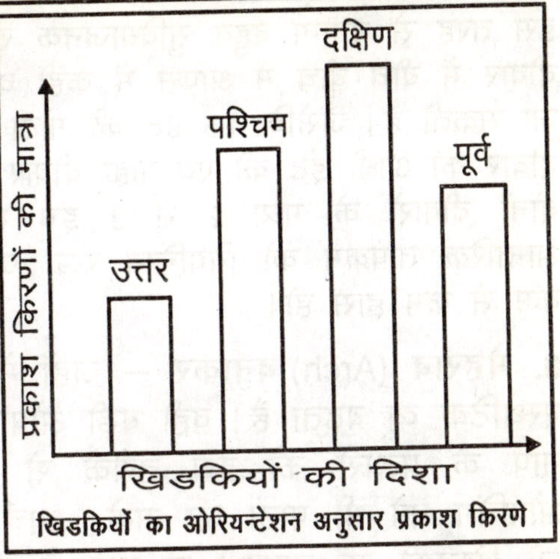

खिडकियों का ओरियन्टेशन अनुसार प्रकाश किरणे

उत्तर दिशा से सूर्य की सीधी किरणें नहीं आती है अतः भवन की लम्बी दीवार उत्तर दिशा में बिना छज्जों के रखी जा सकती है। लम्बी दीवार व ऊँचे भाग को अन्य दिशा में रखना पड़ रहा हो तो प्रकाश की सीधी किरणों को काटने के लिये व्यवस्था भी बनायी जानी चाहिए। पूर्व व पश्चिम दिशा में वरण्डा, बालकॉनी, पोर्च, छज्जे आदि बनाकर आन्तरिक भाग पर सूर्य की किरणों का सीधा प्रभाव कम किया जा सकता है क्योंकि जो दीवार सायंकाल में गर्म होती है वे ही रात्रि में ऊष्मा का विसर्जन कर वातावरण को अनुपयुक्त बनाती है। घर के स्टोर, सीढ़ियां, शौचालय आदि स्थान जहाँ कार्यावधि कम रहती है, उन्हें गर्म होने वाली दीवारों के समीप बनाये जा सकते हैं ताकि अधिक उपयोग आने वाले भाग में तापक्रम ज्यादा उपयुक्त बनाये रखा जा सके।

5. कैवेटी वॉल एवं थर्मा इन्सूलेशन द्वारा :– आन्तरिक भाग में तापक्रम नियन्त्रित करने हेतु गर्म एवं उष्ण क्षेत्र में इन्सुलेटिंग शीट को भवन के आन्तरिक सतह पर लगाते हैं कुचालक पदार्थ की बनी वॉल पेनलिंग व फॉल्स सीलिंग का प्रयोग कर सकते हैं। इस हेतु कैवेटी वॉल एवं इल्सूलेटेड छत का निर्माण किया जा सकता है। नोन–लोड–बियरिंग वॉल को

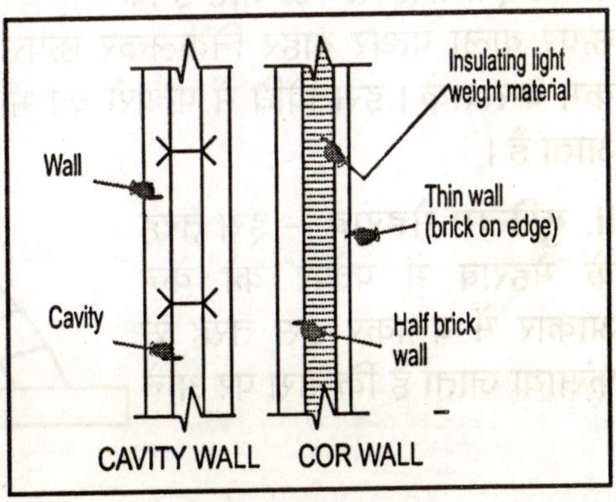

इस तरह से बनाना बहुत सुविधाजनक रहता है। मगर लोड लेने वाली दीवार में बीच बीच में आपस में कहीं कहीं हुक्स डाल कर स्ट्रेन्थ दी जा सकती है। जैसेकि 1.5 ईंट की मोटी दीवार बनानी हो तो आन्तरिक दीवार को आधी ईंट की एवं बाह्य दीवार को एक ईंट की बनाते हैं एवं दोनों दीवारों के मध्य 2 से 3 इंच की जगह रख देते हैं ताकि आन्तरिक तापक्रम को नियन्त्रित रखा जा सके एवं कृत्रिम ऊर्जा का कम से कम ह्रास हो।

6. मेहराब (Arch) **बनाकर** – जहाँ मेहराब से किसी भी भवन का एस्थेटिक व्यू बढ़ता है। वहीं बड़ी ओपनिंग को ढकने के लिए छोटे नाप के पत्थरों को इस तरीके से लगाया जाता है कि बड़ी ओपनिंग को भी पाटा जा सके। आर्च/मेहराब बनाने से ओपनिंग जो खिड़की या दरवाजे के रूप में दी जाती है की ऊँचाई बढ़ जाती है। जिससे रोशनी और अधिक मिलती है क्योंकि खड़ी खिड़की में आड़ी खिड़की के मुकाबले अधिक रोशनी मिलती है। भारतीय संस्कृति में साधारणतया तीन तरह के मेहराब बनाये जाते थे।

i.हिन्दु मेहराब अथवा कोर बैल्ड आर्च

ii. जैन मेहराब अथवा कोरबैल्ड स्लेब आर्च

iii. मुस्लिम मेहराब

हिन्दु मेहराब/कोरबैल्ड

i. हिन्दू मेहराब – इस विधि में एक पत्थर को दूसरे पत्थर पर सपाट इस तरह से रखे जाते है कि ऊपर वाला पत्थर बाहर निकलकर ऊपर के रद्दे में ओपनिंग स्पान को कम कर सके। इस विधि में पत्थरों का भार सीधा दीवार अथवा खम्भे पर आता है।

मुस्लिम मेहराब

ii. मुस्लिम मेहराब – इस तरह के मेहराब में पत्थर को वेज आकार में बनाकर इस तरह से फंसाया जाता है कि उस पर आने

वाला भार सीधे नीचे स्थांतरित करने की बजाय साइड की दीवारों व खम्भों में स्थानांतरित हो क्योंकि मध्य में जो की स्टोन (चाबी) को इस तरह से फंसाया जाता है कि उस पर पड़ने वाला भार साइड की दीवारों में थ्रस्ट द्वारा चला जाये।

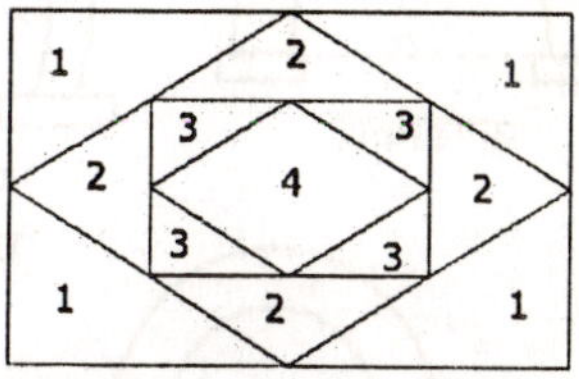

सिलिंग प्लान जैन मेहराब

iii. जैन मेहराब – इस विधि में छत की ओपनिंग पर पत्थर की स्लेब हिन्दू स्टाइल के अनुरूप ही लगाते है ताकि कमरे का स्पान हर रद्दे में कम होता जाये।

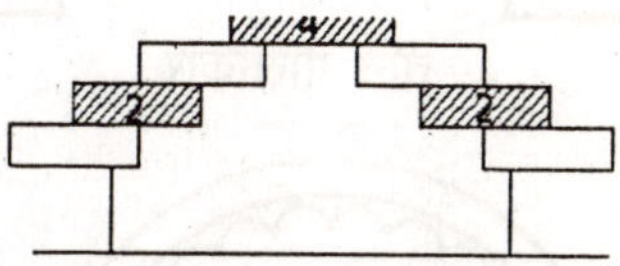

जैन मेहराब

ऊपर बताई गई इन तीनों स्टाइल से बनने वाले मेहराब के आकार निम्न हो सकते हैं।

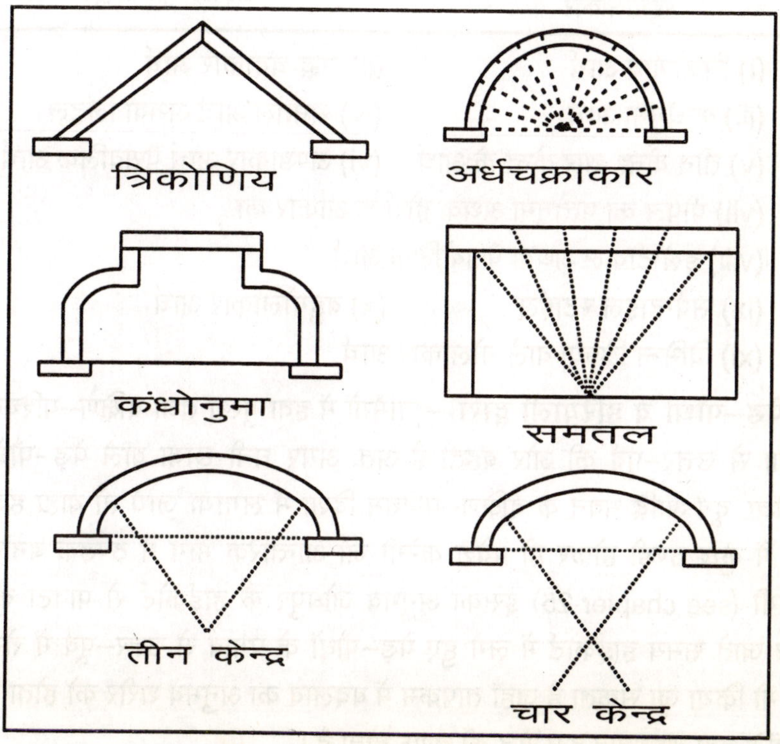

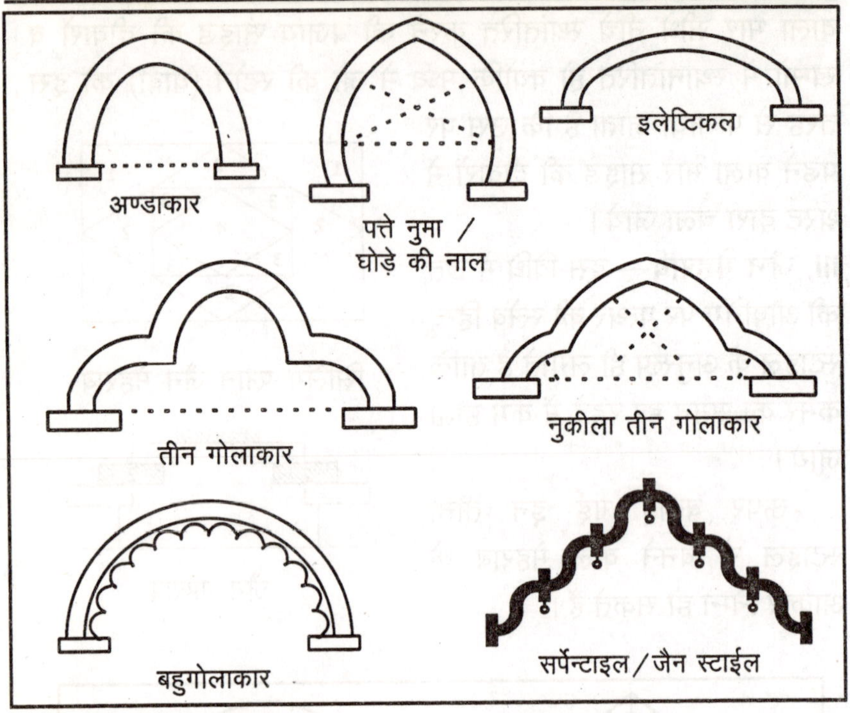

(i) त्रिकोणीय आर्च (ii) अर्द्ध चंद्राकार आर्च

(iii) कन्धेनुमा आर्च (iv) समतल आर्च अथवा लिंटल

(v) तीन केन्द्र, चार केन्द्र के आर्च (vi) अण्डाकार आर्च पैरावलिक आर्च

(vii) पीपल का पत्तेनुमा अथवा होर्स शू आकार का

(viii) इलेप्टीकल अथवा पैराबोलिक आर्च

(ix) सर्पेन्टाइल स्टाईल (x) बहुगोलाकार आर्च

(xi) विभिन्न त्रिज्या वाले गोलाकार आर्च

7. पेड़–पौधों व हरियाली द्वारा – गर्मियों में हवा मुख्य तथा दक्षिण–पश्चिम दिशा से उत्तर–पूर्व की ओर बहती है अतः अगर घनी छाया वाले पेड़–पौधे, बगीचा, दूब आदि भवन के दक्षिण–पश्चिम दिशा में लगाया जाये तो बाह्य हवा घर में कुछ ठण्डी होकर ही प्रवेश करेगी जो आन्तरिक भाग में ठण्डक बनाये रखेगी (see chapter 25) इसका अनुभव जोधपुर के हाईकोर्ट से पावटा की ओर जाते समय हाईकोर्ट में लगे हुए पेड़–पौधों के प्रभाव से उत्तर–पूर्व में रोड़ पर भी किया जा सकता है जहाँ तापक्रम में बदलाव का अनुभव शरीर को होता है क्योंकि हवा का प्रवाह इस रोड़ की तरफ होता है।

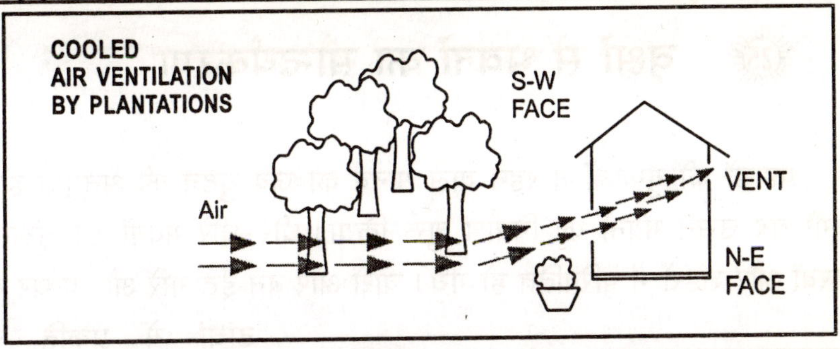

वाटर पोण्ड व स्प्रिन्कल फव्वारों को भी हवा के प्रवेश की दिशा में बना कर, हवा के निकासी की ओर इसका लाभ लिया जा सकता है और इससे अधिक इफेक्टिव बनाने के लिए भवन के आन्तरिक भाग में भी इन्डोर प्लान्ट्स लगाये जा सकते हैं। अगर भवन में क्रोस वेन्टिलेशन बना रहेगा तो भी गर्मी से राहत मिलती रहेगी। टैरेस गार्डन भी भवन के आन्तरिक भाग में ठण्डक का प्रभाव देते हैं। भवन के पास लगे घने पत्तों वाले पेड़ भी ठण्डक का प्रभाव देते हैं। पत्तों व डालियों में से छन छन कर आने वाली हवा शुद्ध एवं ठण्डी होती है।

8. हवामय वातावरण सेः– भवन के आन्तरिक भाग में हवा का प्रवेश एवं निकास का पूर्ण ध्यान रखें एवं जिन स्थानों पर क्रोस वेन्टिलेशन नहीं बनाये रखा जा सकता हो ऐसी जगहों में भवन की छत से खिड़की के लेवल तक सीधा खड़ा पाईप 8 से 12 इंच डाल देते हैं। छत से हवा पाईप में प्रवेश करें, इस हेतु छत पर अलमारीनुमा रिवाल्विंग चिमनी बना सकते हैं (see chapter 17) ताकि हवा को चिमनी के द्वारा भवन के आन्तरिक भाग में प्रवेश करवाया जाता है। इस हेतु चिमनी का मुँह हवा की दिशा में, साधारणतया दक्षिण–पश्चिम में खुला रखते हैं ताकि चिमनी की बन्द सतह से टकरा कर हवा सॉफ्ट में प्रवेश करें। इस विधी से कमरे में हवा के निकास हेतु उसके प्रवेश के विपरित दिशा में रोशनदान/चिमनी बनाकर दूषित हवा को भी निकालते हैं। यह तरीका गाँवों में धुआंकश के नाम से प्रचलित है जिसे शहर के आपस में सटे हुए भवनों में प्रयोग किया जा सकता है।

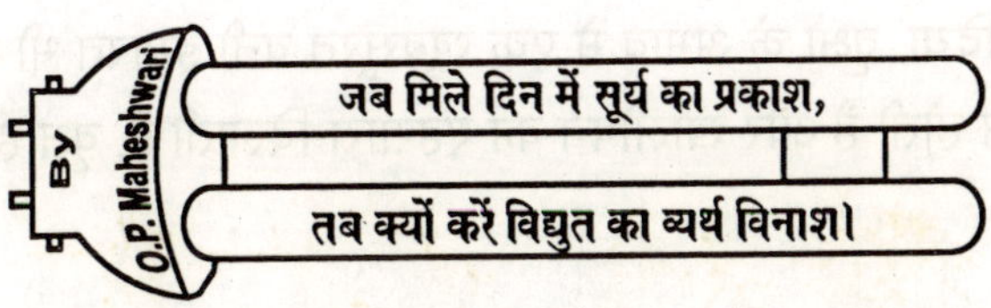

25 वृक्षों से भवनों का सौन्दर्यकरण

पहाड़ों की गुफाओं में रहने वाले मानव को जब घुटन की अनुभूति होने लगी तब उसने भवनों का निर्माण शुरू किया। धीरे–धीरे भवनों की श्रृंखला कस्बों और शहरों में परिवर्तित हो गये। चारों ओर बने ईंट गारे और पत्थर के ढांचों में प्रकृति से अलगाव ही मिला। ऐसे में एक अच्छे भवन के निर्माण में प्रकृति से साझा करने की सूझी और भवन के आस–पास बाग–बगीचों का निर्माण शुरू कर दिया। वृक्ष ही वह कड़ी है जो वातावरण में रूप, रंग व गंध का आभास देते हैं। वृक्षों द्वारा वातावरण के अनुरूप अपने स्वभाव को बदलते रहने से ही प्रकृति में गति का संचार उत्पन्न हुआ। यही कारण है कि वृक्षों पर पक्षियों का कलरव भी मधुर लगता है और कल कारखानों से निकली उत्पादन की आवाज भी शोर की अनुभूति देता है। घरों के पास लगे वृक्ष बिना ए.सी. कूलर के ठंडक का एहसास देते हैं। ईकोफ्रेन्डली का फॉर्मूला अपनाकर सही तरीके से प्लान्टेशन करके तापमान में कमी एवं सुन्दरता का एहसास किया जा सकता है।

प्रकृति की जिह्वा में मिठास है, तभी तो उसने वृक्षों को रंगों से, फलों से, फूलों से भर दिया, वृक्षों के अभाव में एक खूबसूरत बनी इमारत भी अपने आप में अधूरी महसूस होती है और खालीपन का एहसास दिलाती है, वृक्ष ही वह कड़ी है

जो इमारत की भव्यता का वातावरण के संदर्भ में संबंध का बोध कराते है। ऐसे में उचित वृक्षों को चुनकर सही स्थान पर लगाना महत्वपूर्ण है। इस हेतु एक नक्शा जिसमें भवन, आने–जाने का रास्ता, जल–कुंड व अन्य सुविधाओं को दर्शाते हुए खुले भू–भाग में कहाँ कौनसा वृक्ष लगेगा और उनसे किन–किन आवश्यकताओं की पूर्ति होगी, के अनुरूप नक्शे में दर्शा देते है। इस हेतु अनुभवी उद्यानी से भी सलाह लेनी चाहिये। उचित वृक्षों को चुनकर उनके रंगों, आकार व बनावट के अनुरूप ही स्थान का चुनाव किया जाता है। इस हेतु निम्न बातों का ज्ञान होना आवश्यक है :–

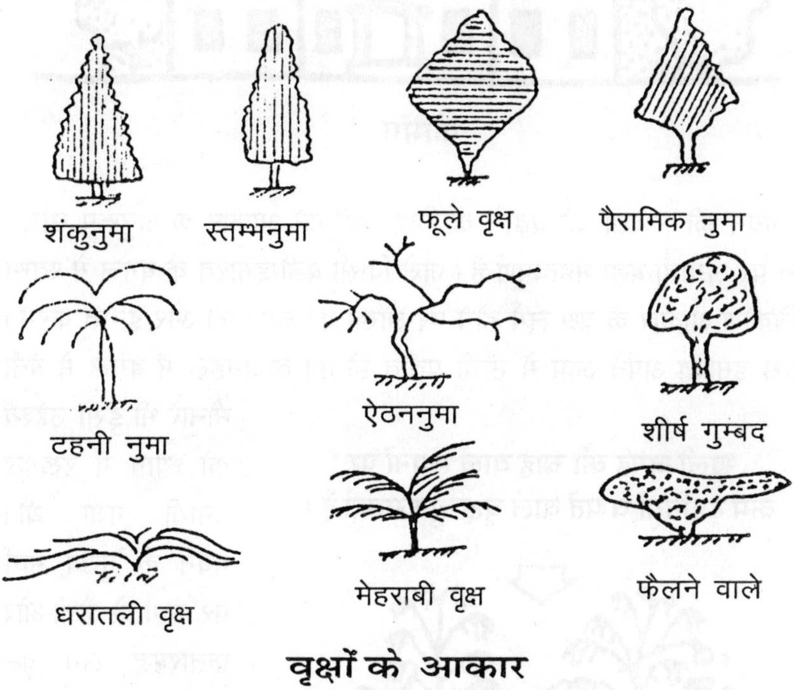

वृक्षों के आकार

वृक्षों का आकार :– वृक्षों का आकार वृक्षों की बाह्य आकृति पर निर्भर करता है। वृक्षों की विभिन्न आकृतियों को सुन्दरता की दृष्टि से इन भागों में बांट सकते है। जैसे धरातल के समीप फैलने वाले वृक्ष, मेहराब के सुदृढ़ टहनियों वाले वृक्ष, ऊपर से घने फैले वृक्ष, स्तम्भ के आकार के वृक्ष, शंकु के आकार के वृक्ष, लटकती हुई टहनियों वाले वृक्ष, पेरामिड के आकार के वृक्ष, ऐंठन व मरोड़ लिए वृक्ष मध्यभाग पर फूले हुए वृक्ष शीर्ष पर गुम्बद की तरह फैले हुए वृक्ष आदि।

लम्बे वृक्षों से भवन की विशालता का आभास होगा।

फ्रेमिंग

भवन की भव्यता को बढ़ाने के लिए वृक्षों को आकार के अनुरूप उचित स्थान पर लगाना बड़ा महत्वपूर्ण है। जैसे किसी बड़ी इमारत के बगल में स्तम्भ या त्रिकोण आकार के वृक्ष लगे होने पर आंखों को उपर की ओर इंगित करेगें। जिससे इमारत अपने आप में ऊँची प्रतीत होगी। ताजमहल में बगल मे बनी मीनारें भी इसी उद्देश्य को ध्यान में रखकर बनायी गयी थी। भवन के मुख्य मार्ग पर, मार्ग के दोनों ओर कतारबद्ध लगे वृक्ष भवन की दूरी को दर्शायेंगे और आँखों को कतार के अंत में स्थित भवन पर केन्द्रित–कर भवन को उजागर करेंगे।

खुली जगह की चाह वाले स्थानों पर कम टहनियों व पतें वाले वृक्ष चुन सकते है।

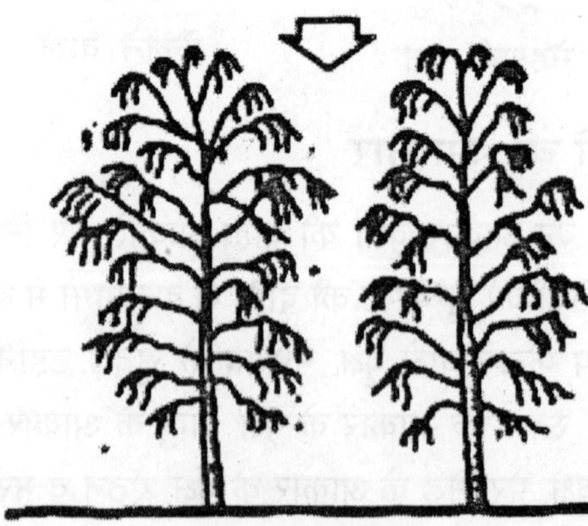

विरलता

भवन के पास ऊँचे व छोटे वृक्ष से परिधि रेखा (स्काई लाइन) में उतार व चढ़ाव का अनुभव देते हैं।

अलग-अलग बनावट के वृक्ष

वृक्षों की बनावट :– सौन्दर्यकरण के इस घटक में वृक्षों को चुनने के लिए उनकी पत्तियों, उनकी बनावट, उनकी सघनता को ध्यान में रखकर चुना जाता है। जैसे पास–पास में लगी पत्तियों व फल–फूल वाले वृक्ष, सूर्य के प्रकाश में इमारत के पास छाया का प्रभाव छोड़ते हैं। भवन के पास लगे सघन वृक्ष भवन के उभार को फ्रेम होना दिखाते हैं। दूर–दूर पर लगी पत्तियों व टहनियों से प्रकाश छन–छन कर आता है। ऐसे वृक्ष प्रकाश से भवन की मुख्य बनावट व रंगों को उजागर करते हैं। ये वृक्ष प्रकाश व हवामयी वातावरण में विरलता की अनुभूति देते हैं। ऐसे वृक्षों से भवन के घिरे होने पर भी भवन में खुलेपन का एहसास होता है। फ्लोरिंग प्लांट जैसे हेमेलिया, मधुमालती आदि में पत्तियां ज्यादा होती हैं अतः ठंडक बनाये रखते हैं। पेड़ों की बनावट पत्तियों के आकार पर भी निर्भर करता है। जैसे छोटी पत्तियों वाले पेड़ व बड़े पत्तों वाले पेड़, खुरदरी व मुलायम सतह वाली पत्तियों वाले पेड़, पंखनुमा पत्तियों वाले पेड़ आदि।

छोटे क्षेत्र में वृक्षारोपण के लिए बनावट बहुत अधिक प्रभाव डालती है। बड़े भू–भाग में बनावट के साथ–साथ अन्य प्रभावों का होना आवश्यक होता है।

वृक्षों के रंगः– वैसे तो वृक्षों के रंग विभिन्न ऋतुओं में बदलते रहते हैं। रंगों का प्रभाव फूलों व पत्तियों से आता है। लाल, हरा व

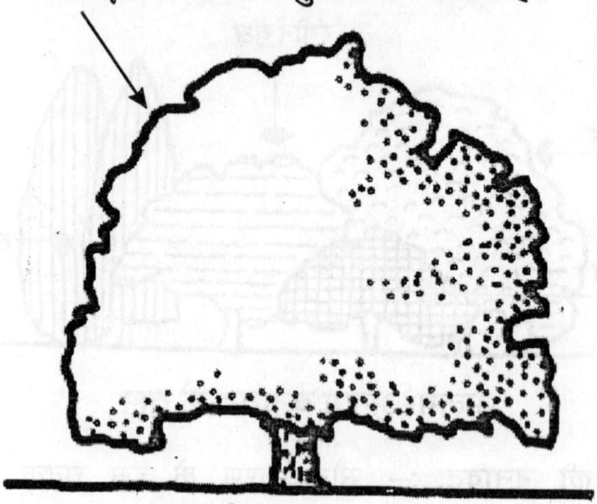

केन्द्रीय बिन्दु पर

नीला ये तीन मुख्य रंग है। हरा, नीला रंग व इनसे बनने वाले रंग जैसे बैंगनी रंग आदि ठंडे रंग होते हैं। लाल व पीला रंग और इनसे बनने वाले रंग गर्म होते हैं जैसे नारंगी रंग आदि। सफेद व हल्के रंग उदासीन रंग होते हैं। भवन के पास लगे गहरे रंगों के वृक्ष दूरी पर लगे होने पर भी पास–पास होने की अनुभूति देते हैं जबकि हल्के रंगों के वृक्ष पास–पास होने पर भी दूरी का बोध कराते हैं। गहरे रंग की इमारत के पास हल्के रंगों के वृक्षों का प्रयोग कर रंगों के अन्तर को बढ़ाकर इमारत के सौंदर्य में और निखार लाया जा सकता है। गहरे रंग करसता (मोनोटीनी) को तोड़ते हैं। जहाँ इमारत का क्षेत्र बड़ा हो वहा एक ही रंगे के वृक्ष एक ही दिशा में लगाने से क्षेत्र विशाल लगता है।

वृक्षों को आकार, बनावट व रंगों के आधार पर चुनाव करने के साथ ही लक्ष्य को ध्यान में रखकर उन्हें उचित स्थान पर लगाना आवश्यक है जैसे शयनकक्ष व बैठक के कमरे के पास सुगन्धित वृक्ष लगाकर, सुंगधित वातावरण प्राप्त किया जा सकता है। इस हेतु चमेली रात की रानी, केवड़ा, चंपा, मेहन्दी आदि वृक्ष लगा सकते हैं। सूर्य किरणों से तपने वाली दीवारों पर मनी प्लान्ट, बतख बेल अथवा अन्य कई बेलें लगाकर हीट ऊष्मा से बच सकते हैं। भवन के दोनों सिरों पर

लगे वृक्ष भवन की चार–दीवारी का बोध देते हैं। साथ ही उनसे अनचाही हवा को रोकने के लिए पवन रोधक का काम लिया जा सकता है। भवन के मुख्य हिस्से को उजागर करने के लिए मुख्य स्थान या मूर्ति के पीछे पर्दे की तरह सधन वृक्षारोपण करने से मुख्य स्थान की सुन्दरता और बढ़ जाती है। भू–भाग को विभिन्न क्षेत्रों में बाँटने के लिए वृक्षों को क्षेत्र की परिधि पर लगाना होगा, इस हेतु एक क्षेत्र में एक ही प्रकार के वृक्ष लगाना उचित रहता है। ताकि हर क्षेत्र अपने प्रकार से अलग लग सके। आँखों को क्षेत्र के केन्द्र की ओर आकर्षित करने के लिए अति–सुन्दर वृक्ष को केन्द्र में लगाना चाहिये।

गृह–उद्यान की रचना

एक ही प्रकार के बने भवनों के मध्य के भू–भाग में अलग–अलग प्रकार के वृक्ष लगाने से भवनों की एकरसता को कम किया जा सकता है। प्रकाश व छाया के मिले–जुले असर हेतु विरलतम वृक्ष को प्रकाश की विपरीत दिशा में लगाकर प्रकाश के प्रभाव को कम किया जा सकता है। गर्मी से राहत के लिए नीम को चुना जा सकता है क्योंकि इसमें सबसे ज्यादा पत्तियाँ रहती है अतः गर्मी में ठंडक देता है। धरातल एवं जलवायु के अनुसार वृक्षों का चयन कर व योजनानुसार वृक्ष लगाकर इमारत के सौंदर्य में वृद्धि की जा सकती हैं।

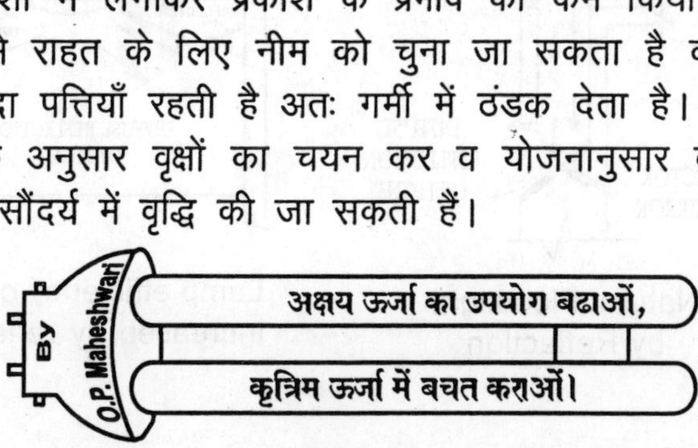

(26) परावर्तित किरणों से भवन में रोशनी एवं गर्मी

सूर्य किरणों में लगभग एक तिहाई भाग इन्फ्रारेड किरणों का होता है जो किसी वस्तु को गर्म करने का कार्य करता है। यही कारण है कि सूर्य की किरणों में प्रकाश उत्पन्न करने के साथ गर्म करने की शक्ति होती है।

सूर्य की किरणे छत पर प्रचुर मात्रा में उपलब्ध रहती है, अतः छत पर स्काई लाईट खिड़की, रिफ्लेक्टिव पाईप अथवा डक्ट को लगाकर किरणों को नीचे कक्ष में परावर्तित करवाकर रोशनी ली जा सकती है इस हेतु डक्ट पर ग्लास डोम, पाईप पर कोइकैव लैन्स लगाकर किरणों को रिफ्लेक्टर द्वारा नीचे परावर्तित करना होता है।

खिड़की, रोशनदान अथवा दीवारों में स्लीट बनाकर किरणों को लेना ज्यादा सरल रहता है। परावर्तित किरणें कक्ष में चारों और फैल जाये इस हेतु अन्तिम छोर पर लगा रिफ्लेक्टर खुरदरा (Rough cast) रखते हैं ताकि किरणों का विकिरण हो और रोशनी चारो और फैल जाये। इन सूर्य किरणों को अगर खाली ग्लास कोन/ट्यूब जिसमें चमकदार बुरादा फैलाया हो, में डाला जाये तो किरणों के परावर्तन से प्रकाश को चारों ओर फैलाया जा सकता है। इसके लिए सूर्य पथ का ज्ञान करके दर्पण लगाने की जगह तय की जाती है ताकि जब भी आवश्यकता हो दिन के समय सूर्य

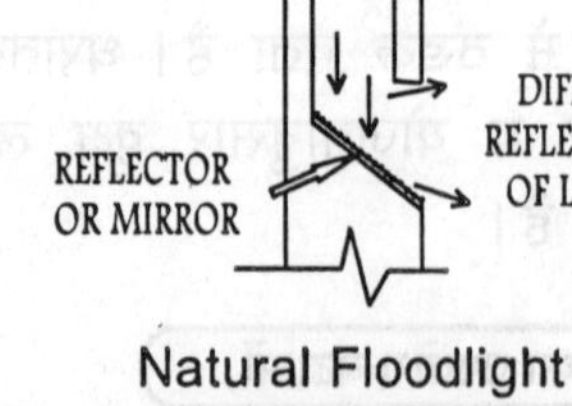

Natural Floodlight by Reflection

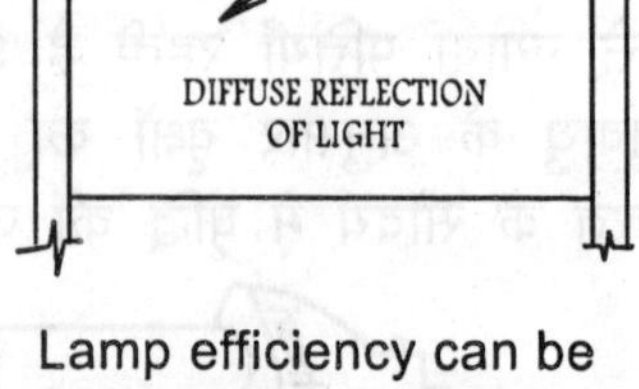

Lamp efficiency can be increased by reflectors

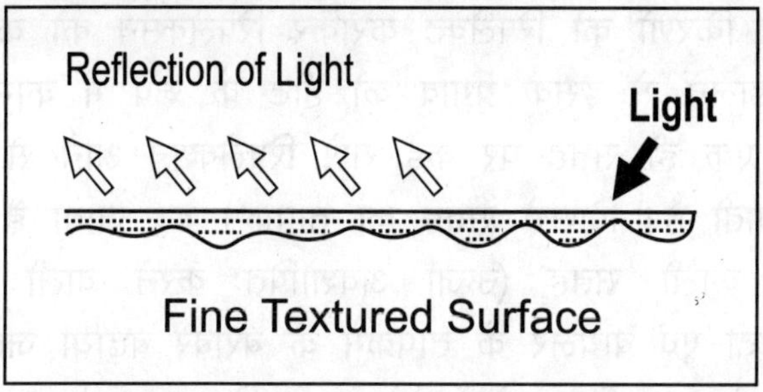

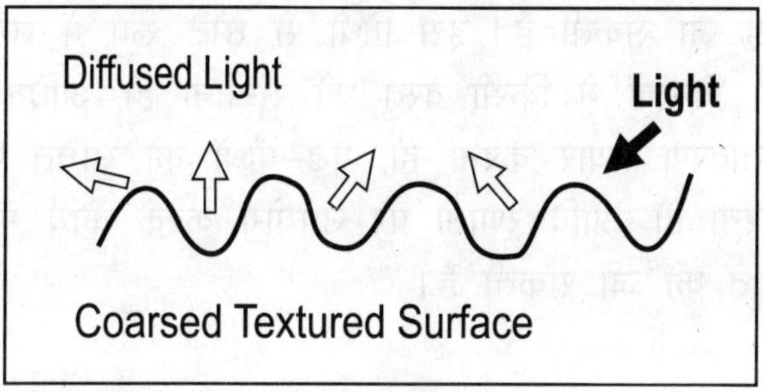

के प्रकाश को एवं रात्रि के समय बाहर की जलने वाली रोड़ लाईट के प्रकाश को भवन के आंतरिक भागों में किरणों द्वारा भेजा जा सकता है। प्रकाश की किरणें प्लेन सतह के लम्ब पर बनने वाले कोण के बराबर कोण पर परावर्तित होती है एवं पैराबोलिक अथवा समतल सतह से प्रकाश को केन्द्रित करके उसे किसी एक स्थान पर फोकस करा सकते हैं जिसे भवन के आंतरिक भागों तक फैलाया जा सकता है।

दर्पण की संख्या व क्षेत्रफल बढ़ाकर एवं पैराबोलिक (कोनकेव) सतह

से सूर्य किरणों को रिफ्लेक्ट कराकर रिफ्लेक्सन को काली चालक सतह पर डालने से इसके प्रभाव को हीट के रूप में काम लिया जा सकता है। एक ही सतह पर कई सारे रिफ्लेक्शन आने से प्रकाश की गर्मी बढ़ जाती है। जिससे सतह का तापक्रम बढ़ जाता है इस प्रकार से चालक काली सतह (ऊर्जा अवशोषित करने वाली सतह) का तापक्रम भट्टी एवं बायलर के तापक्रम के बराबर बढ़ाया जा सकता है, और ऊर्जा के रूप में उपयोग होने वाली विद्युत ऊर्जा एवं अन्य ईंधन में कमी लाई जा सकती है। इस विधी से छोटे रूप में उन कारखानों में जहां सूर्य किरणों में किसी वस्तु को सुखाना हो, अधिक एवोपरेशन एवं गर्म वातावरण तैयार करना हो, पेड़–पौधों को उचित तापमान पर विकसित करना हो, आदि स्थानों पर उपयोग करके कार्य में दक्षता एवं ऊर्जा में बचत की जा सकती है।

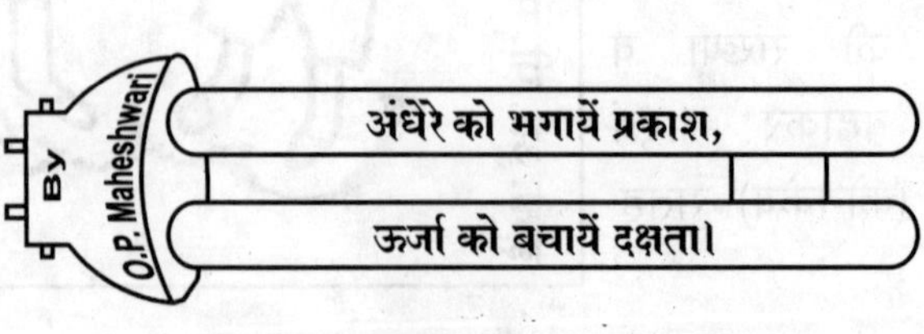

27 भवनों में प्राकृतिक प्रकाश व्यवस्था

इस पृथ्वी को मिले वरदान रूपी प्रकाश पुंज के पथ को अगर समझ लिया जाये तो भवन के आन्तरिक भाग में प्राकृतिक वातावरण उत्पन्न कर न केवल यह प्रकाशमय बनाया रखा जा सकता है अपितु स्वास्थ्यमय वातावरण से मन प्रफुल्लित भी बना रहेगा। सूर्य किरणों में एक तिहाई प्रकाश इन्फ्रारेड किरणों से मिलता है। जो किसी वस्तु को गर्म करने का कार्य करती है, यही कारण है कि सूर्य किरणों में प्रकाश के साथ गर्म करने की शक्ति होती है।

इस हेतु भवन निर्माण के समय कुछ सावधानियाँ व कुछ तकनीक का उपयोग किया जाये तो प्रकाश पुंज सूर्य द्वारा मिलने वाले प्रकाश का उपयोग कर कृत्रिम साधनों में कमी की जा सकती है और बिजली के बिल में भी कटौती कर ऊर्जा बचत में राष्ट्रीय सहयोग दिया जा सकता है। सूर्योदय से सूर्यास्त तक के पथ के अनुरूप सीधी या परावर्तित किरणों को भवन के आन्तरिक भाग में विकिरण करवाया जाये तो उसे प्रकाशमय बनाया जा सकता है।

सूर्य पथ को ज्ञान करने के लिए एक नुकीली वस्तु अथवा पेन्सिल को कार्ड बोर्ड पर सीधी लगा देते है। अब इस सीधी लगी हुई पेन्सिल व कार्ड बोर्ड को समतल धरातल में दिशा अंकित करते हुए खुले में रख देते हैं। सूर्योदय से सूर्यास्त तक हर एक घण्टे में सूर्य किरण से पेन्सिल की नोंक का प्रतिबिम्ब कागज पर अंकित कर देते हैं और सभी बिन्दुओं को मिला कर सूर्य पथ को अंकित किया जा सकता है, जो उस क्षेत्र में उस समय सूर्य के पथ को दर्शाता है। पेन्सिल के नोंक की ऊँचाई एवं प्रतिबिम्ब की नोक पर बनने वाला कोण भी ज्ञात किया जा सकता है जिसका उपयोग भवन में लगाये जाने वाले रोशनदान, खिड़कियों, चौक, छज्जे आदि में किया जा सकता है एवं सूर्य प्रकाश का अधिकतम समय तक सदुपयोग किया जा सकता है एवं अनावश्यक धूप को छज्जों द्वारा काटा भी जा सकता है।

भवन निर्माण के समय निम्न तकनीकी बिन्दुओं पर ध्यान रखा जाये तो भवन को प्रकाशमय बनाया जा सकता है –

1. खिड़कियों के आकार द्वारा :– बाहरी दीवार में लगाई जाने वाली खिड़की को चौड़ाई की अपेक्षा ऊँचाई में ज्यादा रखा जाये तो वह पूरे आन्तरिक क्षेत्र में ज्यादा रोशनी देगी।

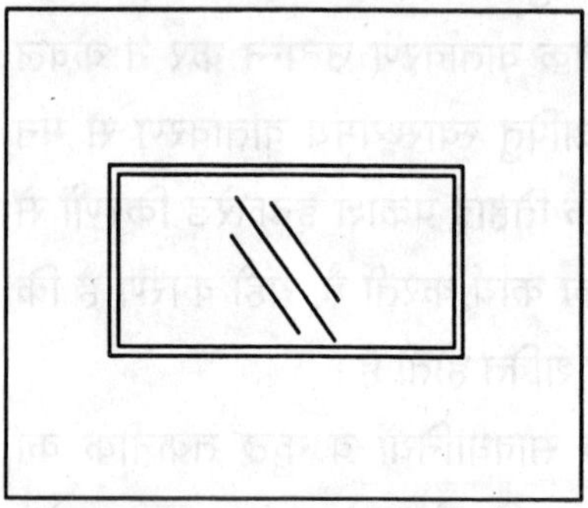

Horizontal window is less effective for illuminations

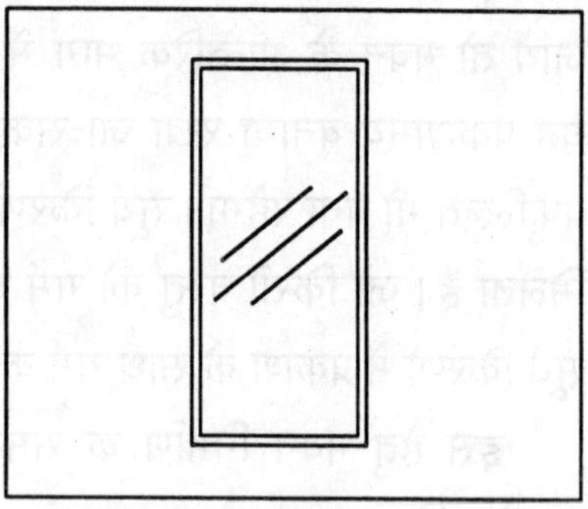

Vertical window is more effective for illuminations

वैसे प्रकाश किसी भी दिशा से लिया जा सकता है फिर भी अगर सूर्य पथ को ध्यान में रख कर खिड़कियों का निर्धारण करे तो इससे अधिक समय तक व आवश्यकतानुसार प्रकाश को भवन में बनाया रखा जा सकता है। जैसे भवन के उस भाग में जहाँ सवेरे जल्दी गृहकार्य चालू होता है वहाँ सूर्योदय की दिशा में लगाई गई खिड़की से जल्दी प्रकाश लिया जा सकता है, ऐसे ही शाम के समय पश्चिम दिशा में लगाई गई खिड़की से अन्धेरा होने से पूर्व तक अधिक समय तक प्राकृतिक प्रकाश बनाये रखा जा सकता है। पढ़ाई लिखाई के लिए एवं बैठक के कमरे में उत्तर दिशा से भी विसर्जित प्रकाश को लिया जा सकता है। कुछ समय के लिए किसी भी दिशा से ली गई सूर्य की किरण वातावरण में उपस्थित मच्छर, कीट व कीटाणुओं को नष्ट करने में भी मदद करती है। दक्षिण दिशा से आने वाली तेज धूप को छज्जा/सन ब्रेकर/ल्यूवर्स/ब्लेण्डस/पर्दे लगा कर किरण को विसर्जित प्रकाश के रूप में भवन में लिया जा सकता है, वैसे तो पूरे घर में ही प्रकाश को बनाये रखने की व्यवस्था होनी चाहिये फिर भी दिन के समय अधिक काम के क्षेत्र की बाहरी दीवारों के पास या खुले क्षेत्र के

पास होनी चाहिये एवं वरीयता के अनुसार भवन के विभिन्न हिस्सों को व्यवस्थित कर बिजली का उपयोग कम किया जाना चाहिए और बिजली खर्च में बचत की जानी चाहिए।

2. चेम्फरिंग (Chamfering) **द्वारा** – दीवार में बनाई जाने वाली खिड़की का तलिया (सिल) अगर प्रकाश की किरण के अनुरूप तिरछा (स्लॉट/टैपर) रखा जाये तो छोटी खिड़की से अधिक क्षेत्र को प्रकाशमय बनाया जा सकता है। अगर खिड़की की साईड एवं लिन्टल लेवल पर भी कोणों को तिरछा काटा जाये यानि खिड़की जेम्बस

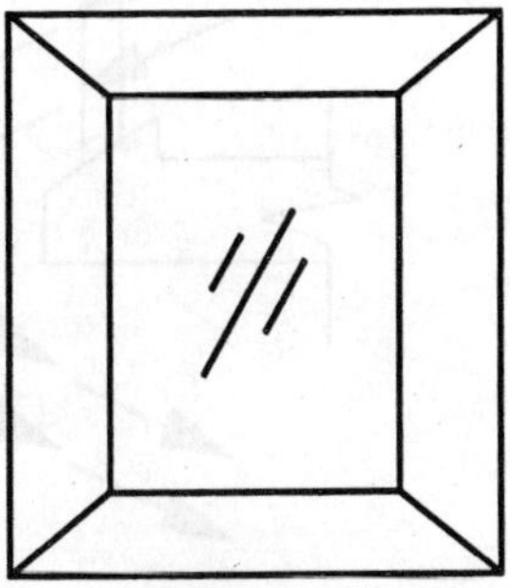

Splayed Window

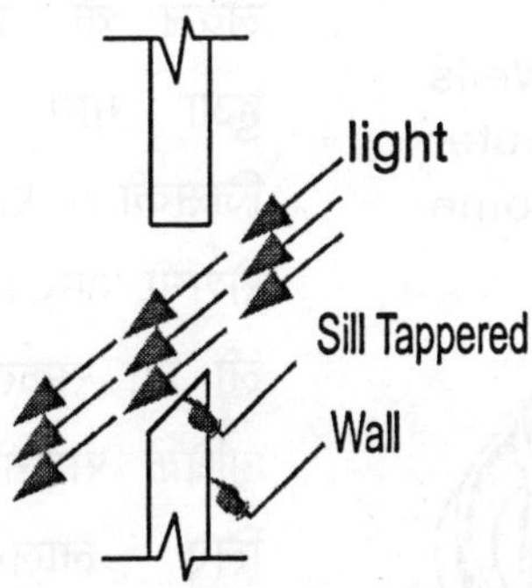

For proper illumination window vents sill should be tapered

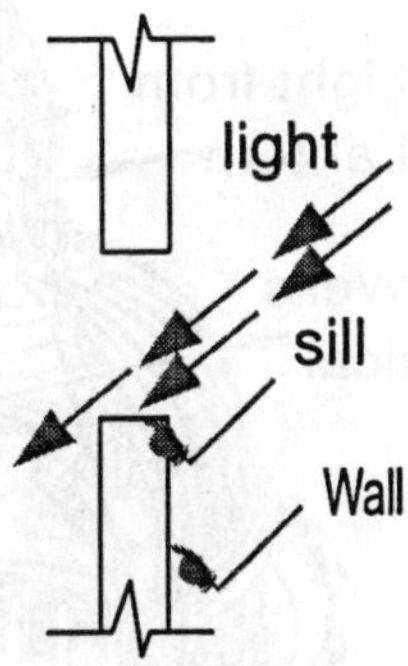

Wrong Pattern

स्प्लेड (Splayed) रखा जाये तो और अधिक छोटी खिड़की से बड़े क्षेत्र को प्रकाशमय बनाया जा सकता है। सीधी प्रकाश किरण की आवश्यकता न होने पर इसे लूअर्स से कम किया जा सकता है।

3. ऊपरी भाग में लालटेन बनाकर – भवन के मध्य भाग में, आगे, पीछे व साईड में खुला चौक छोड़ कर रोशनी ली जा सकती है। मगर जहाँ खुला चौक सम्भव नहीं हो पाता है वहाँ छत में रोशनी के लिए चिमनीयुक्त रोशनदान बनाया जा सकता है लालटेन जो छत

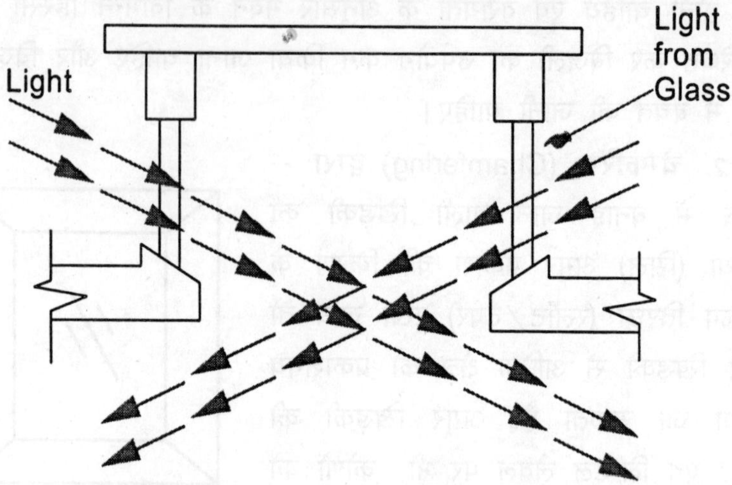

Natural light from roof lantern

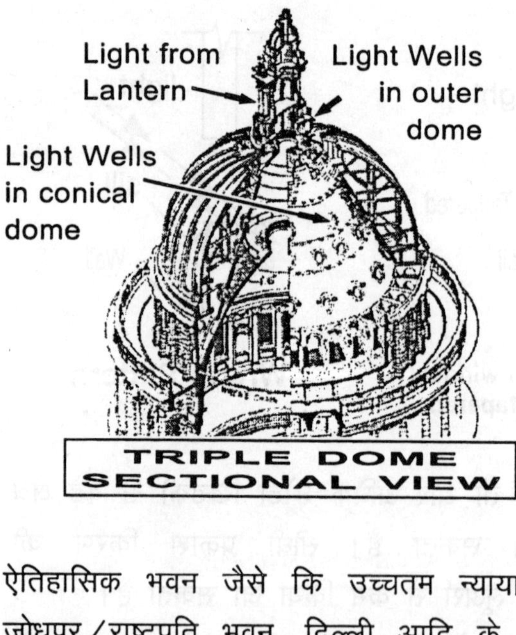

TRIPLE DOME SECTIONAL VIEW

लेवल के ऊपर उठा हुआ भाग होता है जिसकी साईड में रोशनी अन्दर की ओर ली जा सकती है और अधिक रोशनी लेने के लिए लालटेन की उपरी छत में फाईबर अथवा रंगीन ग्लास आदि का डोम बनाया जा सकता है। ऐतिहासिक भवन जैसे कि उच्चतम न्यायालय, दिल्ली/उम्मेद भवन, जोधपुर/राष्ट्रपति भवन, दिल्ली आदि के डोम पर लालटेन बनाकर रोशनी आन्तरिक कोनीकल डॉम पर एवं उसमें वैल्स (छेद) बनाकर गैलेरी द्वारा नीचे हॉल में ली गई है।

4. अन्तिम छोर तक प्रकाश किरणों को रास्ता देकर – भवन में प्राकृतिक रोशनी लेने के अनगिनत और भी तरीके हैं मगर फिर भी अधिकतम लोग यह कह कर कि हमारे मकान में तो यह सम्भव नहीं हो सकता था और अन्धेरे में ही जीवन बिताने के आदी हो जाते हैं या फिर बिजली का बिल बढ़ाते रहते हैं, इस हेतु मैं उन लोगों को कुछ ऐसे स्थान बता रहा हूँ जहाँ से रोशनी ली जा सकती है जैसेकि सीढ़ियों के राईजर (Riser) में ग्लास लगाकर, छत में एक या दो पट्टियों को ऊपर लगा कर सूर्य प्रकाश की तरफ खिड़की बनाई जा सकती है। खिड़कियों एवं दरवाजों में अधिक से अधिक ग्लास लगा कर रोशनी बढ़ाई जा सकती है। अगर कोई भवन तीनों दिशाओं से बन्द

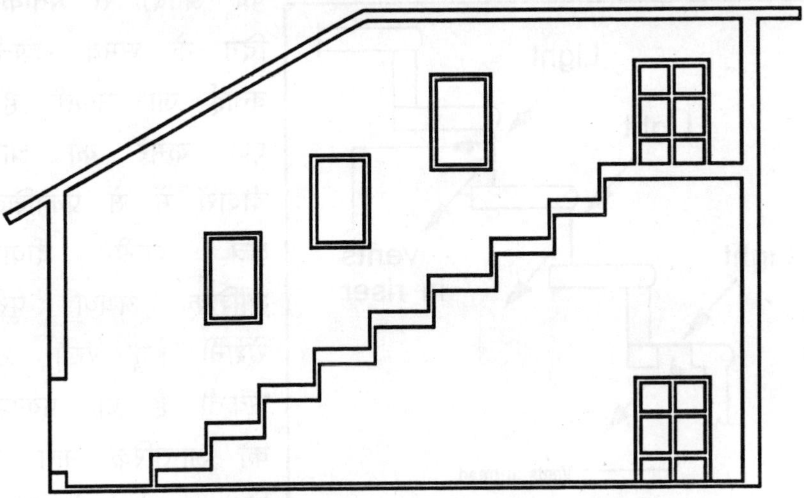

स्टेप्ड खिड़कियों द्वारा पूर्ण रोशनी

एवं एक ही दिशा से प्रकाश लिया जा सकता है तो भवन के अन्तिम छोर तक प्रकाश की किरणें पहुँचाने के लिए भवन की आन्तरिक दीवारों में भी ग्लास लगाकर प्रकाश किरणों को अन्तिम छोर तक ले जाया जा सकता है। इस हेतु कुछ आन्तरिक दीवारों व पार्टीशन की ऊँचाई बाहरी दीवारों से कम रखी जा सकती है।

5. भवनों की उचित प्लानिंग द्वारा – वर्तमान समय के फैशन के अनुरूप कई दीवारों को नहीं बना कर, रोशनी के आवगमन का स्थान दिया जा सकता है जैसेकि रसोई व खाना खाने के कमरे में मध्य की दीवार को पूरी तरह नहीं बना कर अथवा किचन प्लेटफार्म की ऊंचाई तक बना कर, बैठक के कमरे (ड्राईंग रूम) को लॉबी से जोड़ कर अटैच बैठक बनाई जा सकती है। सीढ़ियों के लिए अलग से कमरा न बनाकर उसे लॉबी के साथ बनाकर दीवारें कम की जा सकती है अतः अनावश्यक दीवारों में कमी करके भवन के आन्तरिक हिस्से में रोशनी अधिक बढ़ाई जा सकती है। भवन की कुछ दीवारे एवं भाग को पूरी तरह से ग्लेज्ड (पारदर्शी, रंगीन अथवा विभिन्न तरह के काँच एवं पर्दे आदि) से बनाकर दिन के समय रोशनी बनाई जा सकती है। एक कमरे की चार दीवारों में से प्रकाशित क्षेत्र वाली दीवार आंशिक अथवा पूरी रोशनी हेतु रखी जा सकती है जो प्रकाश को आन्तरिक भाग में बिना अवरोध के प्रवेश देगी। कारखानों में लोहे की कैंची की साईड में स्काई लाईट हेतु रोशनदान अथवा पूरी साईड पारदर्शी रखी जा सकती है। भवन का लम्बा हिस्सा प्रकाश की ओर हो तो उनमें से कुछ हिस्से को खुलने वाला अथवा बन्द में भी पारदर्शी बनाया जा सकता है इस हेतु ग्लेज्ड पारदर्शी पार्टीशन बनाई जा सकती है।

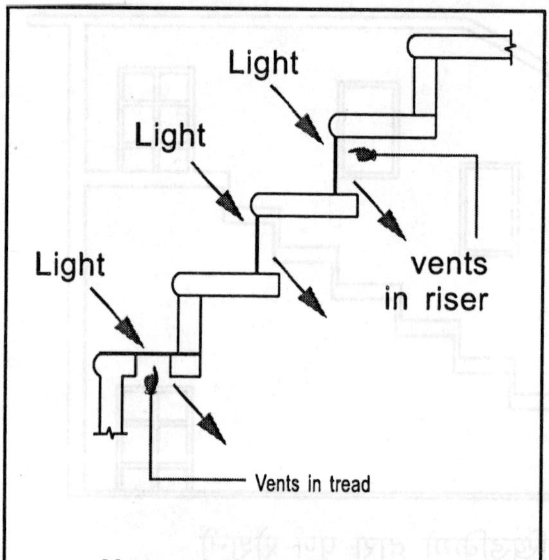

Natural light in stair

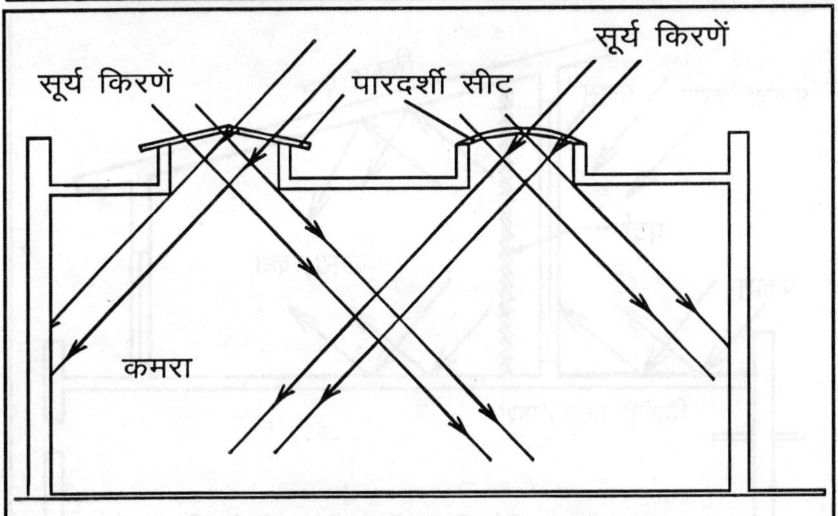

छत पर बनी विभिन्न स्काई लाईट से रोशनी

6. **परावर्तित किरणों द्वारा** – परावर्तित प्रकाश की किरणों को उल्टी छत, दीवार, फर्श अथवा टेबल पर डाली जाये तो दिन के समय उपयोग आने वाली बिजली में कटौती कर उस स्थान को प्रकाशमय किया जा सकता है। (see chapter 26)

7. **रंगों व सतहों के प्रभाव द्वारा** – भवन के आन्तरिक भाग को रोशनीमय एवं आकार में बड़ा महसूस करने के लिये उचित रंगों का प्रयोग किया जाना आवश्यक होता है। जैसेकि हल्के, सफेद चमकीले रंगों द्वारा कमरे को ज्यादा रोशनीमय महसूस किया जा सकता है। इस हेतु कमरे की दीवारें, छत, फर्श व फर्नीचर सभी पर उचित रंगों का प्रयोग करके कमरे को अपने आप में खुला खुला महसूस किया जा सकता है। चमकीले एवं पीले रंग से बने रंग कमरे में रोशनी बढ़ाने में मदद करते हैं। (see chapter 3) मगर गहरे रंग जैसे हरा व लाल रंग से बने रंग किसी खास वस्तु को उजागर जरूर करते है लेकिन साथ में अंधेरेमय वातावरण का अहसास देते हैं अतः सारे रंग जो लाल, नीला, पीला रंग से बनते हैं, उनमें पीले रंग से बने रंग ज्यादा रोशनी का आभास कराते हैं। इस हेतु कमरे के गलीचे, पर्दे, फर्नीचर आदि सभी के रंगों का प्रभाव आन्तरिक आभास पहुँचाते हैं। जैसे लाल रंग

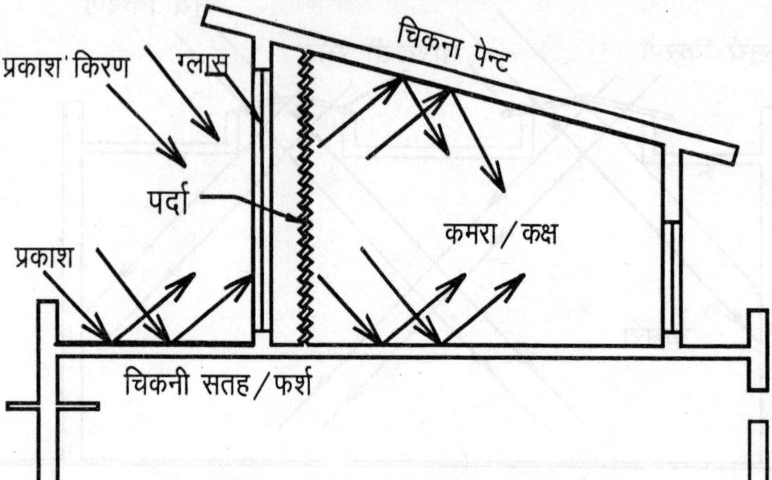

बाहरी परावर्तित किरणों द्वारा कक्ष में रोशनी

का बल्ब कमरे में जला दिया तो सफेद रंग की दीवारें गुलाबी, पीले रंगो के परदे ओरेंज (सतरंगी), नीले रंग का फर्श परपल (गहरा लाल) रंग का आभास देगा। सतह (टेक्सचर) न केवल बाहरी दिखावट में बल्कि प्रकाश के अवशोषण और परावर्तन के प्रभाव में भी प्रमुख भूमिका अदा करता है। भवन की आन्तरिक भाग की सतह कई तरीके से तैयार की जा सकती है। विभिन्न तरह के प्लास्टर से लेकर विभिन्न तरह की टाईलें, विभिन्न तरह के मेटीरियल जैसे पी.वी.सी., कांच, लकड़ी, पत्थर, चांदी अथवा पीतल आदि धातुओं से, मिट्टी गारा, चुना सीमेन्ट आदि से हो सकती है। प्लेन सतह प्रकाश को परावर्तित करती है और ऊंची नीची सतह प्रकाश का विसर्जन करती है। अतः आवश्यकतानुसार प्रकाश का विसर्जन द्वारा आन्तरिक भाग में रोशनी बनाई जा सकती है। भवन को रोशनीमय बनाने के लिये प्राचीन काल से मानव कुछ साधन अपनाता आ रहा है। यूरोप में लोग डोम पर लालटेन बनाकर प्रकाश का पूरा आन्तरिक भाग में विकिरण करते थे एवं बौद्ध व हिन्दु धर्म में पीपल के पत्तेनुमा गुफा के प्रवेश के ऊपर खिड़की / रोशनदान बनाकर प्रकाश किरणों को चारों और विसर्जित करते थे। पहले तो हिन्दु धर्म में गर्भगृह के प्रवेश द्वार पर भगवान सूर्य की खिड़की बनाते थे जिसे

बाद में वहाँ इनकी मूर्ति स्थापित करने लग गये अतः प्रकाश की किरण अथवा परावर्तित किरण को भवन के आन्तरिक भाग में प्रवेश करा कर उसे रोशनमय बनाया जा सकता है जिससे कृत्रिम प्रकाश की बचत कर बिजली के व्यय में कमी लाई जा सकती है।

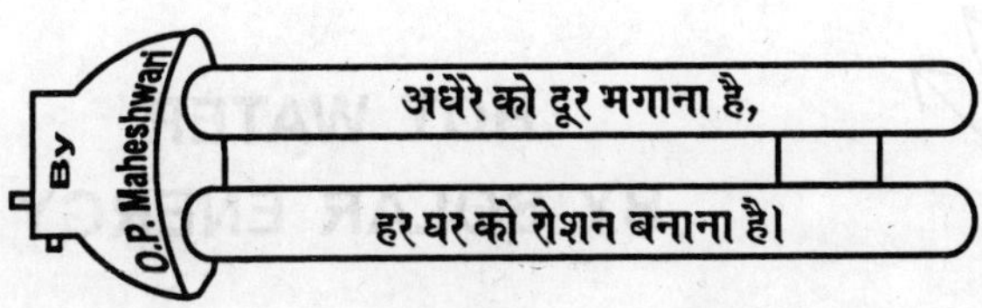

28 भवनों में सौर ऊर्जा का उपयोग

सूर्य की किरणों का एक तिहाई भाग इन्फ्रारेड किरणों का होता है जो किसी को गर्म करने का कार्य करती है। यही कारण है कि ट्यूब लाईट की रोशनी में गर्मी कम होती है जबकि सूर्य की किरणों में गर्मी लगने लग जाती है ।

सौर ऊर्जा के उपयोग के वैसे तो कई साधन अक्षय ऊर्जा विभाग उपलब्ध करवाता रहता है फिर भी जहाँ इन तक पहुँच नहीं हो पाती है वहाँ उपयोग हेतु छोटे–छोटे निम्न उपकरणों का निर्माण कर सकते हैं, जैसे :–

(अ) पानी गर्म करने का गीजर – विभिन्न क्षमता (100 ली से 300 लीटर) के सोलर वाटर हीटर घरेलू एवं कारखानों हेतु बाजार में उपलब्ध रहते है इसके उपयोग से सालाना बिजली की 1000 से 1500 यूनिट बिजली बचाई जा सकती है गीजर बनाने के लिए तांबा अथवा

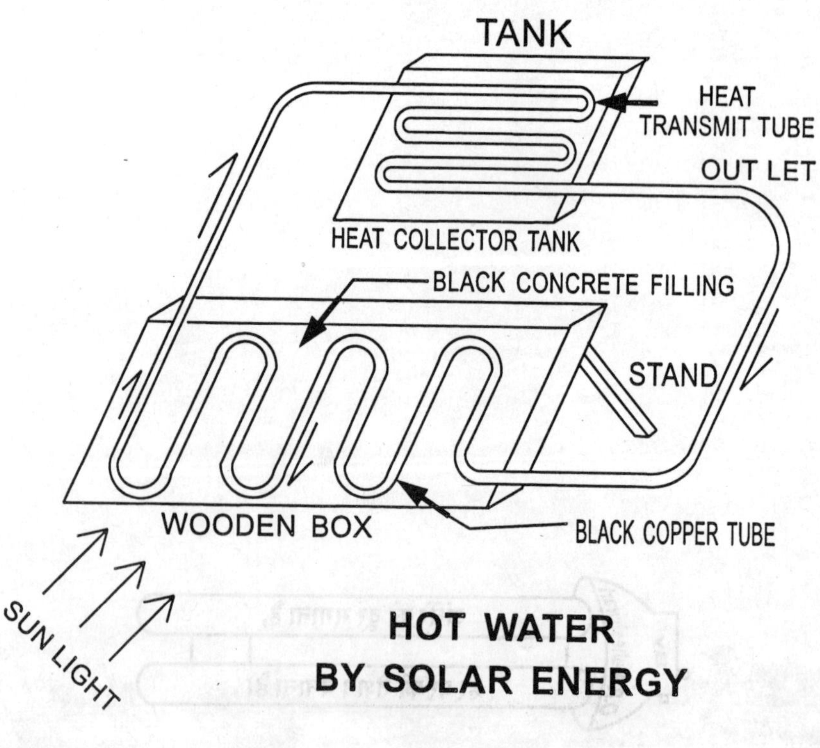

HOT WATER BY SOLAR ENERGY

एल्यूमिनियम चालक धातु की पतली ट्यूब को जिग–जैग शेप में किसी लकड़ी के छिछले डब्बे में घुमा कर लगा देते हैं इस ट्यूब को टैंक से जोड़ देते हैं ताकि गर्म पानी की ऊष्मा जो ऊपर की ओर बढ़ती है, से गर्म पानी को लगातार लिया जा सके।

इन जिग–जैग ट्यूब पर काला रंग कर दिया जाता है क्योंकि काला रंग ऊष्मा को शोषित करता है और साथ ही इस ट्यूब के पास मेटलीक कंकरीट कर देते हैं एवं इस ट्यूब वाले बक्से को ऊपर से पारदर्शी काँच से ढ़क देते हैं इस तरह के सिस्टम में लगातार गर्म पानी उपलब्ध होता रहता है। बक्से को सूर्य की दिशा में सूर्य की किरणों के लम्बवत लगा देते हैं। गर्मपानी को संग्रहित करने के लिए इन्सुलेटेड हीट टैंक का उपयोग लेते हैं। ऊर्जा को संग्रहण के लिए ग्लोबर साल्ट (सोडियम सल्फेट) का उपयोग कर सकते हैं क्योकि इसको ठोस से द्रव में बदलने के लिए पानी के मुकाबले आठ गुना अधिक ऊष्मा की आवश्यकता रहती है ऐसे ही द्रव से ठोस में बदलने के लिए अधिक ऊष्मा का विसर्जन करना होता है।

(ब) सोलर कूकर– इसके लिए धातु के बक्से पर दर्पण लगा दिया जाता है एवं बक्से में एल्यूमिनियम अथवा तांबे के काले रंग वाले बर्तन रख दिये जाते हैं बर्तन में खाद्य सामग्री रखने के बाद उस पर पारदर्शी ग्लास रख दिया जाता है दर्पण का परावर्तित प्रकाश इस बक्से में रखे बर्तन पर पड़ता है जो काली सतह के होने के कारण ऊष्मा को शोषित

करते हैं एवं इस ऊष्मा के कारण बर्तन में रखा खाना पक कर कुछ समय बाद तैयार हो जाता है। घरेलू उपयोग हेतु एक पेराबोलिक कूकर में 400 डिग्री सेन्टीग्रेड तापक्रम उत्पन्न किया जा सकता है। सोलर कूकर बाजार में चार से पचास लोगों का खाना बनाने की क्षमता वाले मिल जाते हैं, साधारण सोलर कूकर में चावल 1.5 घण्टे में पक कर तैयार हो जाता है।

(स) खारे पानी से मीठा पानी प्राप्त करने का कूकर :– इसके लिए खारे पानी के भरे बर्तन को पारदर्शी काँच से ढक देते हैं। सूर्य की तेज गर्मी से पानी वाष्पित होता है जो काँच पर संग्रहित होकर बूंद–बूंद करके मीठे पानी के रूप में बर्तन में गिरता रहता है।

(द) सौर भट्टियाँ :– कई सारे पैराबोलिक दर्पण से परावर्तित होने वाली सूर्य किरणों को किसी एक स्थान पर केन्द्रित करने पर उस स्थान का तापमान भट्टी के तापमान की तरह बढ़ जाता है जिसे कल कारखानों में उपयोग किया जा सकता है।

(य) सोलर पेनल – सौर प्रकाश वोल्टीय तकनीक द्वारा सूर्य के प्रकाश से सीधा ही विद्युत का उत्पादन मिल जाता है और सेल जो साधारणतया सिलिकॉन या कैड़मियम धातु की पतली शीट से बनते हैं इस अर्द्धचालक शीट पर जब सूर्य का प्रकाश पड़ता है तो उसमें से इलेक्ट्रॉन निकलने शुरू हो जाते हैं इलेक्ट्रॉन प्रवाह (यानी विद्युत) प्रारंभ हो जाती है इसे किसी तार द्वारा सर्किट में जोड़ दिया जाये तो बिजली मिल जाती है। यह प्रणाली थोड़ी महंगी होती है पर ध्वनि तथा प्रदूषण रहित होती है कई सारे सैलों को एक साथ जोड़ कर पेनल बनाया जा सकता है जिससे प्राप्त विद्युत को डी.सी. धारा में उपयोग कर सकते हैं।

प्रकाश वोल्टीय पेनल

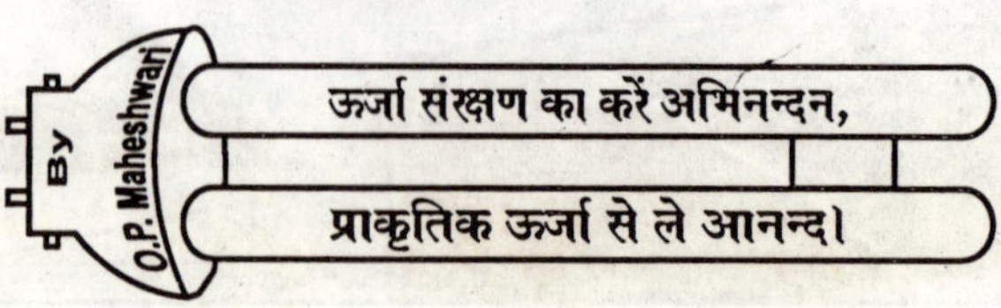

(29) ओरियेन्टेशन्स द्वारा रोशनीमय घर

घर कैसा हो इसके लिए हर व्यक्ति की अलग अलग इच्छा रहती है एवं अपनी आवश्यकताओं की पूर्ति के लिए घर का विन्यास {ओरियेन्टेशन्स} अपनी इच्छाओं के अनुरुप आप भी कर सकते हैं। इसके लिए पैमाने से दो गत्तों पर अपने प्लोट के नाप को अंकित करें।

विभिन्न कमरों का क्षेत्रफल		चौड़ाई
रसोई	> 5.5 वर्ग मीटर	> 1.8 मीटर
रहने का कमरा	> 9.5 वर्ग मीटर	> 2.4 मीटर
रहने के दूसरे कमरे	> 7.5 वर्ग मीटर	> 2.4 मीटर
बाथरुम	> 1.8 वर्ग मीटर	> 1.2 मीटर
लेटरिन	> 1.1 वर्ग मीटर	> 0.75 मीटर
सीढ़ीयां		> 0.75 मीटर
बाथरुम कम लेटरिन	> 2.8 वर्ग मीटर	> 1.2 मीटर
कार गैरेज	> 6.0 वर्ग मीटर	> 2.1 मीटर

सारणी में बताये गये नाप से विभिन्न कक्षों के नाप इस तरह से तय करें कि कमरों के नाप 1:1.3 के अनुपात में रह सके। इस नाप में दीवारों के नाप सम्मिलित करने हेतु नाप को 5 से 10% तक बढ़ाकर लेवें एवं एक गत्ते पर इसे अंकित करें। अब इन कक्षों के नाम लिख कर कैंची से विभिन्न कमरों के नाप को काट दें। दूसरे गत्ते पर इन ब्लोक को विभिन्न तरह से व्यवस्थित कर देखें कि किस व्यवस्था में आपकी चाहत का मकान

घर हो सपनों का

सूर्य किरणों के अनुसार विभिन्न फेस हेतु ओरिएन्टेशन्स

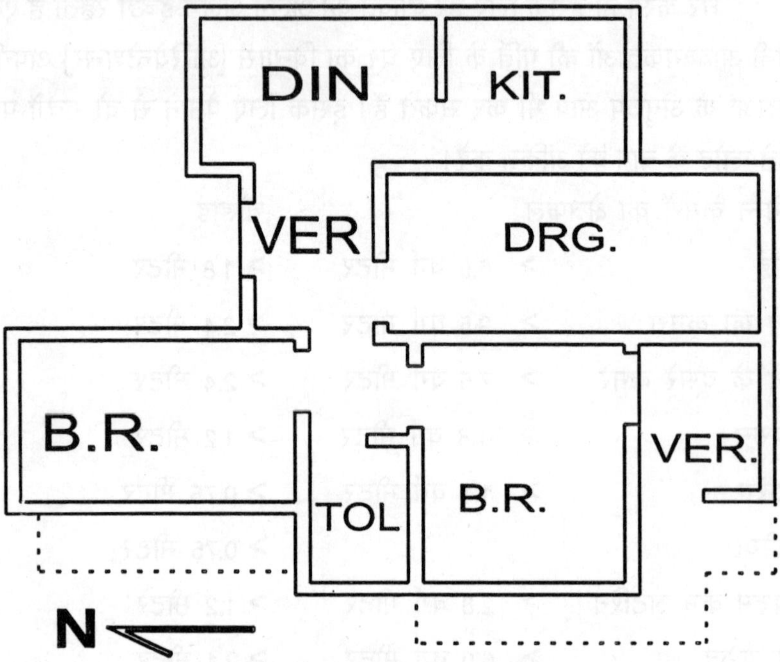

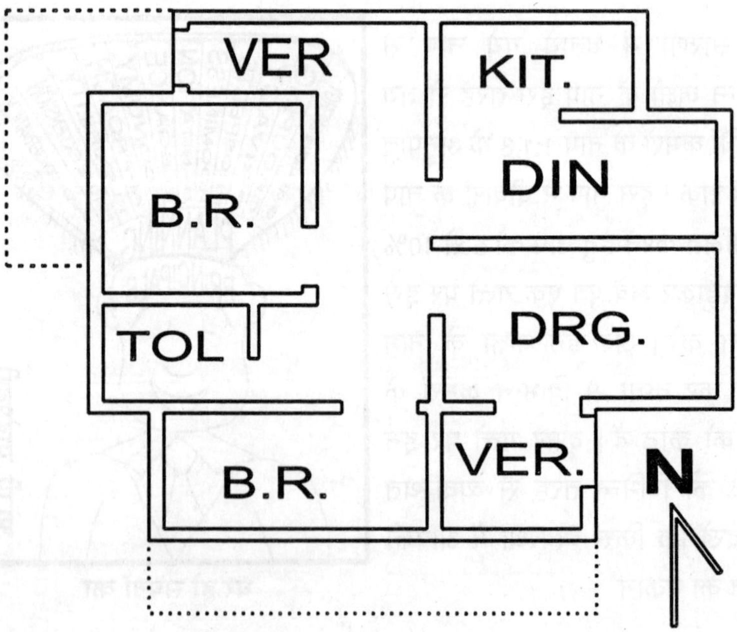

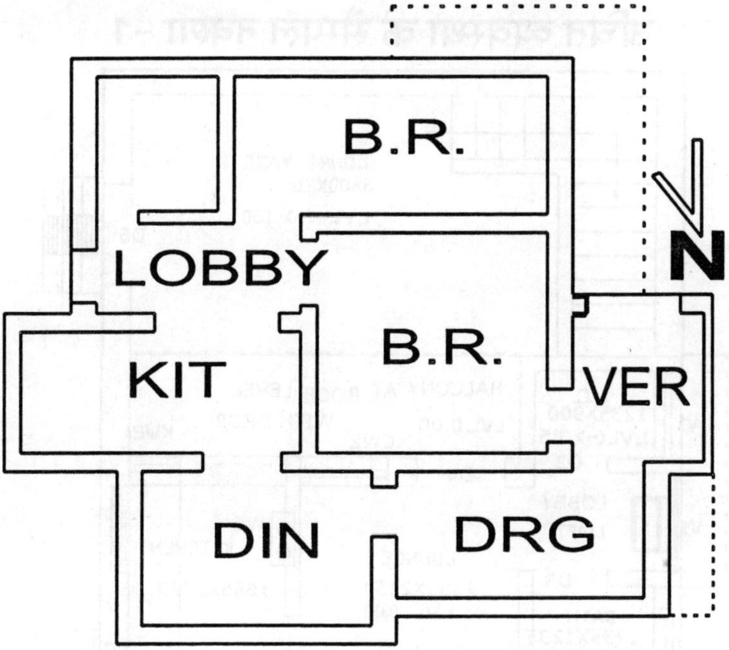
B.R.
N
LOBBY
B.R.
KIT
VER
DIN
DRG

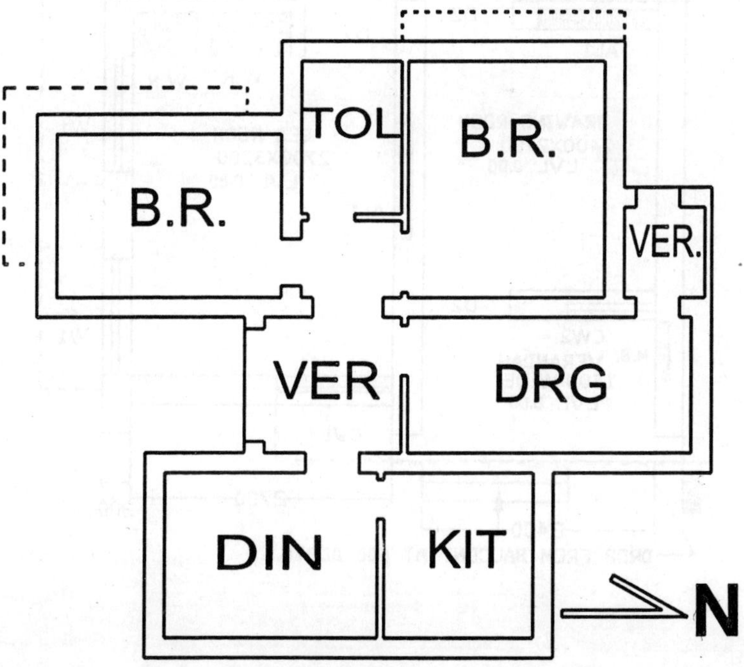
TOL
B.R.
B.R.
VER.
VER
DRG
DIN
KIT
N

उचित व्यवस्था के सैम्पल नक्शा -1

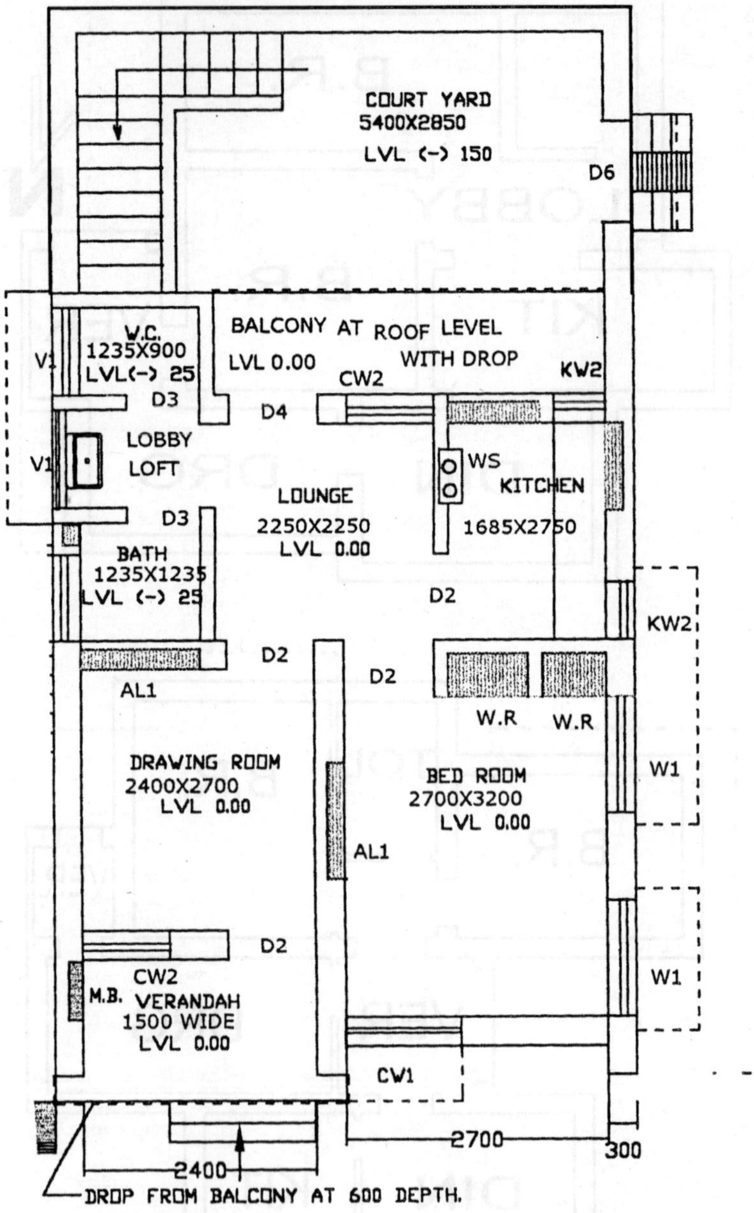

उचित व्यवस्था के सैम्पल नक्शा – 2

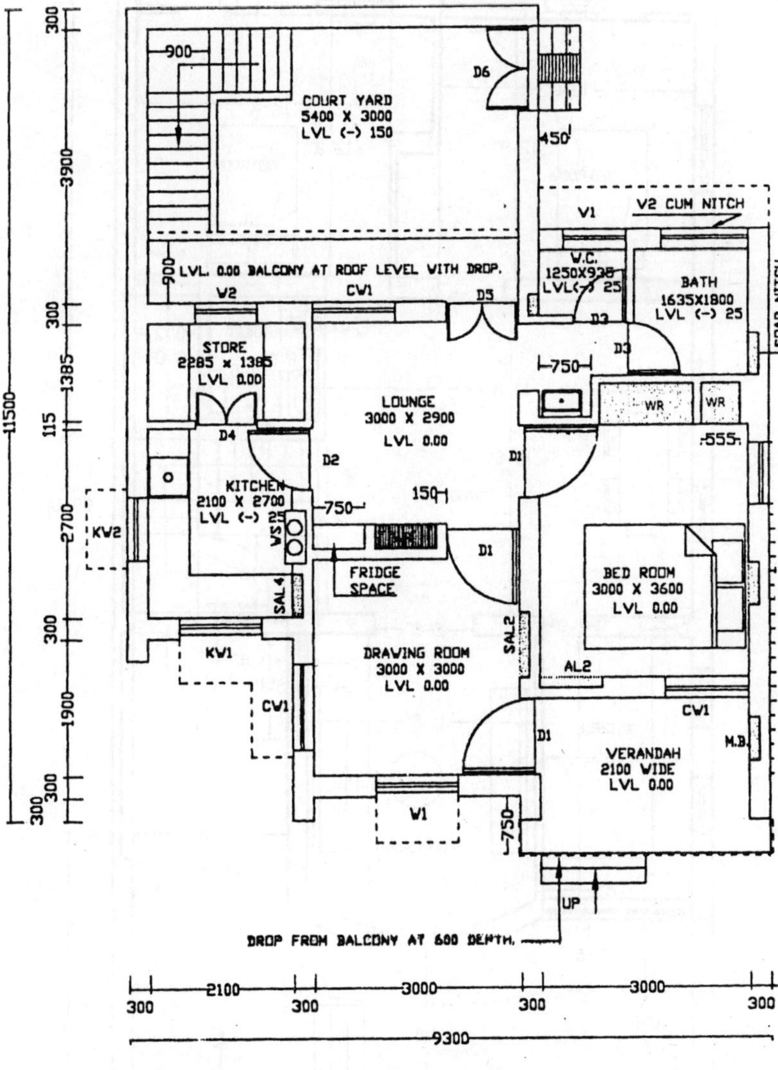

उचित व्यवस्था के सैम्पल नक्शा – 3

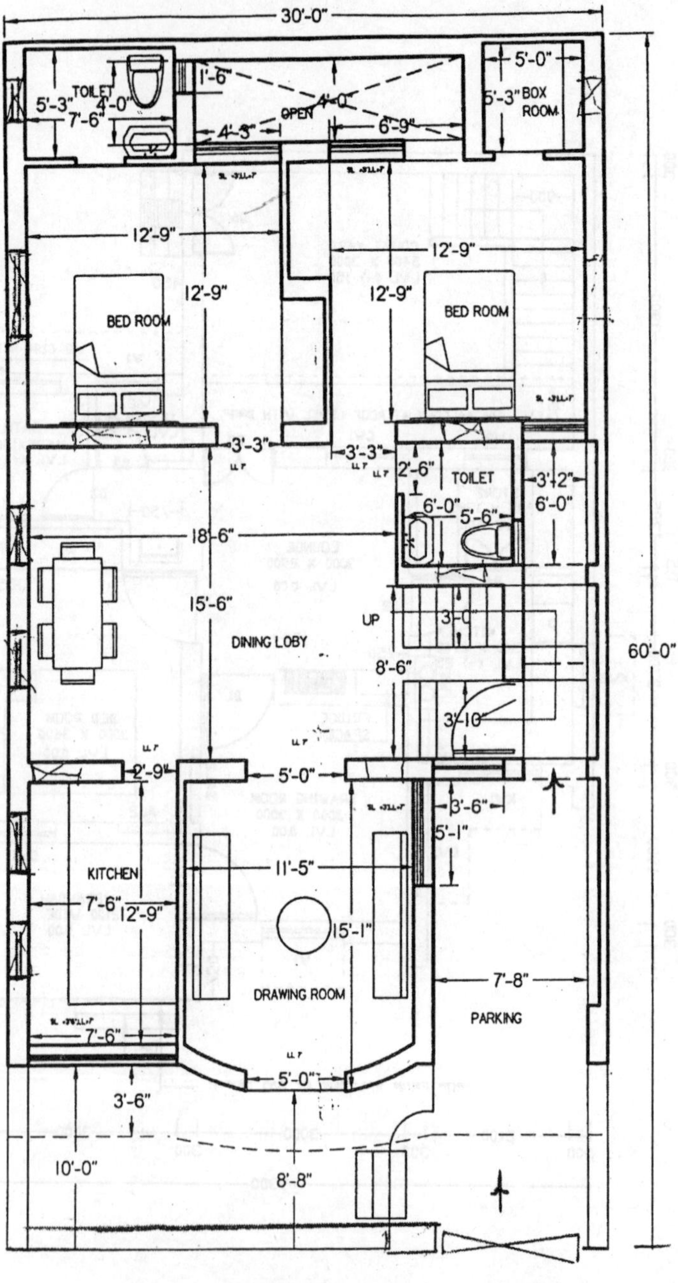

30 X 60 Feet

उचित व्यवस्था के सैम्पल नक्शा – 4

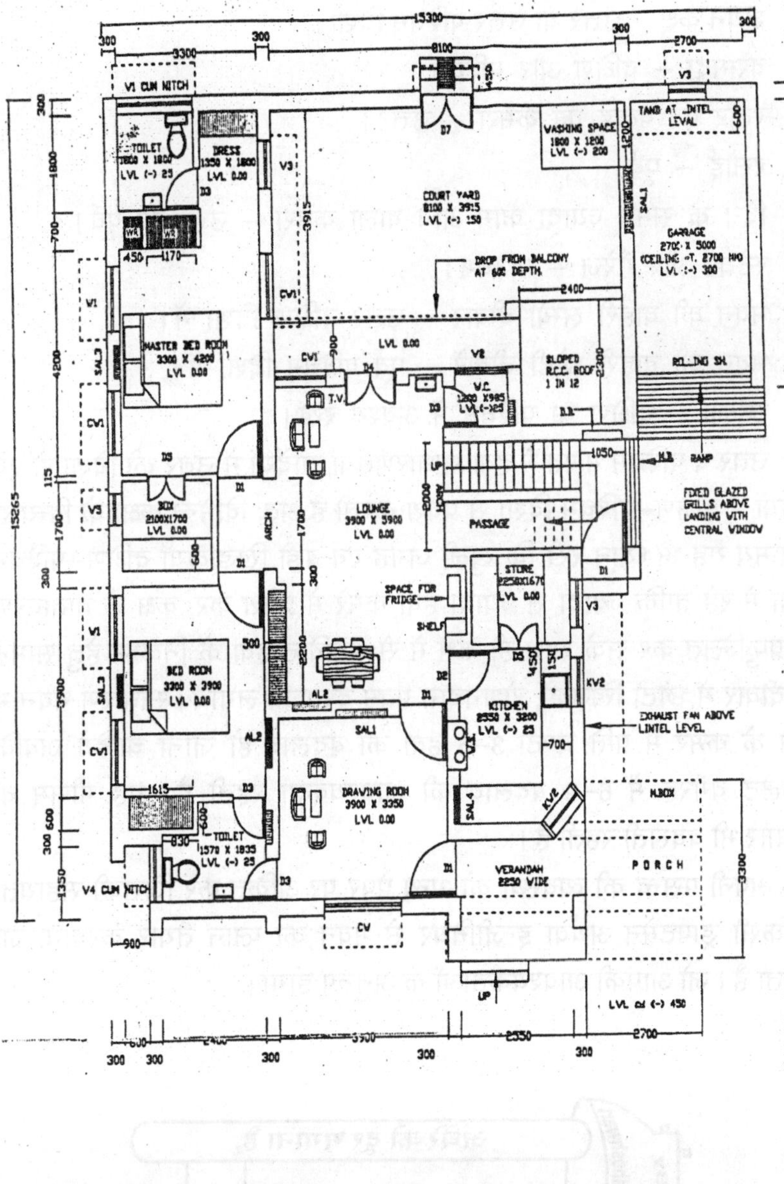

मिल रहा है। यह जरुर ध्यान में रखें कि हवा रोशनी के लिए जहाँ तक हो सके प्रत्येक कक्ष में एक अथवा दो बाहरी दीवारें मिल जाये।

आवासीय भवन में विभिन्न कक्षों को सूर्य किरणों को ध्यान रखते हुए विन्यास निम्न तरह से रख सकते हैं –

शयन कक्ष – उत्तर या उत्तर पश्चिम दिशा।

बरामदा – दक्षिण और पश्चिम।

स्टोर एवं पढ़ाई का कमरा – उत्तर।

रसोई – पूर्व।

दिन के समय ज्यादा काम आने वाला कमरा – उत्तर या पूर्व।

स्टेयर और गैरेज – पश्चिम।

भवन की बाहरी लम्बी दीवार – उत्तर दक्षिण दिशा में।

भवन की बाहरी छोटी दीवारें – पूर्व पश्चिम दिशा में।

छज्जा – दक्षिण या पश्चिम में अवश्य रखें।

उतर व पश्चिम भारत में हवा साधारणतया सर्दियों में उत्तर की दिशा से एवं गर्मियों में दक्षिण–पश्चिम दिशा से प्रवेश करती है अतः विभिन्न कक्षों के विन्यास के समय यह भी ध्यान रखे कि खुली जगह एवं बड़ी खिड़कियाँ दक्षिण–पश्चिम दिशा मे रहे ताकि ज्यादा से ज्यादा हवा कमरे में प्रवेश कर, कक्ष के वातावरण को प्रफुल्लित कर सके साथ ही कक्ष में से अपविष्ट हवा के निकास हेतु सामने की दीवार में छोटी खिड़की, रोशनदान एवम् दरवाजा लगाये। साधारण भवन में रहने के कमरे में प्रति घण्टा 3–6 हवा का बदलाव हो जाना चाहिये जबकि टॉयलेट वगैरह में 6–9 बदलाव की आवश्यकता रहती है। यह मौसम के अनुसार भी बदलती रहती है।

अपनी पसन्द की व्यवस्था को अन्य पेपर पर अंकित करें जिसकी सहायता से किसी ड्राफ्टमेन अथवा इन्जीनियर से भवन का प्लान तैयार करवाया जा सकता है। जो आपकी आवश्यकताओं के अनुरुप होगा।

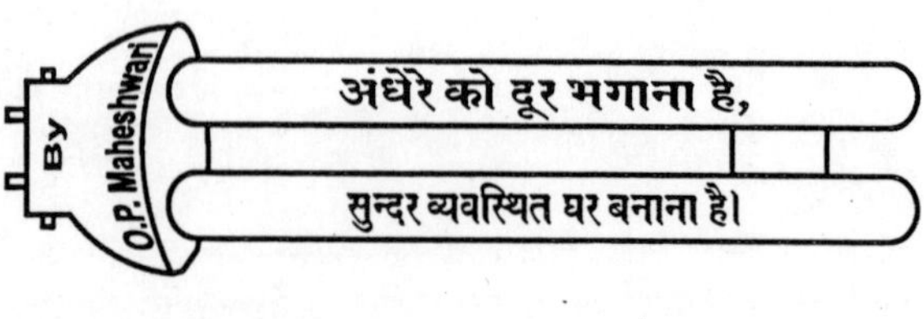

(30) रोशनी हेतु शीट का उपयोग

सूर्य की किरणें एवं परावर्तित प्रकाश से न केवल रोशनी मिलती है मगर किरणों में विद्यामान इन्फ्रारेड से ऊष्मा का विसर्जन होता है यह ऊष्मा हवा मे विकिरण द्वारा वातावरण को प्रभावित करती है रोशनी के लिए प्रकाश किरणों का प्रवेश एवं प्राइवेसी के लिए अपारदर्शिता की जरूरत पड़ती है, यह जरूरी नही है कि सूर्य की किरणें सीधी शीट पर पड़ें क्योंकि किरणों का प्रभाव भवन की सभी दिशाओं से लिया जा सकता है, मगर प्रभाव कुछ कम हो जाता है शीट अगर रंगीन अथवा टिण्टेड अथवा शेडेड है तो रोशनी कम हो जाती है। मगर एस्थेटिक व्यूह, अपारदर्शिता एवं कुलिंग के लिए विभिन्न तरह की शीट्स भवनों के लिए उपयोग में लेते हैं डबल शीट या कई सारे ग्लास सीट लगा कर बीच में कुछ गैप में हवा अथवा आर्गन गैस भी भर सकते हैं ताकि ऊष्मा का प्रभाव बाहर से अन्दर नहीं पड़े एवं रोशनी के लिए प्रकाश किरणें मिलती रहें। ग्लास कई तरह के हो सकते हैं, साधारणतया निम्न तरह के ग्लास शीट्स का उपयोग कर सकते हैं।

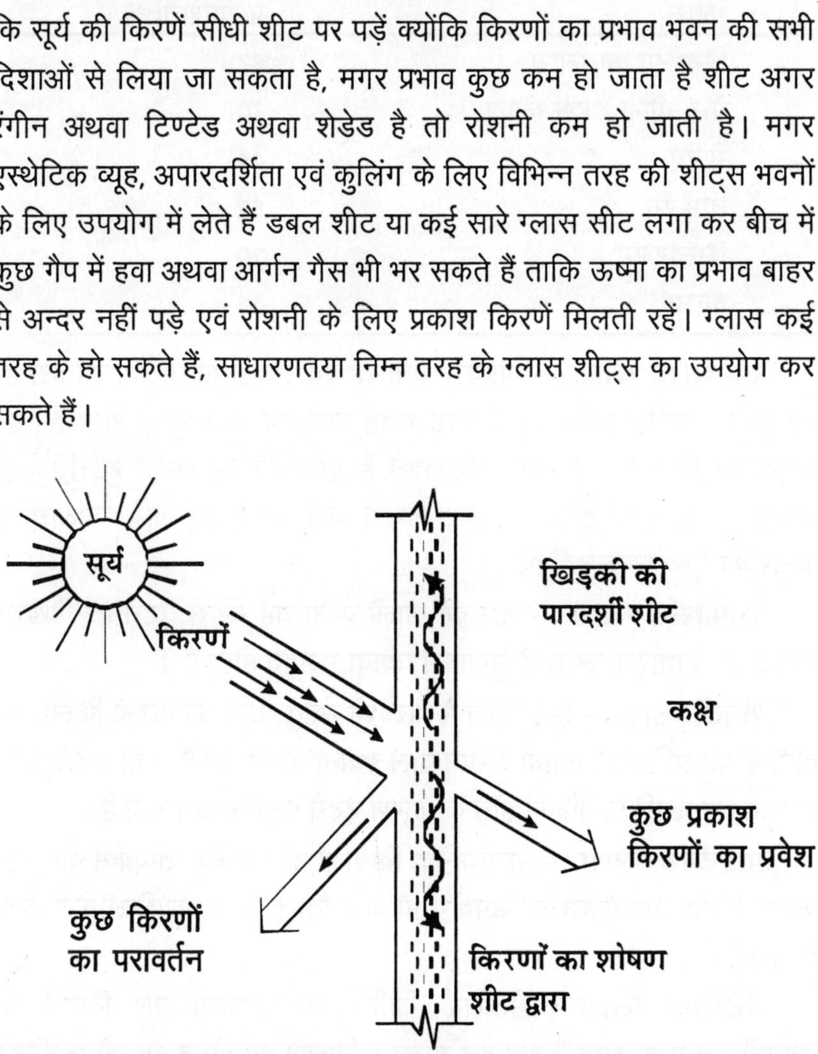

प्रकाश किरणों का शीट पर प्रभाव

पारदर्शी सादा ग्लास :– यह चद्दर के रूप में 02 मिमी से 20 मिमी मोटाई में उपलब्ध रहता है और पारदर्शी होने के कारण रोशनी के लिए उपयुक्त रहता है इसे सोडालाईम ग्लास भी कहते है प्राईवेसी के लिए विभिन्न रंगो एवं टिन्ट (हल्के रंग) में उपलब्ध रहता है । सादा 5 मिमी मोटा प्लेन रंगीन ग्लास में निम्न पारदर्शिता रहती है।

ग्लास	पारदर्शिता %
बिना रंग का ग्लास	87
पेल, नीला / हरा ग्लास	70
ग्रे रंग	44
ताम्र रंग	52
सिल्वर रंग	20
काला	35

रफ कास्ट ग्लास :– प्राईवेसी बनी रहे एवं रोशनी भी मिलती रहे इस हेतु रफ कास्ट (दानेदार) अथवा फ्रॉस्टेड सतह वाले ग्लास उपयुक्त रहते है। इस ग्लास को सेण्ड कॉस्ट ग्लास भी कहते हैं इसकी सतह उभरी हुई डिजाइन अथवा खुरदरी रखते हैं ताकि प्रकाश किरणें चारों ओर बिखर जाये एवं आंखों से अन्दर का दृश्य साफ नहीं दिखे।

रेनफोर्सड ग्लास :– तार की जाली वाला यह ग्लास टूटने पर बिखरता नहीं है एवं साधारण ग्लास के मुकाबले ज्यादा मजबूत होता है ।

सेफ्टी ग्लास :– इस ग्लास में पारदर्शी सेल्युलाईड की पतली फिल्म लगी होती है यह अधिकतर ज्यादा कम्पन वाले स्थानों पर लगाते है । दो पतले ग्लास के मध्य यह प्लास्टिक फिल्म होने के कारण टूटने पर बिखरता नहीं है।

पाईटेक्स ग्लास :– रासायनिक क्रियाओं और अधिक तापक्रम को सहन करने के लिए इस ग्लास का उपयोग किया जाता है। इसे बोरोसिलीकेट ग्लास भी कहते हैं ।

मैटेलिक ग्लास:– मैटेलिक कोटिंग का उपयोग कर किरणों को परावर्तित कराया जाता है इस हेतु गोल्डन, सिल्वर एवं ब्रोन्ज रंग की प्लास्टिक फिल्म अथवा कोटिंग का उपयोग किया जाता है। पारदर्शी ग्लास पर एडेसिव बोण्ड लगा कर इस मेटेलिक कोटीन प्लास्टिक फिल्म को लगा सकते हैं और

सूर्य की किरणों का आन्तरिक क्षेत्र में प्रभाव कम किया जा सकता है । मैटेलिक कोटिंग वाले ग्लास बाहर से दर्पण की तरह नजर आते हैं और सूर्य किरणों को ग्रहण करने में परावर्तन द्वारा कमी करता है। इस तरह के ग्लास साधारणतया व्यवसायिक भवनों में बड़ी खिड़कियों पर लगाया जाता है। क्योंकि इसमें ऊष्मा एवं चमक (ग्लेयर) आती है जो रहवासीय भवनों में अनुकूल नहीं रहता है। यह ग्लास दिन के समय बाहर से दर्पण की तरह दिखते हैं एवं रात्रि में अंदर की तरफ से दर्पण की तरह से नजर आता है।

फोटो क्रोमिक्स ग्लास :– इस ग्लास पर जब रोशनी पड़ती है तो यह अपना रंग बदल देता है। सूर्य की सीधी किरणें जब इस ग्लास पर पड़ती हैं तो पारदर्शिता कम हो जाती है। मगर कक्ष में रोशनी व ठण्डक बनाये रखने में इसका उपयोग कर सकते हैं। यह बहुत महंगा ग्लास होता है।

पारदर्शी सादा डेकोरेटिव ग्लास से रोशनी

पारदर्शी प्लास्टिक शीट

पारदर्शिता के लिए आजकल ग्लास की जगह प्लास्टिक शीट भी काम में ली जाती है स्काई लाईट के लिए अधिकतर प्लास्टिक शीट को ही काम में लेते हैं। यह साधारणतया बाजार में विभिन्न मोटाइयों में निम्न प्रकार की उपलब्ध रहती हैं ।

पारदर्शी एक्रेलिक शीट :– यह शीट विभिन्न रंगों एवं शेड्स में उपलब्ध रहती है । यह काफी पारदर्शी शीट होती है यह ग्लास के मुकाबले नरम होती है अतः इसकी उम्र ज्यादा रहती है मगर इस पर खरोचें लग सकती है क्योंकि यह ग्लास के मुकाबले कम कठोर होती है।

फॉस्टेड एक्रेलिक शीट :– यह एक्रेलिक शीट की तरह ही होती है मगर पारदर्शीता कम होती है अतः प्राईवेशी बनाये रखने के लिए एवं रोशनी लेने हेतु इसका प्रयोग किया जाता है।

पारदर्शी पोलिकार्बोनेट शीट :– यह एक्रेलिक शीट से कठोर एवं मजबूत होती है अतः इस पर खरोचों के निशान आसानी से नहीं पड़ते हैं तथा मजबूत होती है यह एक्रेलिक शीट के मुकाबले ज्यादा महंगी होती है ।

फाईबर रेनफोर्सड प्लास्टिक :– छत वगैरह के लिए नालीदार चद्दर के रूप में, विभिन्न रंगों में यह शीट उपलब्ध रहती है इस शीट से प्रकाश विकिरण द्वारा एवं कुछ पारदर्शीता के कारण मिलता है। यह पोलिमर पदार्थ से रबड़ शीट के रूप में मिलती है।

पोलिस्टर शीट :– यह पतली शीट दो ग्लास के मध्य अथवा आन्तरिक सतह पर विभिन्न रंगों में लगाते है, ताकि लगे हुए ग्लास से विभिन्न रंगों का, पारदर्शीता का प्रभाव प्राप्त किया जा सके।

प्लास्टिक शीट ग्लास के मुकाबले वजन में हल्की एवं लचीली होती है। और टूटने पर ग्लास की तरह खतरनाक भी नहीं रहती है। मगर उच्च तापक्रम पर यह फैल जाती हैं और यह ज्वलनशील भी रहती है। ग्लास के मुकाबले यह कठोर भी कम रहती हैं अतः स्क्रेच लगने की ज्यादा सम्भावना रहती हैं । इसकी पारदर्शिता भी ग्लास के मुकाबले कम रहती है। मगर हल्की एवं लचीली होने के कारण इसे किसी आकार में बदला जा सकता है। यही कारण है कि इसका उपयोग दिनों दिन बढ़ता जा रहा है।

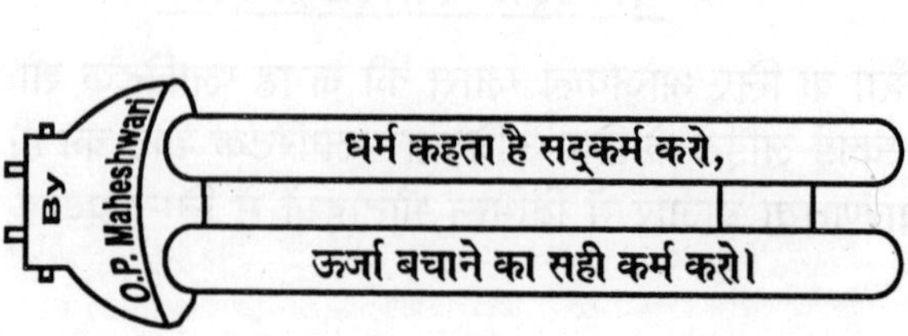

31 ग्रीन हाऊस (पौधा घर)

सूर्य की ऊष्मा भू धरातल को गर्म करती है उसी गर्मी से विकिरण, संवहन और चालन द्वारा वायुमंडल गर्म होता है। पृथ्वी की ऊष्मा दीर्घ अवरक्त तरंगो के रूप में विकरित होती है, इसका लगभग 90 प्रतिशत भाग का वायु मंडल सोख लेती है। वायुमंडल आम तौर पर पार्थिव विकिरण (Terrestrial radiation) द्वारा ही गर्म होता है। वायुमंडल द्वारा सौर विकिरण को न रोक सकने और पार्थिव विकिरण पूर्णतः अवशोषित करने को वायुमंडल का "ग्रीन हाऊस प्रभाव" कहते हैं।

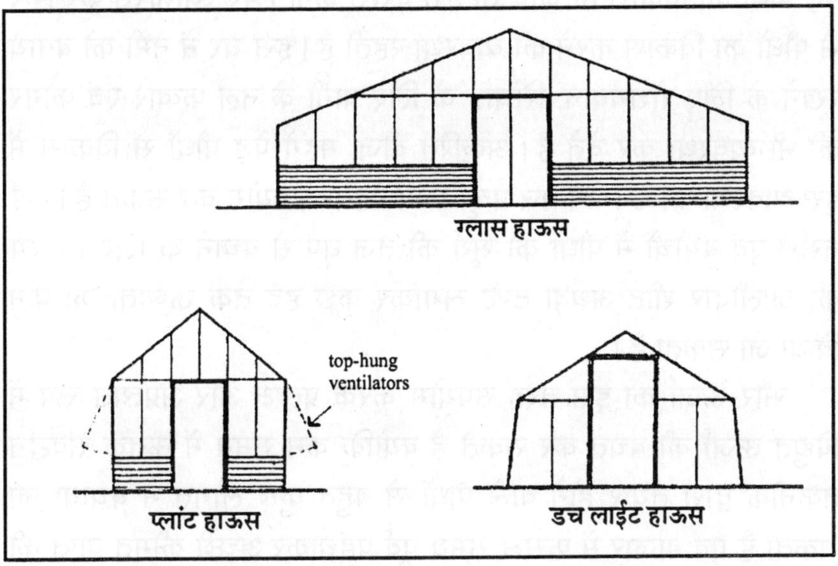

ग्रीनहाऊस में पारदर्शी शीट से सूर्य का ताप तो पौधों एवं भू–पृष्ठ तक जाता है मगर वायुमंडल की ऊष्ण हवा से नवअंकुर एवं असहनशील पौधों को जलने से बचाया जा सकता है। ठण्डे प्रदेशों में पौधों को धरातल एवं सूर्य की ऊष्णता देकर पौधों को बढ़ने में मदद की जा सकती है क्योंकि अन्दर की हवा ठण्डे क्षेत्र में गर्म एवं गर्म क्षेत्र में बाहर की तुलना में ठण्डी रहती है।

इस हेतु मेटल अथवा लकड़ी के फ्रेम में पारदर्शी शीट को लगाकर इस भवन में हवा, तापक्रम एवं नमी को आवश्यकतानुसार बनाये रखते हैं।

ताकि पेड़ पौधों को उचित वातावरण देकर उनका विकास किया जा सके। यह साधारणतया शंकुनुमा, पैराबोलिक डोम टाइप, डच टाइप, ट्रस टाइप छत के बने होते हैं। ताकि इस पर लगे ग्लास अथवा पारदर्शी शीट से सूर्य की किरणें इस घर में जा सके एवं पौधों का नियंत्रित विकास होता रहें। ग्लास अथवा शीट रंगीन अथवा प्लेन रखकर किरणों को नियंत्रित किया जाता है। ताकि ऊष्ण एवं शुष्क प्रदेश में अवांछनीय तापक्रम से पौधों को सुरक्षित किया जा सके। डच लाईट हाउस के विभिन्न पार्ट खुलने वाले बनाते है एवं चारों दीवारों से इसमें किरणें आ सकती है। एक जगह जब पेड़ पौधों का विकास हो जाये तो इसे दूसरी जमीन पर स्थांतरित कर फिर से पौधों का विकास करने की व्यवस्था रहती है। इस घर में नमी को बनाये रखने के लिए रोशनदान, सिंचाई के लिए पानी के नल फव्वारे एवं फोगर की भी व्यवस्था कर देते हैं। अंकुरित बीज, महंगे पेड़ पौधों से विकास में इस व्यवस्था का उपयोग कर प्रकृति का बेहतर उपयोग कर सकते है। कई नर्सरी एवं बगीचों में पौधों को सूर्य की तेज धूप से बचाने के लिए हरे रंग की जालीदार शीट अथवा टेण्ट लगाकर कुछ हद तक ऊष्णता को कम किया जा सकता है।

सौर ऊर्जा का इस तरह उपयोग करके प्रत्यक्ष और अप्रत्यक्ष रूप में विद्युत ऊर्जा की बचत कर सकते हैं क्योंकि कम समय में ऊतक संवर्द्धन तकनीक द्वारा तैयार होने वाले पौधों से बहुत कुछ लागत में बचाया जा सकता है एवं बाजार में फसल समय पूर्व पहुंचाकर अच्छी कीमत प्राप्त की जा सकती है।

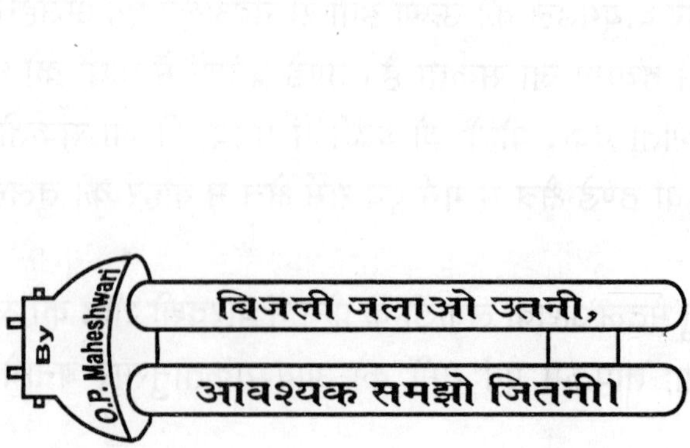

32 टर्बो वेन्टिलेटिंग फेन

यह फेन उपकरण वातावरण की हवा से काम करता है। इसको चलाने के लिए अतिरिक्त ईंधन की आवश्यकता नहीं रहती है। यह फेन गोदाम, कारखानों, कोल्ड स्टोरेज की छत पर लगाया जाता है और वातावरण की बहती हुई हवा के वेग से चलता है। किसी भी भवन/गोदाम में गर्म हवा नीचे से ऊपर की ओर उठती है। जिसे अपविष्ट हवा कहा जाता है। इस हवा को बाहर फेंकने का कार्य साधारण तथा विद्युत से चलने वाले एग्जॉस्ट फेन से किया जाता था जो बहुत खर्चीला रहता था एवं विद्युत फॉल्ट से आग लगने की सम्भावना भी बनी रहती थी। एग्जॉस्ट फेन को साधारणतया दीवारों की ओपनिंग में लगाया जाता है।

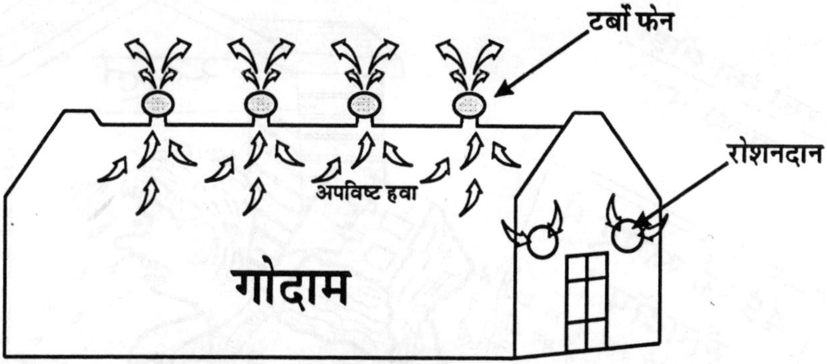

गोदाम में लगे टर्बो फेन

मगर टर्बो फेन को दीवारों की बजाय छत पर ओपनिंग में इस तरह से लगाया जाता है कि बाहरी वातावरण में **हवा की गति से स्वतः चलने लग जाये एवं अंदर की हवा को बाहर फेंकने का कार्य करता रहे।** इस तरह छत के पास इकट्ठी होने वाली हवा का निकास एवं शुद्ध हवा का प्रवेश बना रहेगा। शुद्ध हवा के प्रवेश के लिए दीवारों में लिन्टल तल पर रोशनदान बना दिये जाते हैं। ताकि रोशनदान से शुद्ध हवा गोदाम में स्वतः प्रवेश कर सके एवं अपविष्ट हवा को टर्बोफेन द्वारा बाहर फेंक कर शुद्ध एवं ताजा वातावरण गोदाम में रखा जा सके। इस तरह से गोदाम में हवा का बदलाव प्राप्त कर, खाद्य पदार्थ को सड़ने से बचाया जा सकता है एवं कारखानों की अशुद्ध गैसों को बाहर निकाल सकते हैं।

यह पंखा डोम आकार (नारंगी आकार) में इस तरह का होता है कि पंखुड़ियॉ हल्के पदार्थ से एवं मेटल शॉफ्ट पतली व अच्छी बियरिंग के इस्तेमाल से बना होता है। इस पंखे की पंखुड़ियॉ इस तरह से मुड़ी हुई होती है कि वर्षा का पानी अंदर न जा सके एवं थोड़ी सी हवा में गति होते ही यह चलना शुरू हो जाये। चूंकि इसमें लगातार बिजली का व्यय ही नहीं होता है। अतः ऊर्जा संरक्षण का बहुत अच्छा तरीका है।

शरीर साधन के लिये जैसे हैं जलपान
वैसे ही उन्नति के लिये, ऊर्जा अपव्यय की रोकथाम

पापा मुझको अब ला दो लैपटॉप
अब न सहा जाए बस्ते का बोझा
नई तकनीक से नव निर्माण होगा
ऊर्जा संरक्षण से देश का विकास होगा

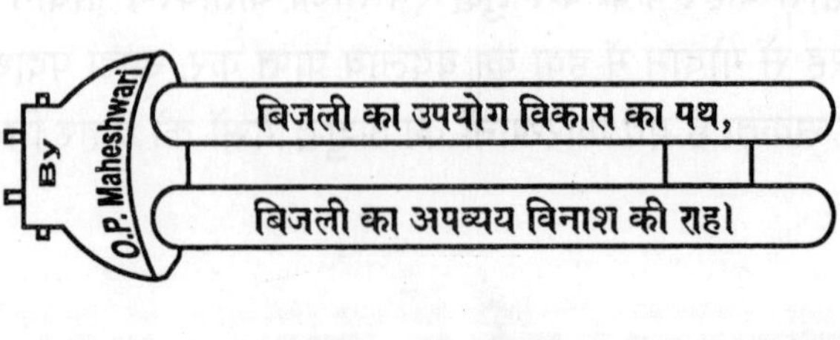

33 टैरेस गार्डन

ऐसे व्यक्ति जिन्हें बगीचे का शौक है मगर खुला भुखण्ड नहीं होने के कारण हरियाली का आनंद नहीं ले पाते हैं। वे इस हेतु टैरेस पर गार्डन लगाकर प्राकृतिक छटा का आनंद एवं भवन के आन्तरिक भाग में प्राकृतिक ठण्डक का मजा ले सकते हैं। इस हेतु छत पर मुंडेर (पैरापिढ दीवार) में स्टेण्ड लगाकर गमले लगाये जा सकते हैं। छत पर हरी घास (लोन) लगाने की व्यवस्था भी बनाई जा सकती है। गमलों में कई तरह के फूलों के पौधे, केक्टस, बेलें व बोन साईज फलों के पौधे लगाये जा सकते हैं बेलों को छत से दीवारों एवं खिड़कियों पर लटकाकर हरियाली का क्षेत्र बढ़ाया जा सकता है जो भवन को सुन्दर बनाने में भी सहायक रहती है। छत पर गार्डन होने से जहाँ गर्मी का असर कम हो जाता है वहीं टैरेस गार्डन से भवन की सुन्दरता में चार चाँद लग जाते हैं। इसके लिए हो सके तो छत पर कुछ भाग में खपरेल का शेड भी बना देना चाहिए ताकि भारी गर्मी में भी उसके नीचे बैठकर ठंडक का अहसास एवं प्रकृति का लुप्त प्राप्त किया जा सके। हो सके तो गार्डन में एक लोहे का झूला भी लगा देना चाहिए। टैरेस गार्डन की देखभाल का बहुत ध्यान रखना पड़ता है क्योंकि मिट्टी की गहराई कम एवं छत पर पेड़ न होने के कारण पानी देने का समय कम रखना पड़ता है, सूर्य की रोशनी में पौधों की देखभाल हेतु गमलों को आगे पीछे सुरक्षानुसार रखना होता है। छत पर

लोन लगाने के लिए मिट्टी की चादर बिछानी पड़ती है जो साधारणतया 6 से 9 इंच मोटी होती है। इस तह के नीचे ईंटों के टुकड़े, सूखी घास की तह भी लगा देते हैं ताकि जड़ों को फैलने में सहायक रहे मगर टैरेस गार्डन में सबसे बड़ी समस्या छत से नीचे पानी के रिसाव की रहती है। जिसके कारण सीलन बढ़ जाती है और रंग खराब होने की संभावना रहती है दूसरी समस्या गमलों एवं मिट्टी के वजन से छत ढह जाने (Collapse) की रहती है। पहली रिसाव की समस्या से बचाव हेतु निम्न सावधानियाँ अपना सकते हैं :–

1. छत के फर्श का ढाल ऐसा रखें की पानी स्वतः ही बहता हुआ नालियों से निकल जायें व छत पर इकट्ठा न हो पायें।
2. छत पर पानी के निकास व्यवस्था को सही रखने हेतु थोड़ी–थोड़ी (साधारणतया तीन मीटर) दूरी पर एक नाली की व्यवस्था तय कर लें।
3. छत से पानी का रिसाव नहीं हो इस हेतु छत के फर्श में ग्लेज्ड टाईल लगाई जा सकती है रबड़ पेन्ट अथवा सिलिकेट वाटर प्रुफ कम्पाउण्ड (मिश्रण)की कोटिंग चढ़ाकर छत की फर्श बनायी जा सकती है।
4. छत से पानी के रिसाव को रोकने के लिए अतिरिक्त सुरक्षा के तौर पर छत पर एल.डी.पी.ई. सीट (प्लास्टिक सीट का कवर) इस तरह से लगाते है कि पानी का रिसाव संभव ही नहीं हो पाये। सीट कहीं से भी नुकीली चीज से पंचर न हो इसकी सावधानी बनाये रखें इस हेतु सीट के ऊपर व नीचे मिट्टी की तह लगा देते है ताकि सीट में किसी तरह छेद न हो पाये।

दुसरी समस्या छत व ढाँचा दोनों की मजबुती की होती है ताकि टैरेस पर आने वाले वजन को ढाँचा सहन कर सके। इस हेतु छत की आर.सी.सी. डिजाईन ऐसी बनवायें कि छत पर आने वाला वजन दीवारों एवं खम्भों पर चला जाये।

एल.डी.पी.ई. फिल्म बहुत सस्ती होती है एवं इसके बिछ जाने पर पानी के रिसाव से छुटकारा मिल जाता है इस तरह छत पर गार्डन तैयार कर प्रकृति का आनंद अपने छोटे से घर में भी लिया जा सकता है।

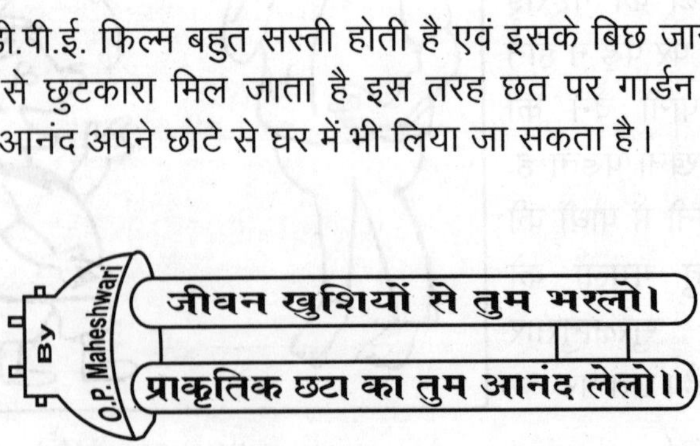

34 निर्माण द्वारा बिजली बचत के नुस्खे

वैसे तो जरूरत न होने पर बिजली के स्विच को बन्द करना ही बिजली बचत का सबसे बड़ा तरीका है फिर भी निर्माण के समय उचित सामग्री को सही तकनीक (तरीका) को उपयोग करते हुए लगाया जाये तो बिजली के व्यय में लगातार बचत की जा सकती है। निर्माण में ध्यान देने से भवन में उजाला व अनुकूल वातारवण बना रहेगा जिससे कृत्रिम साधनों का उपयोग सीमित हो जायेगा इस हेतु कुछ टिप्स (नुस्खे) निम्न हो सकते हैं।

01. घरों की दीवारों में रंग (see chapter 3) हल्के, सफेद, पीले रखकर रोशनी में वृद्धि की जा सकती है।

02. कैवेटी वॉल, ऊष्मारोधी छत एवं दीवारें, वाल पेनलिंग, फाल्स सिलिंग के उपयोग से कक्ष की ऊष्मा का बाहर विकिरण होने से रोका जा सकता है घास को दबाकर बनाई गई टाईल्स भी काफी ऊष्मा रोधी रहती है ए.सी. लगे कमरे के दरवाजें व खिड़कियां भी ऊष्मारोधी एवं लीकप्रुफ बनायें एवं दरवाजों में ऑटोमेटिक डोर क्लोजर का इस्तेमाल करें।

03. निर्माण के समय दीवार पर छाया बनायें रखने के लिए दीवार को सूर्य की किरणों को रोकने हेतु प्रोजेक्ट किया जा सकता है, छत पर छाया बनाने के लिए होरिजण्टल सन ब्रेकर बनायें जा सकते हैं।

04. आयताकार कमरे में मुख्य लेम्प को लम्बी दीवार पर लगाने से रोशनी अधिक क्षेत्र में फैलेगी, इससे कम लेम्प जलाकर बिजली में बचत की जा सकती है।

05. अगर अण्डर ग्राउण्ड टैंक व ओवर हैड टैंक दोनो ही बने हुए हो तो पानी की पाईप लाईन में हाइड्रोलिक रैम (see chapter 7), जो बिना ईंधन के चलता है, से 50% पानी को ओवर हैड टैंक में पहुँचाया जा सकता है जिससे पानी के पम्प के लिए खपत होने वाली बिजली में 50% तक बचत की जा सकती है। साधारण पानी के पम्प के साथ पॉवर फेक्टर कण्डेक्शन केपेसीटर लगाने से बिजली की बचत होती है।

06. बाहरी स्थानों पर काम आने वाले लेम्प अथव ट्यूब के पीछे रिफ्लेक्टर लगा कर कम वॉट के लेम्प से अधिक रोशनी बनाई जा सकती है। घर के आन्तरिक हिस्सों में बल्ब के नीचे एवं सामने दर्पण को रख कर प्रकाश का परावर्तन भी किया जा सकता है जैसे ड्रेसिंग के दर्पण पर लगा बल्ब अधिक प्रभावशाली रहता है।

07. जहाँ तक हो सके दीवारों, फर्श एवं छत में लगी सामग्री विकिरण करने वाली चिकनी, सफेद व हल्के रंगों की होनी चाहिए। चिकनी व सफेद सतह अधिक रोशनी फैलाते हैं।

08. शुद्व हवामय वातावरण को कक्ष में बनाये रखने हेतु एयरवेन्ट डक्ट (see chapter 17) बनाई जा सकती है।

09. भवन की छत बनाते समय अगर छत पर मुरम/खपरैल/मड फस्का/सिण्डर आदि की अन्तारिक परत बना दी जाये तो बाहरी वातावरण की ऊष्मा को कक्ष में जाने से रोका जा सकता है।

10. छत पर चुने की फर्श, ग्लेज्ड टाईल (टुकड़ी), ईट्ठो की तह (मड फस्का) आदि में से एक को चुन कर लगा देने पर पत्थर एवं कंक्रिट की फर्श के मुकाबले आन्तरिक तापक्रम अनुकूल बना रहेगा।

11. जहाँ तक हो सके भवन का विन्यास (औरियन्टेशन) गर्मियों में चलने वाली हवा की दिशा को ध्यान में रख कर करने से वातावरण प्रफुल्लित रहेगा।

12. जिन भवनों में रोशनी हेतु सूर्य के होते हुए बिजली जलानी पड़ती है उसमें प्रकाश किरणों के प्रवेश हेतु कुछ ओपनिंग/रिफ्लेक्टर्स से रोशनी ली जा सकती है। चौड़ाई की बजाय लम्बाई (हाईट) में लगी खिड़की एवं रोशनदान अधिक रोशनी देते हैं।

13. प्राकृतिक वातावरण से पानी के घड़े, दीवारों, फर्श, छत को ठण्डा करके भी कूलर एवं ए.सी. के चलाने का समय कम किया जा सकता है। खिड़कियों पर खसखस के टाटों का प्रयोग कर गर्मियों में ठण्डक बनायी जा सकती है।

14. दरवाजों एवं खिड़कियों के पैनल में जहाँ तक हो सके कांच (ग्लास) लगायें जो दिन के समय रोशनी बनाये रखने में सहयोग देते हैं

एल्यूमिनियम या स्टील फ्रेम वाली खिड़कियों की तुलना में पीवीसी का फ्रेम में ग्लास लगाने से ऊर्जा की बचत होती है। साथ ही निर्माण के समय कृत्रिम जालियाँ लगाकर हवा एवं रोशनी का मिलाजुला प्रभाव बनाया जा सकता है।

15. घरों में बनाई जाने वाली डुप्लेक्स लॉबी (रहने का कमरा) दिन के समय रोशनी व खुलेपन का आभास देता है। कार्यालय में छोटे छोटे कमरे बनाने की बजाय बड़े हॉल में पार्टिशन से रोशनी बनाई जा सकती है। फाईबर ग्लास से बनी छत से रोशनी बनी रहती है।

16. अगर कमरे छोटे–छोटे बनाने हो तो कॉमन वॉल की ऊपर से कम ऊँचाई रखकर लेम्प को उस पर लगाकर रोशनी दोनों ओर बनाए रखी जा सकती हैं।

17. पढ़ने अथवा खाने की टेबल या छोटे क्षेत्र में बारीक कार्य करने हेतु लेम्प को कार्य क्षेत्र के पास लगायें। इस हेतु आवश्यक होने पर सीलिंग से भी फैन्सी लाईट होल्डर लटकाया जा सकता है।

18. भवन की छत से रोशनी लेने के लिए फाईबर ग्लास सीट अथवा एक्रेलिक सीट का उपयोग कर सकते है हवा एवं रोशनी दोनों लेने के लिए छत में मोनिटर/स्काई लाईट विन्डो/चिमनीनुमा खिड़की बनाई जा सकती है।

19. टेबल पंखा और दीवार पर लगा पंखा, छत पंखे से ज्यादा प्रभावी रहते हैं। छत की ऊँचाई ज्यादा होने पर पंखे की रोड लम्बी कर कार्यस्थल से दूरी कम बनायें।

20. घर की बिजली फिटींग हेतु सिंगल व्यास के चालक तार की जगह मल्टीस्टेण्ड तार (छोटे व्यास के चालक तार) लगाने पर बिजली का ह्रास कम होगा। सेफ्टी डिवाईस फ्यूज तार में एम.सी.बी. के मुकाबले ज्यादा ऊर्जा का ह्रास होता है।

21. कुछ स्थानों पर स्वचालित उपकरण जैसे टाईमर्स, डिमर्स, सोलर सैल, मोशन सेंसर्स, ध्वनि सेंसर्स आदि लगाकर बिजली में बचत की जा सकती है।

22. ओवरहेड टेंक से सीधा आउटलेट पाईप लेने की बजाय, पाईप को

भुगर्भ में दबे टेंक से लेने पर अनुकूल तापक्रम का पानी मिलता रहेगा (see chapter 18) क्योंकि भुगर्भ की ऊष्मा से टेंक में पानी अनुकूल बना रहता है।

23. दीवार में से खिड़कियों को बाहर की ओर निकाल कर झरोखे, बरामदे, बाहर निकली हुई खिड़कियां बनाई जा सकती है जो हवा रोशनी दोनों के उपयुक्त रहते हैं उदाहरण के तौर पर हवा महल जयपुर में बने हुए झरोखे, बरामदें, छतरियाँ व जालीद्वार खिड़कियों से हवा रोशनी भरपुर रहते हैं।

24. कमरे में प्राकृतिक रोशनी जिस दिशा से प्रवेश करती है उसी के सामान्तर दिशा में लैम्प लगाकर रोशनी की तीव्रता बढ़ाई जा सकती है।

25. बिजली फिटिंग में फेज तार स्विच में कट हो जाना चाहिए अन्यथा होल्डर में हर समय फेज से सप्लाई रहने के कारण बिजली का क्षय होता रहेगा।

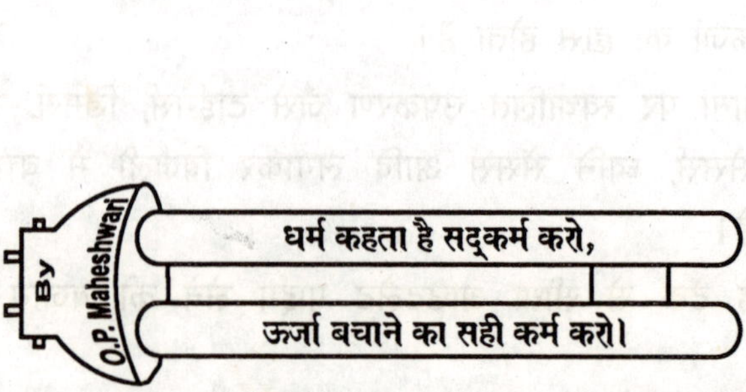

{द} निर्माण में बचत

- ★ एनर्जी डिसीपेटर का उपयोग
- ★ ऐश स्लरी से ऐश डाईक का निर्माण
- ★ ऑफटेक कम बाईपास स्ट्रक्चर

By O.P. Maheshwari

CONSERVE ELECTRICITY

35 एनर्जी डिसीपेटर का उपयोग

बहते हुए पानी को नियन्त्रित करने के लिए हाइड्रो प्रोजेक्ट में ऐसे कई स्थान आते हैं जहाँ ऊर्जा को क्षय करना होता है ताकि पानी के प्रवाह के कारण किनारों एवं तल के कटाव को रोका जा सके एवं पानी का निश्चित लेवल बनाए रखा जा सके। यह ऊर्जा पानी के प्रवाह में नहरों एवं नदियों में लेवल अंतर के कारण हो सकता है, टरबाईन से निकलने वाले पानी में भी काफी गतिशील ऊर्जा (Kinetic Energy) रहती है जिसे एनर्जी डिसीपेटर लगा कर हाईड्रो प्रोजेक्ट में नष्ट किया जाता है ये डिसीपेटर बड़े–बड़े कंकरीट के ब्लॉक/चट्टानें आदि हो सकते हैं, कई तरह के वाटर फॉल और सर्ज टैंक बना कर ऊर्जा को नष्ट करना होता है ताकि पानी के प्रवाह को नियन्त्रित रखा जा सके। ऐसे समय में अगर पानी की गतिशील ऊर्जा से हाईड्रोलिक जम्प उत्पन्न कर दी जाये और इस ऊर्जा को हाईड्रोलिक रैम (see chapter 7) की मदद से पानी को लिफ्ट करने में उपयोग किया जाये तो बिजली जनरेट होने के बाद भी 40% से 50% पानी को दुबारा उपयोग में लाया जा सकता है एवं ऐसे स्थान जहाँ **ऊँचाई पर पानी की आवश्यकता हो वहाँ पर बिना किसी ईंधन के** पानी को लिफ्ट किया जा सकता है ताकि उसको ऊँचाई वाले सिंचित क्षेत्र में वाटर सप्लाई हेतु एवं पानी के रिसाईक्लेशन में उपयोग कर ऊर्जा का लाभ लिया जा सकता है। ऊँचाई पर पानी पहुचने के कारण ग्रेविटी फ्लो द्वारा सिंचाई कर देश में बहुत बड़ा लाभ लिया जा सकता है।

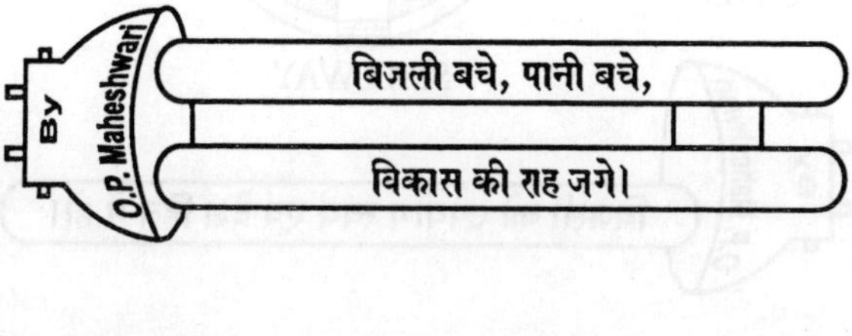

36 ऐश स्लरी से ऐश डाईक का निर्माण

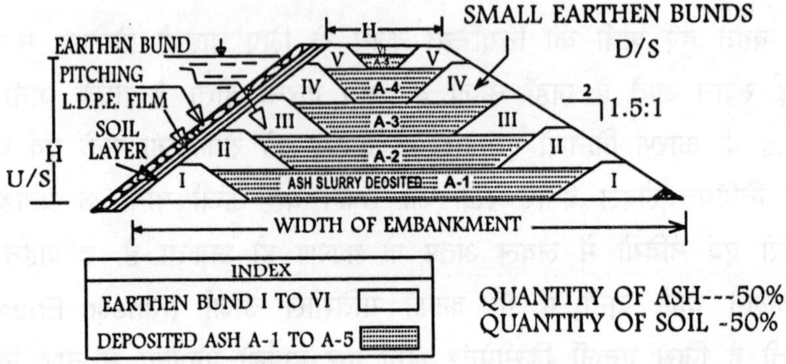

CROSS SECTIONAL VIEW OF EMBANKMENT / ASH DYKE

थर्मल पॉवर प्रोजेक्टस से निकलने वाली ऐश स्लरी का उपयोग कर, ऐश स्लरी को मिट्टी के बने दो बण्ड्स के मध्य सेटल होने देते हैं एवं पानी को स्पिलवे के द्वारा तालाब/रिजर्व वायर के मध्य जाने देते हैं एवं किनारों पर मिट्टी के बण्ड्स होने के कारण बड़ा एम्बेकमेन्ट/डाईक बन जाता है जिसके मध्य राख इकट्ठा कर सकते है चूंकि इस कार्य में थर्मल का वेस्ट प्रोडक्ट ऐश का उपयोग कर निर्माण सामग्री में 50% तक बचत कर सकते हैं। अतः इस विधि से बने रिजर्व वायर/तालाब की **लागत में करोड़ों रूपये की बचत के साथ–साथ राख का उपयोग** हो सकता है मेरे इस प्रस्ताव का उपयोग कर देश में थर्मल प्रोजेक्ट पर करोड़ों रूपये बचाये जा सकते हैं।

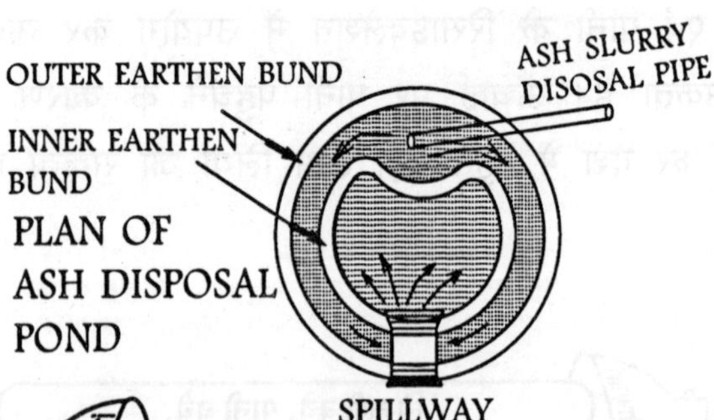

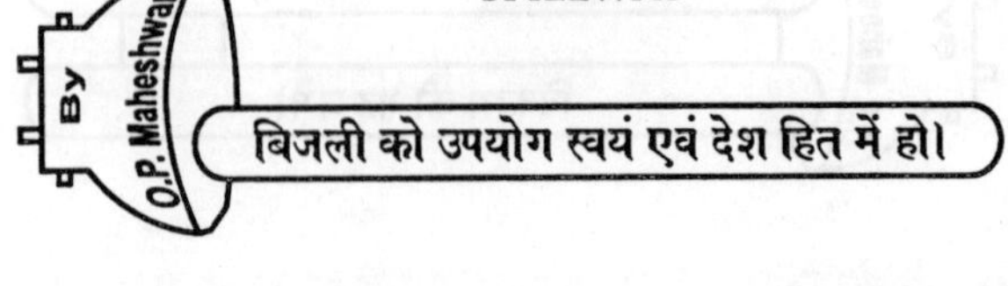

37 ऑफटेक कम बाईपास स्ट्रक्चर

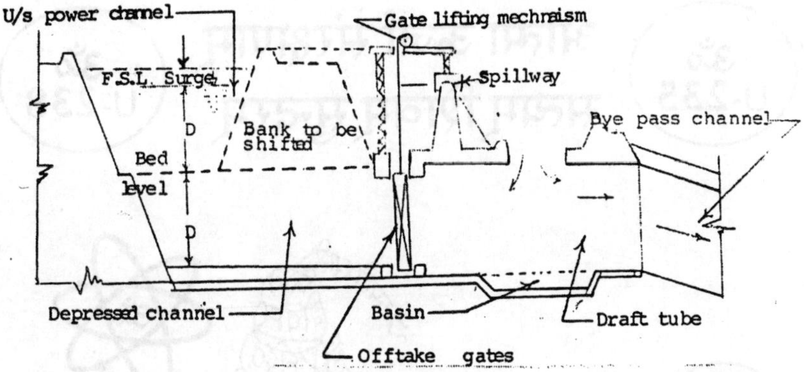

बिजली उत्पन्न करने के लिए बनाये जाने वाले हाईडल प्रोजेक्ट में दो अलग–अलग स्ट्रक्चर में व्यय करने की बजाय मेरे इस प्रस्ताव में बाईपास चेनल को गहरा रखते हुये ऑफटेक का रेग्युलेशन किया जा सकता है एवं पानी का लेवल बढ़ने पर ड्राफ्ट ट्यूब से पानी का निकास किया जा सकता है इस विधि में एक स्ट्रक्चर के निर्माण से दो उपयोग हो सकते हैं। अतः **लागत में करोड़ों रूपये की बचत की जा सकती है।** जिसे ऊपर नीचे दोनों चित्रों में दर्शाया गया है।

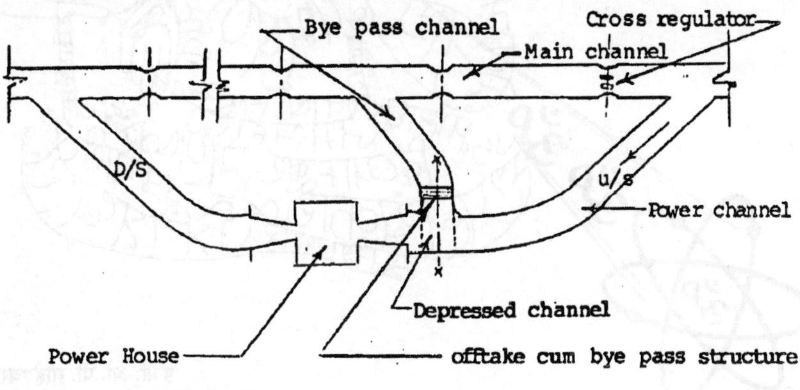

By O.P. Maheshwari

पॉवर बचाओं, देश को सुपर पॉवर बनाओं,

ॐ U-235

आत्मा ऊर्जा संरक्षणम्
सत्यम् शिवम् सुन्दरम्

ॐ U-238

इंजी. ओ. पी. माहेश्वरी

Great things are not done by impulse, but by a series of small things brought togethers.

{च} जीवन में ऊर्जा

- ★ बिजली का उपयोग एवं वास्तु
- ★ ऊर्जामय जीवन
- ★ ऊर्जा ही जीवन है।
- ★ शारीरिक ऊर्जा कैसे बढ़ायें।
- ★ स्वस्थ शयन - बिजली की बचत
- ★ झोपड़ी की करामात

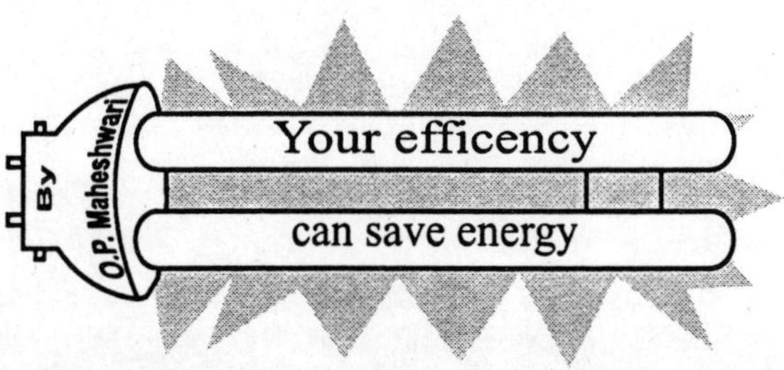

38 बिजली का उपयोग एवं वास्तु

वास्तु भौतिक तत्व या पदार्थ से निकला शब्द है। वास्तु अर्थात वास्तव में स्थित वस्तु जो आवास तथा अवशेष अर्थ को प्रकट करती है। वास्तु को बाद में प्रकृति भी कहा गया है। प्रकृति को श्रीमद्भागवद्गीता में भगवान् श्रीकृष्ण ने कहा है कि

'भूमिरापोनलो वायुः खं मनो बुद्धिरेवच,
अहंकार इतीयं से भिन्ना प्रकृतिरष्टधा

यानि पृथ्वी, जल, अग्नि, वायु, आकाश, मन, बुद्धि और अहंकार इस प्रकार आठ भागों में प्रकृति को विभाजित किया है। वास्तु शास्त्र में विभिन्न कमरों का विन्यास {ओरियेन्टेशन} निम्न रूप में बताया गया है

स्नानागारं दिशि प्राच्यां अग्रेख्यां च महानसम,
याभ्यायां शशयनागारं नैनदत्यां वस्त्रमन्दिरम,
वारुण्यां भोजन गृहं वायत्यां पशु मन्दिरम,
भण्डारं वेश्मोन्तरस्यां ऐशान्यां देवतालयम,
एतान्युक्तानि शस्तानि स्वस्तये स्वस्तमिक्ष्वपि।

अर्थात् स्नानगृह पूर्व में होगा, दक्षिण–पूर्व (आग्नेय) रसोई का स्थान, शयनकक्ष दक्षिण में, दक्षिण–पश्चिम वस्त्रों का कक्ष, पश्चिम भोजन कक्ष तथा उत्तर पश्चिम गायों के सायबान के लिए। कोष उत्तर में होगा और पूजा कक्ष उत्तर पूर्व में। इस प्रकार वास्तु में सभी व्यक्तियों को अपने भवन की कुरसी क्षेत्र (प्लीन्थ एरिया) में विभिन्न कमरों के स्थान बनाने चाहिए। जबकि भवन को प्लीन्थ एरिया तक ही सीमित न रखकर सूर्य का पथ, पृथ्वी का गुरूत्वाकर्षण, पृथ्वी की मैग्नेटिक शक्ति, हवा का प्रवाह, ऐस्थेटिक व्यू आदि बातों को वैज्ञानिक तरीके से अपना कर वर्तमान युग के साथ विकास की गति बनाये रखी जा सकती है। वैदिक सभ्यता के विकास के समय पृथ्वी को शेषनाग के फन पर विराजमान कर दिया गया और उसी समय शिल्पकार विश्वकर्मा द्वारा भवन निर्माण सम्बन्धित कुछ नियम व वास्तु पुरूष की संरचना की गई। इन नियमों में वास्तु पुरूष को नक्षत्र, अंतरिक्ष, कुण्डली, ज्योतिष शास्त्र,

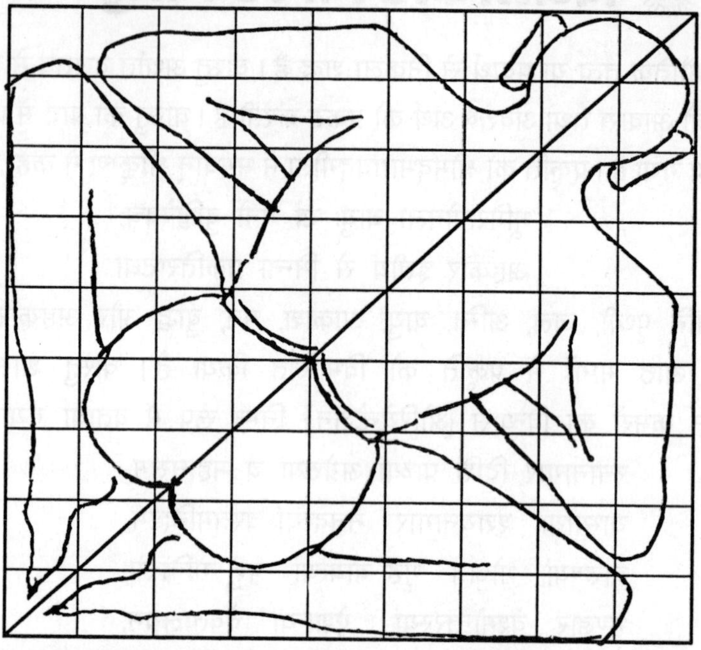

वास्तु पुरूष की संरचना

वैदिक धर्म, मंत्रों एवं वास्तु पुरूष से जोड़ा गया इस वास्तु पुरूष का मस्तक ईशान में एवं पैर नैऋव्य (दक्षिण–पश्चिम) दिशा में रखे गये। वास्तु पुरूष की उत्पत्ति के बारे में कहा गया है कि प्राचीन काल में भगवान शंकर और अंधकासुर दैत्य के मध्य घमासान युद्ध हुआ। युद्ध के दौरान शंकरजी के पसीने की कुछ बूंदें जमीन पर गिरी, उन बूंदों से एक भयंकर प्राणी प्रकट हुआ जो लोगों को भयभीत करता हुआ देवताओं को नष्ट करने के लिए बढ़ा। तब ब्रह्माजी की आज्ञा पाकर देवताओं ने उसे पकड़ कर उसका मुंह नीचे करके जमीन में औंधा दबा दिया और उसे शांत करने के लिए वर दिया कि भूमि संबंधी कार्यों में तेरी पूजा होगी। यही आकृति जो हर भूमि स्थल के अनुरूप अपना रूप ले लेता है और भूमि में वास करता है। उसे वास्तु पुरूष माना गया।

इस काल्पनिक अंगों का ज्ञान करके किसी भवन को बनाना ही वास्तुशास्त्र बताया गया। जैसे वास्तु पुरूष के सिर वाले स्थान पर शौचालय होगा तो आप वास्तु पुरूष को नाराज करोगे तथा इस रूढ़िवादिता एवं काल्पनिक आकृति में न जायें क्योंकि यह पुरूष जो वर्तमान परिस्थितियों से कहीं भी मेल नहीं खाता। आपके बने हुए भवन का आधा भाग बेच दिया या खरीद लिया तो वास्तु पुरूष का नाप भी बदल जायेगा। ऐसी काल्पनिक आकृति में न जायें क्योंकि वैदिक युग एवं वर्तमान समय में जरूरतें और भवन निर्माण शैली में काफी अन्तर आ गया है आज के समय और प्राचीन समय की आवश्यकता में भी अन्तर आ गया है क्योंकि समय के साथ–साथ आवश्यकताऐं बदलती रहती है वैज्ञानिक युग में जरूरतों के अनुसार नित नयें साधन आ रहे हैं और उनसें अपना मुँह मोड़ कर रखना रूढ़ीवादिता की कृति है अतः जरूरतों के अनुसार नये सिद्धांत व साधनों को ध्यान रखकर निर्माण अपनायें, क्योंकि वैदिक युग में मानव की मुख्य आवश्यकता ही जल स्त्रोत, वनस्पति एवं पशुपालन था, जंगल में काष्ठ की कुटिया में जीवन निर्वाह हो जाता था। मगर आज की सदी में वैज्ञानिक विकास द्वारा जल पाईप द्वारा सीधे घरों में पहुँचता है। ऐसे में पानी का स्त्रोत भूखण्ड के उत्तर में ही होना चाहिए, कदापि उचित नहीं है क्योंकि अगर भारत देश को देखें तो पायेगें जल स्त्रोत भारत के उत्तर में हिमालय के रूप में

विराजमान है मुख्य नदियाँ यहीं से चलती है जो भारत को सम्पदा प्रदान करती है। वास्तु शास्त्र वर्तमान परिस्थितियों एवं वैज्ञानिक जाँच पर खरा नहीं उतर रहा है। यह बड़ा सरल है कि विज्ञान द्वारा प्रतिपादित अथवा प्रामाणिक करने के बाद वैज्ञानिक शब्दों के साथ वास्तु का सम्बन्ध बता देना। क्या वास्तु से भवन में बिजली बचाई जा सकती है? अगर नहीं तो वैज्ञानिक युग में इसकी आवश्यकता भी क्षीण हो गई हैं। अतः ऐसी तकनीक भवन को उपयोगी बनाने में सक्षम नहीं है। आवश्यकता है रूढ़ियों से बाहर निकल कर प्रकृति के उपहारों का लाभ एवं आपदाओं से निजात पाने की। वास्तु शास्त्र की रूढ़िवादिता में न जाकर भवन में शुद्ध हवा, शीतल प्रकाश बनायें, तभी भवन शुभ एवं शुद्ध रह सकता है। बिजली की बचत के लिए वास्तु शास्त्र के नियम जो वर्तमान परिस्थितियों में खरे नहीं उतर रहे हैं उन्हें छोड़कर प्रकृति का सही उपयोग करें ताकि प्रकाश किरणों से भवन में रोशनी बनाई जा सके। भूखण्ड में कमरा कहीं पर भी हो मगर रोशनी लेने की व्यवस्था हो। जैसे छत पर लालटेन (Lantern) बनाकर, ऊँचाई में अन्तर करके बनाये गये वेन्टस द्वारा, पारदर्शी दीवारों द्वारा, खुली जगह रखकर, प्रकाश व हवा हेतु रास्ता बनाकर हो सकते हैं एवं अनावश्यक किरणों को छज्जों, बरामदों, पेड़–पौधों आदि से रोका जा सकता है।

उजाला चैतन्य है, उजाला जीवन है और अंधेरा मृत्यु। उजाला हर्ष और उल्लास है तो अंधेरा विषाद और अवसाद। उजाला निर्भयता को जन्म देती है और अंधेरा हमें भयभीत कर देता है। प्रतिदिन जीवन की हलचल एवं शरीर में स्फुर्ति उजाला से होती है और अंधेरा उस हलचल को थाम देता है। उजाला आशा और सकारात्मकता का प्रतीक है और अंधेरा नकारात्मकता का। वास्तु शास्त्र में वर्णित है कि भवन में प्रवेश करते समय दाई ओर आखिर में जहाँ भवन समाप्त होता है वहाँ अन्धेरी कोठरी बनावें, जिसमें जाने के लिए दरवाजे के अतिरिक्त कोई

और उपाय नहीं होना चाहिए। यहाँ तक की उस कोठरी में रोशनी या हवा तक के प्रवेश का कोई रास्ता नहीं होना चाहिए। ऐसी कोठरी में यदि रोशनदान या खिड़की बनाकर बाह्य रोशनी की व्यवस्था कर लेंगे तो उसमें रहने वालों पर मुसीबत आ सकती है। इस तरह से वास्तु में भंयकर भयभीत कर प्राकृतिक रोशनी का फायदा लेने के स्थान पर कमजोर व रूढ़िवादी व्यक्तियों को डराया गया है।

भवन में उत्पन्न होने वाले हानिकारक जीवाणुओं पर प्रकाश किरणों से काबू पाया जा सकता है। इसी तरह वातावरण की शुद्ध हवा का प्रवेश एवं निकास भवन में बनाये रहने की व्यवस्था की जावें ताकि कृत्रिम साधनों का उपयोग सीमित रखा जा सके जो बिजली के उपयोग में कमी लायेगा। जीवन के लिए निरन्तर एवं आवश्यक ऑक्सीजन, हवा के प्रवाह से बनी रहेगी। सर्दी के समय चलने वाली शीतलहर उत्तर दिशा से आती है। उसकी रोकथाम आवश्यक है एवं वर्ष के अधिकतम समय में चलने वाली हवा दक्षिण पश्चिम से चलती है अतः इस दिशा

में द्वार या खिड़कियाँ और खुला स्थान देना वैज्ञानिक दृष्टिकोण से खरा उतर रहा है जबकि वास्तु में दक्षिण और पश्चिम में खाली स्थान कम छोड़ने के लिए एवं उत्तर और पूर्व में खाली स्थान अधिक छोड़ने के लिए जोर दिया जाता है। वास्तु शास्त्र में आम आदमी को भयभीत किया गया है जैसे मकान का द्वार अगर दक्षिण वाला हुआ तो जातक को बीमारी की हालत में लम्बे समय तक बिस्तर पर रहना पड़ सकता है, आदि।

वास्तु शास्त्र में आवासीय भवन में द्वार केवल उत्तर या पूर्व में ही निर्देशित है, जबकि नगरीकरण में जो कॉलोनियाँ बनाई जाती है उनमें एक भवन दूसरे भवन से सटा हुआ रहता है। नक्शे में बताई गई सड़क से ही भवन में प्रवेश करना होता है। जो भवन अन्य तीन दिशाओं से घिरा हुआ है ऐसे में अगर भवन का प्रवेश द्वार विपरित दिशा में बनता है तो कभी भी सुविधाजनक व उपयोगी नहीं रह सकता है, जबकि वास्तु शास्त्र में इसे शुभ अशुभ भागों में बाँटा गया है। यह सत्य नहीं है क्योंकि इसमें वर्तमान परिस्थितियों का समावेश नहीं है। ऐसी स्थिति में भवन के पिछवाड़े से प्रवेश कहाँ तक उचित रहेगा। अतः द्वार योजना वही उत्तम है जिसमें सरलता से द्वार में प्रवेश एवं निकास एवं कम दूरी बनी रहे। लम्बी दूरी के बजाय कम दूरी एवं चलने में कम से कम स्थान का उपयोग होगा ताकि ऊर्जा का ह्रास कम से कम हो और जमीन की उपयोगिता अधिक से अधिक बनी रहे। उत्तर में बने हुए द्वार के सामने धूप नहीं आती है अतः लॉन भी अच्छी तरह से विकसित नहीं होता है एवं सर्दी में ठण्डक भी अधिक आती हैं। वास्तु शास्त्र के अनुसार रसोईघर आग्नेय कोण {दक्षिण–पूर्व} में ही बनना चाहिये अगर आग्नेय कोण में रसोईघर नहीं हो तो वहाँ दिनभर जलने वाला बल्ब जला देने मात्र से वास्तुदोष दूर हो जायेगा ऐसा वास्तुकारों का कहना है मगर यह सत्य नहीं है क्योकि रसोई में धुआँ और अपविष्ठ हवा निकलने का स्थान एवं प्रकाश किरणों को लेने हेतु व्यवस्था नहीं है तो

वह रसोईघर कभी भी अनुकूल वातावरण नहीं दे सकेगा। एवं फिजुल में जलने वाले बल्ब से बिजली की हानि ही होगी। पूजा घर आपने भूखण्ड के पूर्व या उत्तर पूर्व {ईशान कोण} में बना दिया मगर सूर्य किरण उसमें अन्य दीवारों के कारण नहीं आ रही है तो उपयोगी नहीं रह सकता।

क्या एक सामाजिक प्राणी अब भौतिक सुखों को त्याग कर काष्ठ की बनी झोपड़ी में बिना बिजली, पानी के रह सकता है? अतः आवश्यकता है, प्राकृतिक ऊर्जा स्त्रोतों के साथ कृत्रिम ऊर्जा का व्यवस्थित तरीके से उपयोग करने की और प्रकृति के कहर से बचने की। अगर भवन में सूर्य का आवश्यक प्रकाश एवं वायुमण्डल की ऑक्सीजन का प्रवाह स्वतः एवं निरन्तर बना रहेगा तो न केवल बिजली की बचत होगी अपितु मानव शरीर स्वस्थ एवं प्रसन्नचित्त रहेगा। भौतिक सुविधाओं को त्यागना अपने विकास को रोकना है एवं पिछड़ेपन की ओर अग्रसर होना है। वास्तु में वर्णित वास्तु पुरुष की नाभि भवन के मध्य में आती है और कहते हैं कि भवन के मध्य में अण्डरग्राउण्ड बनाने पर वास्तु पुरुष के पेट में छिद्र हो जाता है जो कभी शुभ नहीं रहेगा एवं जातक की मृत्यु की संभावना रहेगी। मगर यह सत्य नहीं है क्योंकि अण्डरग्राउण्ड सर्दी में गर्म एवं गर्मी में ठण्डे रहते हैं। इससे बिजली की खपत कम होती है। वास्तुशास्त्र विशेषज्ञ कहते हैं कि रहवासीय एवं व्यापारिक भवन मन्दिर के 750 गज की त्रिज्या के घेरे में नहीं होना चाहिए अगर मूर्ति के सामने या पीछे भी भवन होगा तो वह अशुभ होगा। मूर्ति घर में भी नहीं होनी चाहिए आदि भ्रांन्तियों में न जाये क्योंकि पूजा व प्रार्थना से मन में विश्वास व शक्ति बढ़ती है भारत में तो रहवासीय क्षेत्र के प्रति वर्ग किलोमीटर की दूरी में 5 से 7 मन्दिर बने होते है। बड़े-बड़े व्यापारिक परिसर में भी मन्दिर का बनना आम बात है। ऐसे में सम्पन्नता का प्रश्न भवन के स्थान पर निर्भर नहीं करता है शुभ एवं अशुभ इन्सान के विवेक एवं कार्यों से होता है। वैसे तो

भवन निर्माण से पूर्व भूमि का परीक्षण कर लेना चाहिये। वास्तु शास्त्र के अनुसार ऐसी भूमि पर निर्माण किया जाना चाहिये जहाँ कभी कोई अशुभ कार्य नहीं हुआ हो। मगर पृथ्वी पर ऐसी कोई जगह नहीं है जहाँ अशुभ घटित ही नहीं हुआ हो तो ऐसी शुभ भूमि मिलना कहाँ संभव है। इसके अलावा स्वयं के नियन्त्रण की जगह के अतिरिक्त आसपास की भूमि, भवन, पेड़–पौधों, सड़क, नदी, पहाड़ के कारण उत्पन्न वास्तु दोषों को दूर करना संभव नहीं होता है। तब कोई भी भवन वास्तु दोष मुक्त कैसे बन सकता है। कौनसा शहर, कौनसी दिशा, किसके लिये शुभ एवं अशुभ है, यह जानना आसान नहीं है। अगर यह जान भी लिया जाए तो परिवार के सभी सदस्यों पर यह एक समान लागू नहीं होता। जब ज्ञात वास्तु दोषों को भी पूरी तरह समाप्त नहीं किया जा सकता तो अज्ञात वास्तु दोषों से मुक्ति कैसे मिल सकती है?

प्रकृति का सही उपयोग ही वास्तु है। जिस निर्माण द्वारा भवन में शुद्ध वातावरण बना रहे एवं आपदाओं से निजात पाकर सभी की आरामदायक जिन्दगी मिलती रहे वहीं निर्माण उत्तम होता है। आधुनिक समय में मिलने वाली कृत्रिम सुविधाओं का, प्रकृति के साथ ऐसा समन्वय रखें कि घर के वातावरण में ताजगी के साथ प्रफुल्लता बनी रहे। रूढ़िवादी तथ्यों में न जाकर समय के अनुरूप ऐसा निर्माण करवाये कि बिजली के उपकरणों में कम से कम विद्युत का व्यय हो एवं प्रकृति के उपहार अधिक से अधिक मिलते रहें।

प्रकृति एवं कृत्रिम तरीकों का समन्वय ही समय की माँग है। जिसे आप भी अपनाये।

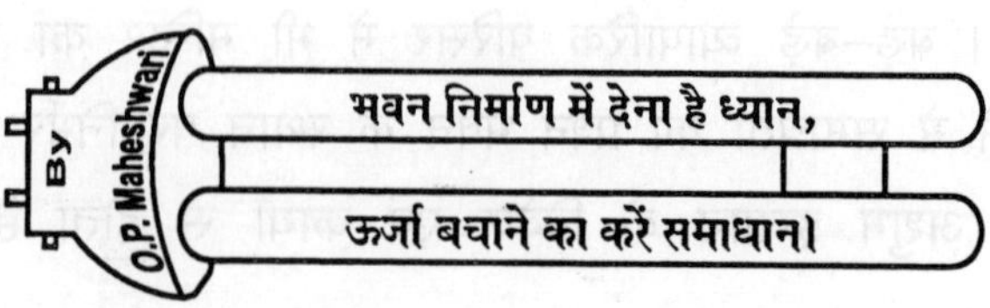

(39) ऊर्जामय जीवन

अपने पर विश्वास, दृष्टि को उद्धेश्य पर केन्द्रित करना सकारात्मक ऊर्जामय जीवन की पहली सीढ़ी है ऊर्जा गति का नाम है और जीवन एक यात्रा है और इन सीढ़ियों पर सफलता से चढ़ना महत्त्वपूर्ण उपलब्धि होती है। यह कहना भूलो कि मुझसे यह काम नहीं होता, यह कार्य बहुत छोटा है, ऐसी नकारात्मक सोच को दिमाग में न बिठायें क्योंकि नकारात्मक सोच से आत्मबल में कमी आती है। जो सफलता के लिए अवरोध का कार्य करती है। यह सच है कि मन के हारे – हार है, मन के जीते जीत । किसी काम की कामयाबी के साथ पूरा करने का विश्वास मन में होना जरूरी है। वे लोग ही कामयाब होते हैं जिनके मन में जीत का यकीन होता है। विचार हमेशा उच्च होने चाहिए ताकि साहस व ऊर्जा के साथ जन कल्याण में उसे किया जा सके ।

ऊर्जा ही जीवन है, ऊर्जा ही गति है, ऊर्जा ही वह तत्व है जिस पर सम्पूर्ण जीवन जगत टिका हुआ है। जगत का अस्तित्व ही ऊर्जा पर कायम है जिस तत्व से पानी बह रहा है, अग्नि जल रही है, बादल चल रहे है, वृक्ष लहलहा रहे है उस प्रत्येक तत्त्व का नाम ऊर्जा हैं, ऊर्जा ही आत्मा हैं। जिस तरह आत्मा अमर है। एक रूप से दूसरे रूप में जन्म लेती रहती हैं। वैसे ही ऊर्जा एक रूप से दूसरे रूप में बदलती रहती है। तभी तो एक विद्युत ऊर्जा से अनेक रूपों में ऊर्जा ली जा सकती है, बल्ब से रोशनी के रूप में, रेडियो से ध्वनि के रूप में, हीटर से ऊष्मा के रूप में आदि। ऊर्जा का स्त्रोत एक है और उपयोग अनेक।

ज्ञान और कर्म की ज्योति को प्रज्वलित करना है तो आदित्य बनो। 'अप्पदीपो भव' – भगवान् बुद्ध की उक्ति है। दीपक आदित्य की परम्परा अपनाने से आदित्य जितना ही महत्त्वपूर्ण हो जाता है इसलिए अपने को छोटा न समझो, स्फूर्ति और कर्मशीलता के साथ अपने को ऊर्जामय बनाये रखो निराशा एवं अकर्मण्यता पर विजय पाकर ही जीवन निर्वाह करने वाला व्यक्ति ऊर्जावान व्यक्ति होता है। आओ ऊर्जा का संरक्षण करें, ऊर्जावान शरीर का उपयोग देश–प्रेम में लगायें एवं राष्ट्र हेतु ऊर्जा संरक्षण का प्रण करें।

अपने अन्तर्मन को जानियें ताकि अंधेरे में भी ''प्रकाश पथ'' का निर्माण कर सकें

- श्री चन्द्रप्रभजी महाराज

---

(40) ऊर्जा ही जीवन है

एक बार दीपक ने जलने से इनकार कर दिया। हवा ने काफी समझाने का प्रयास किया कि तुम प्रकाशवान बनो, ऊर्जा ही तो जीवन है मगर दीपक जलने से भयभीत था। उसने फूलों को देखा वे डाली पर खिल–खिलाकर हँस रहे थे, सूर्य की किरणों ने भी समर्थन प्रकट कर कहा कि मेरी पूजा होती उदय होने पर तो तू क्यों नहीं प्रकाशित हो रहे हो। फूलों की सुगन्ध ने भी सिर हिलाते हुये कहा कि पुष्प की गरिमा सुगन्ध एवं खिलने में है हम खुशी का अनुभव करते हैं जब लोग हमारी सुगन्ध लेते हैं थोड़ी ही देर में पुजारी ने दीपक को जलाकर पूजा की थाली में सजाया और भगवान के चरणों में उसे घुमाया। भक्तों ने उसकी ऊष्मा की तप अपनी हथेली में लेकर अपने शीश पर लगाया। अपना यह आदर देख दीपक को लगा यही तो मेरा जीवन है।

(काल्पनिक कहानी)

दीपक बल्ब संवाद

बल्ब ने कहा दीपक से,
मुझे जकड़ रखा तारों से
तुम निडर होकर इठलाते हो

बल्ब ने कहा दीपक से
मुझे जलाते स्विच पर जोर लगाके
मेरा जलना बुझना औरों के हाथों में
पर तुझे रखते हर शह से बचा के

यह कैसी विडम्बना है मेरी
मेरे हाथ लगाने से डरते है लोग
पर तुझे घूमाते पूजा की थाली में

दीपक ने बल्ब को उत्तर दिया
तु जो हर समय जलता है
विद्युत का अपव्यय जो करता है
पर मैं केवल अधेंरे में जलता हुं
तभी तो भगवन् के चरणों में रहता हुँ।

41 शारीरिक ऊर्जा को कैसे बढ़ायें

यह तो सत्य है कि स्वस्थ एवं साहसी व्यक्ति में ऊर्जा भरपूर रहती है। मगर सफलता सही समय पर सही निर्णय को कार्य रूप देने से मिलती है। आप अपनी प्रतिभा के बल पर कुछ हदों को पार कर सकते है मगर उच्च शिखर को छूने के लिए आपको प्रतिभावान लोगों का सहारा लेना होगा। ये लोग आपको सलाह, प्रशंसा, चेतावनी व आलोचना द्वारा होने वाली गलती से बचायेंगे। भयभीत होकर किये गये कार्य के परिणाम नकारात्मक ही मिलते हैं एवं साहस के साथ किये गये कार्य के परिणाम सकारात्मक ही मिलेंगे। शारीरिक बल से हर परिणाम प्राप्त नहीं किया जा सकता, आपके कार्य करने का तरीका ही परिणाम लाता है। मन में अगर साहस है तो आपके शरीर में भी हिम्मत बनी रहेगी क्योंकि मन के हारे हार है, मन के जीते जीत और जीत ही ऊर्जा का सकारात्मक रूप हैं। जब आप शारीरिक रूप से थके होते हैं तो आपको मांसपेशियों को आराम देना होता है न कि सोने की आवश्यकता, मानसिक तौर पर थके हों तो सोना आवश्यक है क्योंकि नींद मस्तिष्क के लिए प्राथमिक उपचार है। कोई कार्य को मन मारकर करना बोझा ढोने के समान होता है और कार्य में रूचि एवं ना नहीं कहने की आदत शरीर में ऊर्जा का संचार करती है।

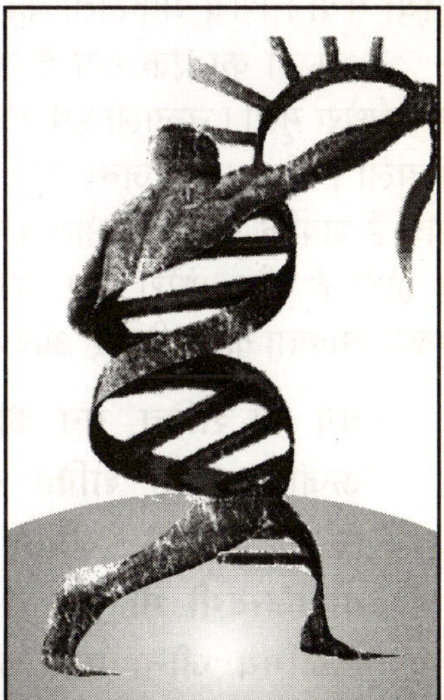
स्फूर्ति लाएँ, ऊर्जा बढ़ाएं

शरीर में ऊर्जा बढ़ाने के लिए स्टेमिना को बढ़ाना होगा और उसके लिए गहराई से ध्यान लगाना होगा। साथ ही अपनी गतिविधियों को धीरे–धीरे बढ़ाना और समयबद्ध कार्य करना उत्तम रहता है। हो सके तो कार्य करने के तरीके को क्रमबद्ध कर पेपर पर सूची बना लें एवं एक–एक कर उनका

निपटारा करने का प्रयत्न करें। जीवन शैली को समयबद्ध रखकर शरीर में हर समय ऊर्जा बनाये रखी जा सकती है इसके लिए यह आवश्यक भी है कि पौष्टिक आहार, निरन्तर व्यायाम, भरपूर नींद, प्रतिदिन की दैनिक क्रियाओं में समानता बनाये रखी जाये।

स्वस्थ एवं ऊर्जावान रहने लिए निम्न टिप्स अपना सकते हैं –

– सूर्योदय से पूर्व उठना।
– मॉर्निंग वॉक व योगा करना।
– पौष्टिक आहार को ग्रहण करना।
– माँसपेशियों को आराम भी देना।
– सोचने, कहने और करने में एकरूपता बनायें।
– कार्य का अनुमान कर आगे बढ़कर करने की सोचें।
– नित्य शारीरिक क्रियाएँ नियमित समय पर ही करें।
– नकारात्मक सोच एवं भावना से मुक्त रहें क्योंकि आवश्यक कार्य के लिए समय मिलता नहीं, समय निकालना होता है।

ऊर्जा संरक्षण हर क्षण करें, टालें न उसको आज।
यह ऊर्जा आपकी है, फिर कैसा इसका विनाश ।।

आपके आलस्य से आपकी स्टेमिना और ऊर्जा को कम न होने दें। क्योंकि आलस्य ही जीवित मनुष्य की जिन्दा कब्र है और समय पर लिया गया निर्णय सफलता की सीढ़ी है।

ऊर्जा का एक रूप है उजाला, उजाला चैतन्य है, उजाला जीवन है और अंधेरा मृत्यु। उजाला हर्ष और उल्लास है तो अंधेरा विषाद और अवसाद। उजाला निर्भयता को जन्म देता है यह निर्भयता ही स्टेमिना एवं सकारात्मक सोच है जबकि अंधेरा भयभीत कर देता है प्रतिदिन जीवन की हलचल उजाला से होती है और अंधेरा उस हलचल को थाम देता है। उजाला आशा और सकारात्मकता का प्रतीक है और अंधेरा नकारात्मकता का।

तन की शक्ति, मन की शक्ति, ऊर्जामय जीवन जीने में
ऊर्जा नाम है शक्ति का, हिम्मत होती है तन मन में
ऊर्जा जगाओ, जीवन बनाओ, वर्ना सब ये सूना है,
वो जिन्दगी भी क्या है जो गुजरे निष्क्रियतामय जीने में
ऊर्जामय जीना एक कला, स्फुर्तिमय रखो तन मन को

42 स्वस्थ शयन - बिजली की बचत

शयन कक्ष के निर्माण में एवं शयन संबंधित बातें जो डॉक्टर व इंजीनियर के अनुरूप अपनाई जाए तो न केवल सोने का अनुकूल वातावरण मिलेगा अपितु अच्छी नींद से स्वास्थ्य भी अच्छा बना रहेगा। शयन कक्ष में खिड़कियों की इस तरह व्यवस्था होनी चाहिए कि वातावरण की शुद्ध हवा का निरन्तर स्वतः प्रवेश एवं निकास बना रहे। इस क्रॉस वेन्टीलेशन हेतु उत्तर पश्चिम भारत में खिड़कियों में से हवा को दक्षिण पश्चिम से प्रवेश करा कर सामने की खिड़की या अन्य कोई निकास से हवा को निकाला जाता है ताकि शुद्ध वांछित हवा शयन कक्ष में बनी रहे। रात्रि में शयन कक्ष में दीवारों से ऊष्मा का विसर्जन न हो इसके लिए शयन कक्ष को भवन में उत्तर पूर्व में बनाना उचित रहता है। शयन कक्ष की लंबी दीवारों या कोई दीवार अगर दक्षिण पश्चिम में आ रही हो तो सूर्य की किरणों को छज्जों, बरामदों, पेड़ों सन ब्रेकर या केविटी वॉल बना कर ऊष्णता का प्रभाव कम कर देना चाहिए।

भारतीय शास्त्रों में शयन संबंधित कुछ विवरण मिलता है, तदनुसार सोते समय अपने पैर उत्तर की दिशा की ओर करके सोना चाहिए अर्थात सोते समय सिर दक्षिण की दिशा की ओर होना चाहिए। विज्ञान में पृथ्वी को एक बड़ा चुम्बक माना है जिसके दो

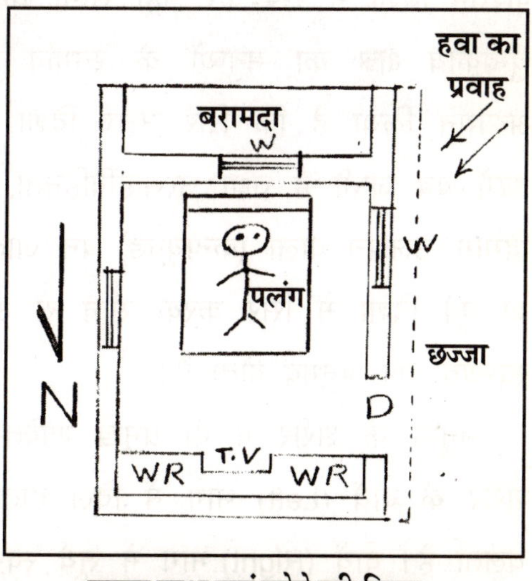

शयन कक्ष एवं सोने की दिशा

चुम्बकीय तंरगों
का प्रवाह (सोते समय)

ध्रुव है– एक उत्तर एवं दूसरा दक्षिण। चुम्बक की बल रेखाएँ (मैग्नेटिक लाइंस) उत्तर से दक्षिण की ओर गमन करती है अतः उत्तर की ओर पैर करके सोने से उनका अनुकूल प्रभाव हमारे शरीर में बहने वाले रक्त कणों पर पड़ता है जिससे शरीर व्याधिमुक्त रहता है इससे उल्टी दिशा में सोने पर बल रेखाएँ मस्तिष्क से निकलती है जो मस्तिष्क में स्वप्न एवं उलझन पैदा कर देती है जिससे सिर तनाव युक्त रहता है।

वैज्ञानिक तथ्यों से भी निष्कर्ष निकाला है कि सिर उत्तर या पश्चिम दिशा में रख कर नहीं सोना चाहिए। वैज्ञानिकों ने पृथ्वी के चुम्बकीय क्षेत्र का मनुष्यों के स्वभाव पर असर पड़ने का गहन अध्ययन किया है कि सिर उत्तर दिशा में रखकर सोने से दिमागी तरंगें दब जाती है तथा उत्साहविहिनता, बैचेनी और सुस्ती के साथ दिमाग उलझन वाला (कन्फ्यूज्ड) बन जाता है। इसके विपरित दक्षिण या पूर्व दिशा में सिर करके सोने से अतिशय शांति सजगता तथा स्वस्थता का अनुभव होता है।

मनुष्य के शरीर में दो प्रमुख शक्तियाँ सदैव कार्यरत रहती है। शरीर के बायें (Left) भाग में दिल होता है व इस ओर चन्द्र स्वर चलता है। दायें (Right) भाग में सूर्य स्वर। ईडानाडी (Left arteries), बायें नासिका से बहने वाली ऋणात्मक शक्ति (नेगेटिव फोर्स) का

प्रवाह मार्ग है जो शीतल माना गया है अतः इसे चन्द्र स्वर कहते हैं। पिंगला नाडी (Right arteries) नासिका के दायें छिद्र से बहने वाला श्वास स्वर है जो गर्म होता है अतः इसे सूर्य स्वर कहते हैं। यह घनात्मक शक्ति (पोजिटिव फोर्स) प्राण शक्ति का प्रवाह मार्ग है।

चन्द्र व सूर्य स्वरों का स्वास्थ्य से भरपूर सम्बन्ध है जिन व्यक्तियों का रात्रि में सूर्य स्वर व दिन में चन्द्र स्वर चलता है उन्हें एकाएक रोग नहीं होता है। शास्त्रों में कहते हैं कि दिवस चलावे चन्द्र को चाल चलावे सूर्य, नित साधन ऐसा करो, होय उम्र भरपूर। दायीं करवट लेकर सोने से चन्द्र स्वर चलता है और बायीं करवट लेकर सोने से सूर्य स्वर चलता है यानि जो नासिका ऊपर की तरफ रहती है उसी में प्रवाह चालू हो जाता है।

जब शरीर में गर्मी, खुश्की, दिल की धड़कन या घबराहट, हृदय रोग, ब्लड प्रेशर, पागलपन या मूत्र में जलन आदि हो अथवा परिश्रम से थकान आ जावे उस समय दायीं करवट लेट कर गहरी श्वास लेने से हालत में सुधार होने लगता है। सर्दी, कफ निमोनिया, गठिया जोड़ों में दर्द आदि ठंड की बीमारियों में बायीं करवट लेकर सोना अथवा बायें नथुने को बंद करके दायें नथुने से सूर्य स्वर चलाना ठीक रहता है। इससे स्वतः ही गर्मी पैदा होकर ठंड का असर कम हो जाता है।

रात्रि में सोते समय आँखों पर बिजली का प्रकाश नहीं आना चाहिए क्योंकि बंद नेत्रों पर भी प्रकाश का भार पड़ता है अतः अंधेरे में सोने से नेत्रों को पूर्ण विश्राम मिल जाता है। इस हेतु समय पर सोना एवं उठना भी दिनचर्या में शामिल कर लेना चाहिए। दिन के समय सोना वैसे तो अहितकर है लेकिन दोपहर के भोजन के बाद अगर शरीर को आराम देने के लिए बायीं करवट लेट कर पाँच दस मिनट विश्राम करने से दाहिना सूर्य स्वर चलने लगता है जिससे

भोजन पचने में सहजता रहती है मगर दिन के समय अधिक सोने पर दिमाग में अशांति एवं शरीर में शुगर अधिक बनती है।

शयन कक्ष का आकार चौकोर अथवा अन्य आकार से आयताकार शयन कक्ष जिसकी लंबाई चौड़ाई की 1.2 से 1.5 गुणा होती है एवं ऊँचाई चौड़ाई के लगभग होती है तो शयन कक्ष अधिक उपयोगी एवं विशाल लगते हैं। साथ ही अधिक समय जलने वाला बल्ब लंबी दीवार के मध्य होने पर रोशनी को अधिक क्षेत्र में फैलाकर लाभ लिया जा सकता है। छत पंखे को पलंग रखने के केन्द्र बिंदु पर लगाने से अधिक समय तक कम गति पर भी चलाया जा सकता है। जहाँ तक हो सके पंखे को अधिक ऊँचाई पर न रखें। सोने के लिए बिस्तर भी कम मोटाई वाले सपाट बिस्तर शरीर के लिए उत्तम रहते हैं। शयन कक्ष की दीवारें ऊष्मारोधी होने पर अनुकूल प्रभाव बनाये रखने में मददगार रहती है। कमरे में खिड़कियाँ किन्हीं कारणवश नहीं मिल पाती तो छत से चिमनीमय होलोसॉफ्ट द्वारा भी हवा को आमने सामने की दीवारों से प्रवेश एवं निकास कराया जा सकता है। इससे कृत्रिम साधनों के उपयोग में कमी होगी एवं बिजली के उपयोग में कमी लाई जा सकेगी।

नव ऊर्जा के दीप जले,
देश प्रगति की राज चले,
भारत माता की जय बोलो,
ऊर्जा संरक्षण का दम भर लो।

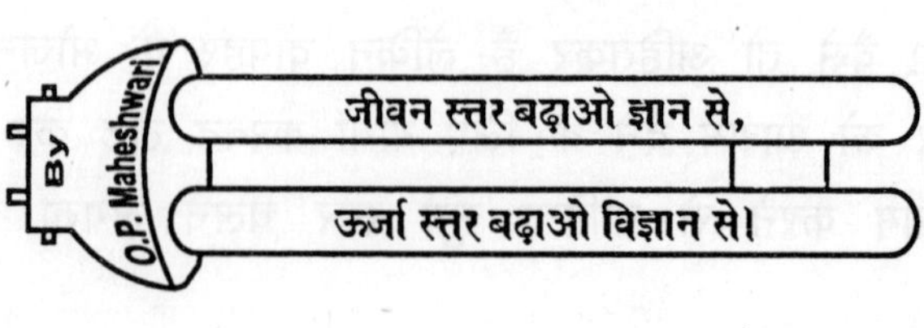

43 झोंपड़ी की करामात

पत्थर की गुफाओं से बाहर निकल कर रहने के लिए मनुष्य ने झोंपड़ी का निर्माण किया। यह झोंपड़ी सदियों से आज भी रहने के लिए उपयोग में आ रही है। झोंपड़ी गर्मी में भी बाहरी तापक्रम के मुकाबले अंदर से ठण्डी रहती है, इसके मुख्य कारण निम्न है:–

1. झोंपड़ी की छत – श्वास क्रिया में प्राणियों द्वारा निकाली गई हवा उष्ण एवं अपविष्ट होती है जो हल्की एवं गर्म होने के कारण ऊपर की ओर उठती हैं। झोंपड़ी की छत घास फूस अथवा खुले जोड़ वाली मिट्‌टी के खपरेल की बनी होने के कारण गर्म हवा जो ऊपर उठती है, का निकास हो जाता है। घास फूस एवं खपरेल ऊष्मा का कुचालक होते हैं। अतः सूर्य किरणों की ऊष्मा को अंदर आने से रोकते भी है। घास फूस की छत झोंपड़ी की दीवारों से प्रोजेक्ट रहने के कारण बाहर की ओर भी दीवारों पर छाया बनाये रखती हैं जिससे दीवारें ठण्डी रहती है और झोंपड़ी गर्मी में बाहरी तापक्रम के मुकाबले अंदर से ठण्डी रहती है।

2. झोंपड़ी की दीवारें - झोंपड़ी की दीवारें साधारणतः ईंटगारे की बनी होती है जो कंकरीट के मुकाबले ठण्डी रहती है। इस दीवार पर गोबर अथवा मिट्‌टी के गारे का प्लास्टर किया जाता है जो ऊष्मा का अवरोधक होता है। दीवारों की ज्यादा ऊँचाई ज्यादा ना रहने के कारण भी बाह्य ऊष्मा का शोषण कम रहता है।

3. झोंपड़ी का फर्श – झोंपड़ी का फर्श साधारणतया गारे अथवा चूने का बना होता है। यह फर्श भी भूमि के तापक्रम अनुसार रहता है। अतः गर्मी में बहुत ज्यादा कंकरीट की तरह गर्म नहीं होती है एवं सर्दी में भूगर्भ की ऊष्मा के प्रवाह को कक्ष में बनाये रखते हैं।

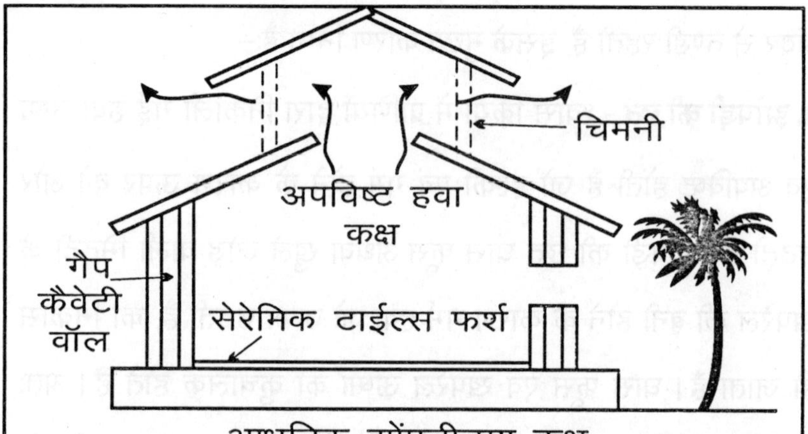

आधुनिक झोंपड़ीनुमा कक्ष

4. झोंपड़ी की खिड़कियां – साधारणतः झोंपड़ी में छोटी–छोटी खिड़कियां ही बनी होती है अतः एकाएक ऊष्मा का आवागमन नहीं बन पाता है जबकि ग्लास की बनी खिड़कियों में ऊष्मा कक्ष के भीतर तक किरणों द्वारा पहुंच जाती है।

मगर इसका मतलब यह भी नहीं कि आलिशान भवनों को छोड़कर झोंपड़ी में रहा जाये। जब विज्ञान ने कृत्रिम साधनों का विकास कर दिया है तो उसके उपयोग द्वारा भी अनुकूल वातावरण बनाये रखा जा सकता है। मगर झोंपड़ी के कुचालक पदार्थों का उपयोग कर ऊष्मारोधी भवनों का निर्माण किया जा सकता है। ये ऊष्मारोधी भवन ऊर्जा संरक्षण में सहयोग करेंगे।

आधुनिक भवन निर्माण के लिए झोंपड़ी से निम्न सीख ले सकते है

– प्राकृतिक छटा का आनंद लेने के लिए छत पर टैरेस गार्डन, खिड़कियों व दीवारों पर घनी पत्तियों वाली बेले, खुली जगहों पर वृक्ष लगाये जा सकते हैं।

– झोंपड़ी में मड के उपयोग को देखते हुए चिकनी मिट्टी की बनी ईंटों से दीवार, खपरैल की छत, सैरमिक टाईल्स की फिनिशिंग फर्श व दीवारों पर बनाई जा सकती है।

– घास की बनी हुई टाईल्स को दीवारों, फाल्स सिलिंग में प्रयोग कर सकते हैं।

– झोंपड़ी की तरह भुगर्भ ऊष्मा का लाभ लेने के लिए जमीन में बैसमेन्ट/अण्डरग्राउण्ड कक्ष (जमीनी कक्ष) बनाकर अनुकूल तापक्रम का लाभ लिया जा सकता है।

– लकड़ी के बुरादे से बने हार्ड बोर्ड एवं प्लाई का उपयोग वॉल पेनलिंग द्वारा ऊष्मारोधी कक्ष बनाया जा सकता है।

– झोंपड़ी की छत के प्रोजेक्शन के अनुरूप भवनों में छज्जे, बरामदे, लूअर्स आदि बना सकते हैं।

– दीवारों पर सीमेंट की बजाय हल्के पदार्थ का प्लास्टर कर सकते हैं जैसे पी.ओ.पी. (प्लास्टर ऑफ पेरिस)/जिप्सम आदि।

– चिकनी मिट्टी की बनी ईटों से छत, फर्श व दीवारें बनाई जा सकती हैं ईटों की दीवार के मध्य गैप रख कर या गैप में कुचालक सीट

डालकर बाह्य ऊष्मा का प्रवेश को कम किया जा सकता है।

– छत पर वेन्ट / हवा दार चिमनी / रोशनदान बनाकर अपविष्ट गैसों को बाहर निकाल सकते हैं।

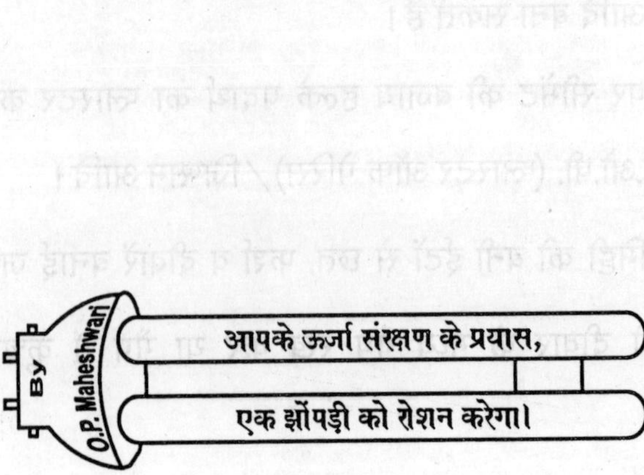

{छ} ऊर्जा बचत

- ☆ ज्यादा चलने वाली लैड टार्च
- ☆ ऊष्मा का प्रवाह
- ☆ वाहनों में ईंधन बचत
- ☆ जानकारी एवं रोचक प्रयोग

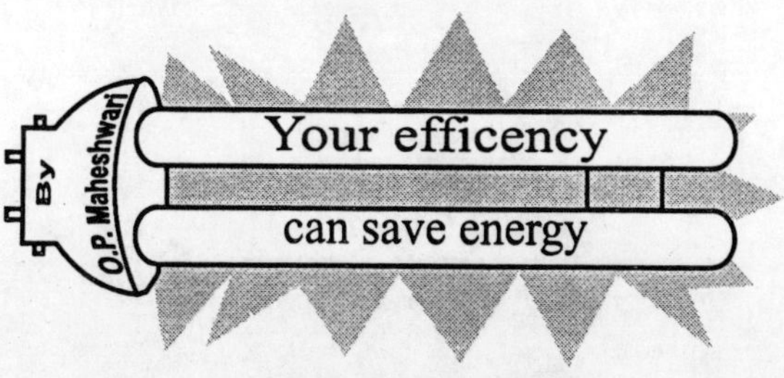

44 ज्यादा चलने वाली लैडटॉर्च

एल.ई.डी. की बनी टॉर्च, साधारण बल्ब की बनी टॉर्च के मुकाबले एक दिशा में ज्यादा रोशनी मिलती है एवं बैटरी/सैल की उम्र भी अधिक रहती है। अतः इस तरह की बनी टॉर्च आप घर पर

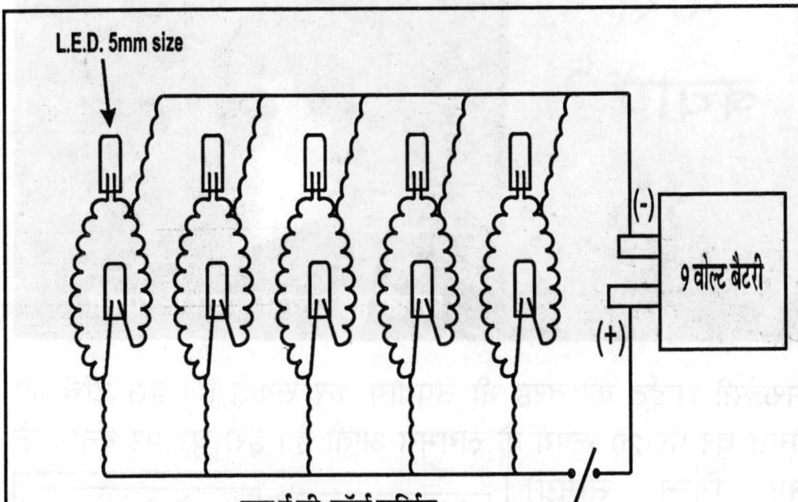

एल.ई.डी. टॉर्च सर्किट

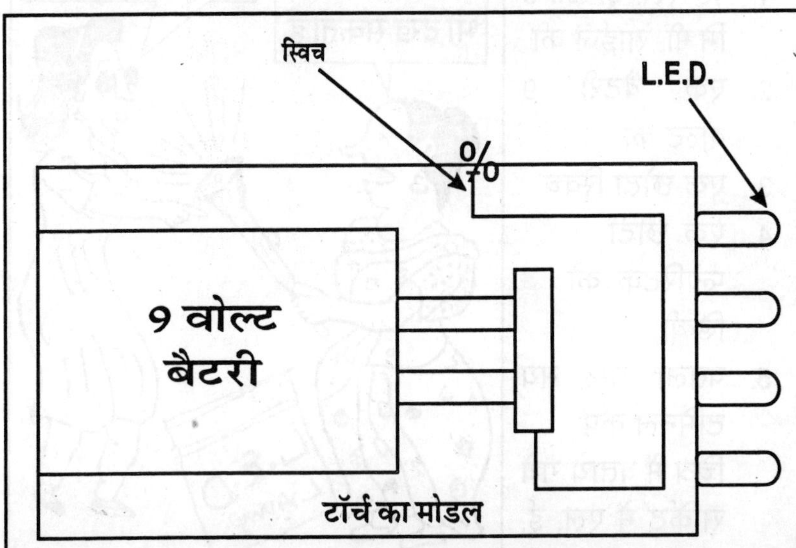

टॉर्च का मोडल

एमरजेंसी लाईट की तरह भी उपयोग कर सकते हैं। इस टॉर्च की लागत घर पर 20 रूपये के लगभग आती है। इसे घर पर बनाने के लिए निम्न सामग्री चाहिए।

1. 10 एल. ई. डी. 5 मि.मी. साईज की
2. एक बैटरी 9 वोल्ट की
3. एक छोटा स्विच
4. एक छोटी प्लास्टिक की डिब्बी
5. पतला तार मय टर्मिनल कैप

चित्र में बताये गये सर्किट में एल. ई. डी. को जोड़कर डिब्बी के

एक किनारे पर व्यवस्थित कर देते हैं एवं स्विच, बैटरी से जोड़ देते हैं इस तरह बिना रिस्क के टॉर्च बन जाती है जो साधारण टॉर्च के मुकाबले बहुत अधिक प्रभावशाली होती है।

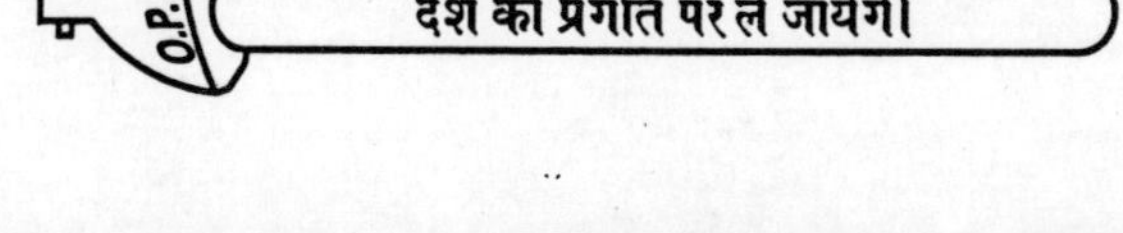

(45) ऊष्मा का प्रवाह

अ. डिब्बे से रखें गर्म

कैसरोल वह डिब्बा होता है जिसमें किसी वस्तु को रखने पर उस पर बाहरी वातावरण के तापक्रम का कम से कम असर पड़ता है क्योंकि कैसरोल इनसुलेटिंग पदार्थ जैसे थर्माकॉल, कॉर्क आदि का बना होता है। यही कारण है कि कैसरोल में साधारण तया बर्फ के साथ ही बोतल रखकर लम्बे समय तक ठण्डा रखने में प्रयोग करते हैं। ठीक इसी तरह अगर गर्म वस्तु को गर्म कुछ समय तक रखना हो तो गर्म वस्तु को इन्सुलेटिंग पैड पर रखकर ऊपर से उल्टा कैसरोल या टोपीनुमा डिब्बा ढक देते हैं तो गर्म वस्तु गर्म रहने के कारण उसे गर्म करने में ऊष्मा का कम उपयोग करना पड़ेगा एवं बार–बार थोड़े–थोड़े

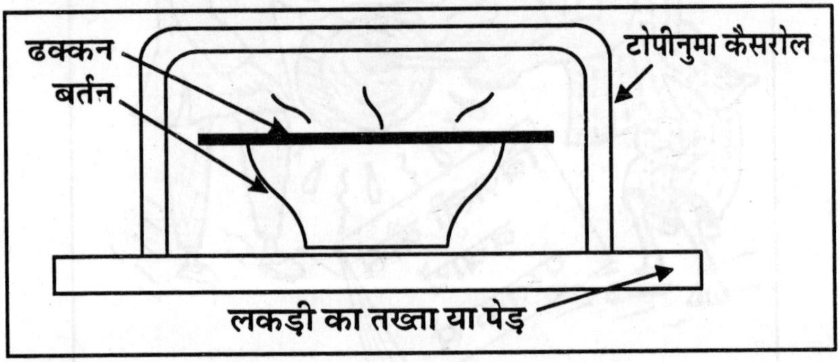

समय से गर्म करने के झंझट से छुटकारा भी मिलेगा। यह डिब्बा एक थर्मस की तरह काम करेगा। साथ ही एक बर्तन से दूसरे बर्तन में खाली करना, अधिक बर्तन गन्दे करने से छुटकारा मिल जाता है।चूंकि इस विधि में गर्म की गई वस्तु पर इन्सुलेटिंग शीट का ढक्कन लगा देते है अतः उपयोग लेने में बड़ा सरल व सुविधाजनक रहता है। क्योंकि जिस बर्तन को गर्म करके चूल्हे के नीचे रखा जाता है उसी पर

यह ढक्कन लगा देने मात्र से ऊष्मा के विसर्जन को कम किया जा रहा है। चूंकि इस विधि में अतिरिक्त बर्तन जैसे थर्मस, ओवन आदि की आवश्यकता नहीं रहती है। अतः उपयोग लेने में यह तरीका बहुत ही सरल व सुविधाजनक रहता है।

ब. मिट्टी की जाली से बनाये ठण्डक–

कुम्हार बर्तन बनाने के लिए गीली चिकनी मिट्टी का उपयोग करते है मिट्टी में अगर घुलनशील पदार्थ जैसे नमक, ज्वलनशील पदार्थ जैसे बारीक कोयला अथवा घास मिलाकर बर्तन या जाली बना दी जाये और इस जाली को आग में पकाने के बाद पानी में रखेगें तो घुलनशील नमक पानी में घुल जाने के कारण जाली रन्ध्रमय (बारीक छेदों की) बन जायेगी। कोयले की चुरी भी जाली को आग में पकाने पर जल कर राख में बदल जाती है और पीछे छोटे–छोटे छेद छोड़ जाती है इस तरह की मोल्डेड़ जाली का उपयोग कुलर अथवा खिडकी पर किया जा सकता है क्योंकि मिट्टी पानी सोखती भी है और उसमें ये छन–छन कर जब हवा भी आयेगी तो वह ठण्डी होकर आयेगी इस तरह की जाली का कुलर में उपयोग करने पर पानी के पम्प की क्षमता और कम कर बिजली बचाई जा सकती है एवं कुछ समय तक प्राकृतिक हवा का आनंद भी लिया जा सकता है।

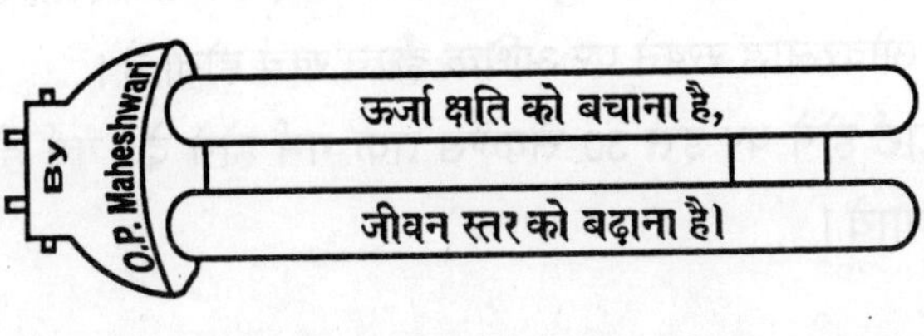

(46) वाहनों में ईंधन बचत

– गाड़ी के टायरों में हवा पूर्ण मात्रा में रखें क्योंकि कम हवा पर घर्षण ज्यादा होने से ईंधन ज्यादा व्यय होता है।

– गाड़ी का गियर स्पीड के अनुसार रखें क्योंकि कम स्पीड में हायर गीयर एवं अधिक स्पिड में लो गीयर रखने से पेट्रोल का खर्च अधिक होता है।

– चलती गाड़ी में एकाएक ब्रेक ईंधन का व्यय करता है। अतः बाधा का पूर्वानुमान रखने का प्रयास करें।

– बहुत ज्यादा रेस पर गाड़ी चलाने से इम्पेक्ट आता है एवं धीमी गति में भी ईंधन का व्यय ज्यादा होता है अतः गाड़ी की अधिकतम गति सीमा के आधी गति पर चलाने से ईंधन कम व्यय होगा।

– ए.सी. चलाने पर 10% अधिक ईंधन व्यय होता है। अतः कई बार ए. सी. बंद कर फैन से हवा ली जा सकती है।

– ए.सी. वाली गाड़ी के शीशा एयर टाईट बन्द रहना चाहिए। अन्य कोई फिटिंग में भी सुराग नहीं रहना चाहिये।

– टारगेट अथवा ट्राफिक सिग्नल नजदीक आने से पहले वाहन की गति धीमी कर लें। हरी लाईट की प्रतीक्षा में इंजन बन्द कर सकते हैं रेड लाईट के दौरान एक मिनट इंजन चालू रखने पर भी इंजन को रिस्टार्ट करने की तुलना में अधिक ईंधन खर्च होता है।

– गाड़ी को ओवरलोड रखने पर अधिक ईंधन खर्च होता है।

– इंजन स्टार्ट होने पर इसे 30 सैकण्ड तक गर्म होने दें। गर्म होने से पहले रेस न लगायें।

– गंतव्य तक जाने का मार्ग पहले से तय कर लें। ट्राफिक जाम एवं उबड़ खाबड़ रास्ते से जाने पर ज्यादा ईंधन, ज्यादा समय तक व्यय होता है कई कार्यों को एक रूट में निपटा सकें उसी रास्ते को अपनाना चाहिये।

– गाड़ी का एयर फिल्टर, प्लग साफ रखें, इंजन की मेंटिनेंस बहुत अधिक रखनी चाहिये क्योंकि खराब इंजन में ईंधन ज्यादा व्यय होता है।

– ड्राईविंग के दौरान क्लच पर पांव नहीं रखें, गीयर चेंज करते समय ही क्लच का प्रयोग करें क्योंकि क्लच में गाड़ी चलने पर अधिक ईंधन व्यय होता है।

– ल्यूब्रिकेन्ट को समय पर चेंज करते रहें। ऑयल बदलने से पहले इंजन को साफ कर देना चाहिए।

– वाहन को कुछ देर चालू रखने के लिए क्लच व एक्सीलेटर की बजाय हैण्डब्रेक का उपयोग उत्तम रहता है।

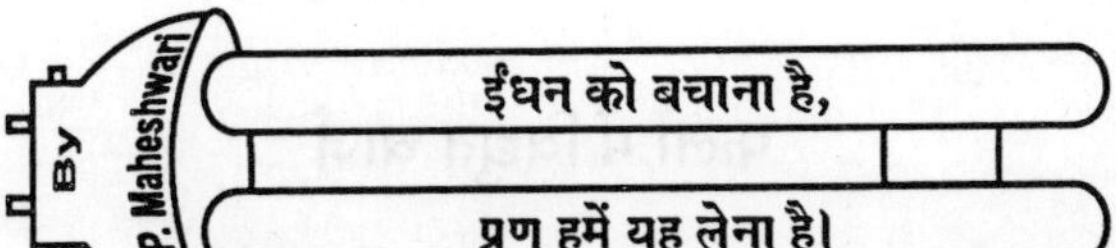

47 जानकारी एवं रोचक प्रयोग

अ. फलों से बैटरी – बच्चे बनाये घर पर बैटरी

बैटरी के छोटे बल्ब को जलाने के लिए प्रायोगिक तौर पर घर पर भी बैटरी बना सकते हैं। इसके लिए चार पाँच सेब अथवा नींबू लें। साथ ही पाँच कोपर की एवं पाँच जस्ते की पट्टियाँ लें। अब तांबे की पट्टी को जस्ते की पट्टी से नरम तांबे के तार से जोड़ दें। बैटरी के छोटे बल्ब से भी दो तार जोड़ कर एक सिरा तांबे की पट्टी से एवं एक सिरा जस्ते की पट्टी से जोड़ दें। अब सेब अथवा नींबू में करीब आधा ईंच से एक ईंच की दूरी पर एवं एक ईंच की गहराई में एक एक पट्टी डालें। चित्र में बताये गये सर्किट के बन जाने पर बल्ब जल उठेगा।

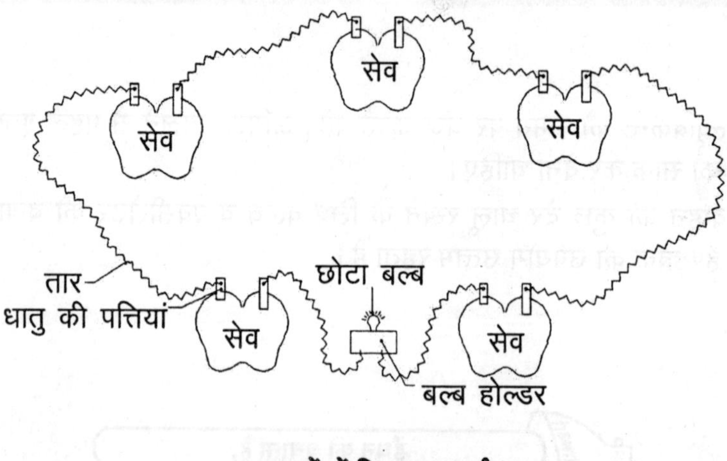

फलों में विद्युत चार्ज

ब. नैनो बैटरी – नई शोध :

अमेरिका में भारतीय शोधार्थियों ने कागज की तरह मुड़ने और लपेटने वाली बैटरी बनाई है। इसे बनाने के लिए कागज निर्माण में उपयोग में आने वाले पौधे सेल्यूलोज का 90 प्रतिशत इस्तेमाल किया गया है। सेल्युलोज के साथ ही दूसरे पदार्थो को नेनो टेक्नोलॉजी पदार्थ यानी कार्बन नैनोट्यूब्स के जरिये मिलाया गया। यह नैनोट्यूब बैटरी के लिए प्लस और माईनस की भूमिका निभाते हैं। नैनो तकनीक से बनी यह बैटरी दिखने में भले ही छोटी और हल्की है, परन्तु इसमें अपार ऊर्जा संरक्षित करने की क्षमता रहती है।

स. भविष्य में बिजली का विकल्प :

शोधार्थी डॉ. चेतन ठाकर ने बताया कि मैग्नेटिक एनर्जी भविष्य में बिजली की जगह ले सकती है। इलेक्ट्रॉन व प्रोटॉन की नेगेटिव एवं पॉजिटिव एनर्जी के बीच अंतरक्रिया से उत्पन्न होने वाली चुम्बकीय शक्ति के प्रयोग की विधि को 'स्पिनट्रोनिक्स' तकनीक कहते हैं इस सिद्धांत के अनुसार उपकरण को बाहर से मैग्नेटिक फील्ड देने से उसकी अंदरूनी मैग्नेटिक फील्ड सक्रिय हो जाता है इससे इलेक्ट्रॉन ज्यादा स्पिन करता है इस क्रांतिकारी तकनीक से उपकरणों को सूक्ष्मतम रूप भी दिया जा सकेगा।

द. ईंधन का विकल्प – पौधे :

1- जोजोबा : रेगिस्थान में लगने वाला झाड़ीनुमा यह पौधा

करीब 1.5 मीटर ऊँचाई का होता है। इसकी उम्र लगभग 100 वर्ष होती है। इस पौधे के बीजों में वेक्स होता है, जिसका तेल बनाकर ईंधन एवं ब्रेकऑयल के रूप में प्रयोग हो सकता है। इन बीजों से निकला हुआ तेल भविष्य में ऊर्जा का विकल्प होगा, क्योंकि इसके बीजों में 40 से 45 प्रतिशत तक तरल वेक्स मिल जाता है।

2- जेट्रोपा (रतनजोत) : सल्फर एवं कार्बन रहित डीजल बनाने के लिए एवं प्राकृतिक डीजल में मिक्स करके उपयोग में लेने हेतु ईंधन का यह बेहतरीन विकल्प है। यह पौधा भी शुष्क एवं परती भूमि में विकसित हो सकता है एवं उन्नत बीजों के उपयोग से यह करीब 9 माह में तैयार हो जाता है। एक बार उगाये जाने के पश्चात् इन पौधों का जीवन लगभग 50 वर्ष होता है। वर्तमान में प्रति हेक्टर पर 4 से 6 टन प्रति हैक्टर उपज मिल रही है। जिससे करीब 25–35 प्रतिशत तक बायोडीजल मिल जाता है।

य. मोबाईल से जलायें लाईट :–

मोबाईल से बात करने व मैसेज करने के साथ ही आप घर के इलेक्ट्रॉनिक आइटम्स को भी इससे कंट्रोल कर सकते है। जरा सोचिये....... आप आउट ऑफ स्टेशन गए हैं और रात के वक्त घर में पोर्च की लाईट जलानी है। बड़ा मुश्किल है न यह काम। ऐसे में अगर मोबाईल के बटन को दबाकर घर के किसी भी कक्ष की लाईट जलाई जा सके तो..... क्यों पड़ गए न हैरत में...। जी हाँ, अब यह संभव है, जिस मोबाइल के की–पेड का इस्तेमाल आप किसी

को फोन या फिर मैसेज करने के लिए करते हैं, उसी की–पेड के जरिए आप कहीं से भी घर के इलेक्ट्रॉनिक उपकरणों को ऑन या ऑफ कर सकते हैं यह कारनामा कर दिखाया है जीत कॉलेज के इलेक्ट्रॉनिक के छात्र ओमप्रकाश वगैरह ने।

इसके लिए मास्टर कंट्रोल बॉक्स का निर्माण किया गया। जिसे मेन सप्लाई से जोड़ा गया। इसके बाद घर के सभी इक्विपमेंट्स इस बॉक्स से कनेक्ट किए गए। कंट्रोल बॉक्स में ऑटोमेटिक आंसरिंग फैसेलिटी वाले मोबाइल को हैडफोन के जरिए मेन आईसी से जोड़ा गया। इसके बाद यदि हम कंट्रोल बॉक्स में लगे मोबाइल पर फोन करते हैं तो ऑटो–आंसरिंग होने के कारण लाइन कनेक्ट हो जाती है। इसके बाद हम मोबाइल के की–पैड को दबाते हैं तो सर्किट से कनेक्ट मोबाइल उस सिग्नल को मेन आईसी के पास भेजता है। इसके बाद वह सिग्नल रिले रीड करता है। जिससे आउटपुट में लगा एक्विपमेंट ऑन या ऑफ होता है। घर के सभी इक्विपमेंट कंट्रोल बॉक्स में लगे रिले से जुड़े रहेंगे। सभी रिले का कनेक्शन मेन आईसी से होगा। रिले की संख्या बढ़ाकर लोड भी बढ़ा सकते हैं।

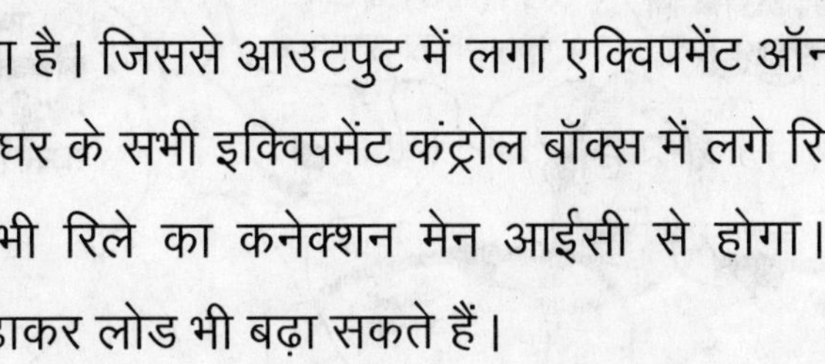

पुरानी तकनीक
उपयोग में लापरवाही
अन्धकारमय भवन
मशीनों का घर्षण
ईंधन का ह्रास
पर्यावरण का विनाश
ऊर्जा का रिसाव
पुरानी मशीनरी
ऊर्जा की चोरी
ऊर्जा संरक्षण
ऊर्जा अपव्यय के
रावण का दहन
आप भी कर सकते है।
– ओ. पी. माहेश्वरी

Generation, Creation & Production
से देश की प्रगति है, आओ बिजली
बचाकर इसका उत्पादन करें।
बिजली की बचत भी
बिजली का उत्पादन है
एक-एक यूनिट बिजली
की बचत, एक गरीब की
झोपड़ी में रोशनी ला
सकती है।
बिजली बचत
बिजली उत्पादन
बचत
प्रगति पथ
गर्त का रास्ता
पुरानी तकनिक
लापरवाहि एवं चोरियाँ
प्रदूषण एवं विनाश
कुशल संचालन
उत्तम प्रसारण
अधिक उत्पादन
O.P.MAHESHWARI

{ज} विविध आयाम

- ★ कविताऐं
- ★ स्लोगन
- ★ पोस्टर - ऊर्जा संरक्षण
- ★ क्या आप जानते है ?
- ★ ऊर्जा संरक्षण सहयोग हेतु प्रमुख संस्थान
- ★ प्राईमरी युनिट एवं गणना सुत्र
- ★ प्रयास का आईना
- ★ शब्दावली

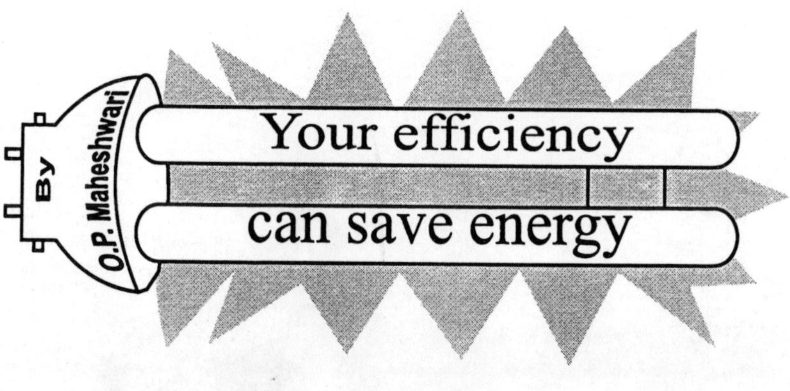

'बिजली को बचाना है'

बिजली को बचाना है, आदत इसे बनाना है।
जब न हो उसकी आवश्यकता, हाथ स्विच पर बढ़ाना है।
सूरज के उजियारे में, रोशनी खिड़कियों से लेनी है।
घर में लगे बल्बों की जगह, अब सी.एफ.एल. लगानी है।
बिजली की बढ़ती खपत में, मितव्ययता को बढ़ाना है।
बिजली की मोटर में, दक्षता को बनाए रखना है।
कैपिसिटर्स के उपयोग से बिजली को बचाना है।
समय–समय पर बियरिंग में ग्रीस, तेल लगाना है।
सूरज की किरणों से, घर को रोशन बनाना है।
हल्के रंगों से, छत, दीवारों को सजाना है।
अक्षय ऊर्जा का अब उपयोग बढ़ाना है।
नई तकनीक हम सबको अब अपनानी है।
आदत बिजली बचत की अब हमें बनानी है।

कदम बढ़ायें

ऊर्जा संरक्षण हर क्षण करें, हम टालें न उसको आज।
बिजली बचत में सार है, वरना होगा पैसे का नाश।
यह ऊर्जा आपकी है, फिर कैसा इसका विनाश।
बिजली बचत है उत्पादन, प्रगति का है मेरूदण्ड।
एक फूल गुलशन महकाये, एक यूनिट बिजली बचाये।
एक वॉट बिजली बचत, एक झोंपड़ी करे रोशन।
आओ मिलकर बिजली बचायें, प्रगति पथ पर कदम बढ़ायें।

कई सारे लेख लिखे,
कई सारी कविताएं रची
कई सारे स्लोगन दिये
कई रंगों के पोस्टर बनाये,
नये–नये शोध के लिये सोचा
भाषण द्वारा जागरूकता बढ़ाई
कुछ किया, करने की तमन्ना रखी
आओ ऊर्जा संरक्षण की वैश्विक
चेतना से जुड़ जाये हम सब
क्योंकि देश की प्रगति उत्पादन से है
बिजली बचत बिजली का उत्पादन है
जब भी मैंने ऊर्जा का अपव्यय देखा
तब–तब देश की दुर्गति का अहसास हुआ

तीन का आँकड़ा

तीन चीजें बिजली से मिलती :– प्रगति, रोशनी और शक्ति

तीन फेज होते बिजली तारों में :– बी. वाई. और आर फेज

तीन चीजों का ध्यान रखें :– मितव्ययता, ईमानदारी, विद्युत हानि

विद्युत विभाग के तीन मुख्य कार्य :– उत्पादन, प्रसारण और वितरण

विद्युत वितरण के तीन निगम :– जोधपुर, जयपुर और अजमेर निगम

तीन चीज है विनाशक :– लापरवाही, अज्ञानता एवं दुरूपयोग

तीन चीज वापस नहीं आती :– व्यय ईंधन, गया समय और अपव्यय ऊर्जा

तीन चीज का सरकारी नारा :– पानी बचाओ, बिजली बचाओ और सबको पढ़ाओ।

बिजली संरक्षण के तीन लाभ :– उत्पादन बढ़े, कीमत घटे, कटौती से मिले राहत

तीन तीन से बनें :– 33 के.वी. बिजलीघर

ऊर्जामय घर

ऊर्जामय घर – रोशनीमय होगा, सही प्लानिंग और तकनीक से

ऊर्जामय घर – रोशनमय होगा, जब प्रकाश का होगा अभिनंदन

ऊर्जामय घर – रोशनी और हलचल से मिटेगा जीवन का अन्धकार

ऊर्जामय घर – प्रकाशमय तब होगा, जब होगा अन्धेरे का विनाश

ऊर्जामय घर – प्रगति की पहली सोपान

ऊर्जामय घर – अपनों की शक्ति का स्त्रोत

ऊर्जामय घर – रोशनी का अपना प्रकाश पुंज

ऊर्जामय घर – द्वार होता है प्रकाश किरणों का

ऊर्जामय घर – प्रकृति और अपनों का बड़ा उपहार

ऊर्जामय घर – ईंधन और पानी संरक्षण की कुंजी

ऊर्जामय घर – अपने लोगों का विश्वास और हिम्मत

ऊर्जामय घर – सिखाता अच्छा, बुरा व्यवहार

ऊर्जामय घर – शुरू करता जीवन का आधार

ऊर्जामय घर – देता है हर्ष और उल्लास का माहौल

ऊर्जामय घर – अपनों से और दीवारों से बनेगा

ऊर्जामय घर – ऊर्जामय बनेगा आपकी शक्ति एवं कर्म से

ऊर्जामय घर – प्राकृतिक हवा, रोशनी से बनता प्रफुल्लित

मैं खुश हुआ जब

मैं खुश हुआ जब

अनावश्यक जल रही बिजली के स्विचों पर बच्चों के हाथ बढ़ने लगे।

मैं खुश हुआ जब

मेरे साथियों ने बिजली बचाकर, राष्ट्रीय कार्य में योगदान शुरू किया।

मैं खुश हुआ जब

घरों में बल्ब (इन्कैण्डैसेन्ट) के स्थान पर सी.एफ.एल. का उपयोग बढ़ा।

मैं खुश हुआ जब

बिजली के बड़े–बड़े बिल को देख बिजली उपयोग के प्रति जागरूकता बढ़ी।

मैं खुश हुआ जब

खराब सी.एफ.एल. से एल. ई. डी. लैम्प और ट्यूब लाईट जलने लगी।

मैं खुश हुआ जब

थर्मल से निकली राख स्लरी के उपयोग हेतु मेरे किये गये प्रयासों की सराहना राष्ट्रीय स्तर पर हुई।

मैं खुश हुआ जब

वैकल्पिक साधनों के उपयोग में स्वचालित स्विचों के उपयोग में बढ़ोत्तरी हुई।

मैं खुश हुआ जब

राज्य सरकार ने बिजली बचाने के मेरे प्रयासों को ऊर्जा दिवस पर सम्मान प्रदान किया।

मैं खुश हुआ जब

जब विद्युत चोरी छोड़, संरक्षण के प्रयास बढ़ने लगे।

मैं खुश हुआ जब

मेरे द्वारा बनाया गया पोस्टर ऊर्जा दिवस की झांकियों में पुरे शहर में मुख्य आकर्षण का केन्द्र रहा।

मैं खुश हुआ जब

कई लोग मुझसे बिजली बचाने के टिप्स जानकर अपनाने लगे एवं अपव्यय को रोकना शुरू किया।

मुझे दुःख हुआ जब

ऊर्जा संरक्षण के इस कार्यक्रम को आप तक नहीं पहुँचा सका।

जहान्

'ऊर्जा का उपयोग है प्रगति का मार्ग
ऊर्जा का संरक्षण है रोशनी की किरण'
अंधेरों से डर जाना आसान होता है
हर पहलु जिंदगी का इम्तिहान होता है
जीवन में डरने वालों को हार मिलती है
साहसी के कदमों में जहान होता है

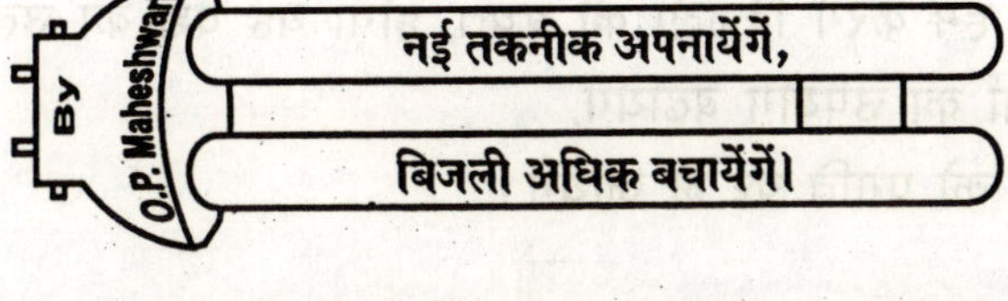

स्लोगन- ऊर्जा संरक्षण (प्रोग्रेसिव)

– बिजली का उपयोग, विकास का पथ,
बिजली का अपव्यय विनाश की राह।

– बिजली बचाओ उत्पादन पाओ,
जागृत रहकर देश को प्रगतिशील बनाओ।

– देश को प्रगति की ओर ले जाने का विचार किया,
बढ़ाकर हाथ बिजली बचत का प्रयास किया।

– भारतीयता का गौरव ऊर्जा संरक्षण में है,
भारत की प्रगति ऊर्जा उत्पादन में है।

– बिजली की बचत देश का उत्पादन,
बिजली की खपत देश की प्रगति।

– बिजली का न करो विनाश,
तभी होगा हमारा विकास।

– प्रगति का मूलमंत्र है,
ऊर्जा का भरपूर उपयोग।

-- बिजली बचाओ, पानी बचाओ,
देश को प्रगतिशील बनाओ।

– विकास की राह पर आगे कदम बढ़ाये चल,
ऊर्जा की बचत पर साथी हाथ बढ़ाये चल।

– शरीर साधन के लिए जैसे है जलपान,
वैसे ही प्रगति के लिए ऊर्जा अपव्यय की रोकथाम।

– माचिस की एक तिली भरे हुए खलिहान को खाक कर सकती है, बिजली के एक एक वॉट का अपव्यय, प्रगति रोक सकता है। आओ प्रण करें ऊर्जा बचत में सहयोग करें।

– ऐ मेरे वतन के लोगों,
ऊर्जा को तुम बचाना।

– जब हम करेंगे ऊर्जा अपव्यय, देश की प्रगति को लगेगा धक्का,
जब हम करेंगे बिजली की बचत, होगा यह देश का उत्पादन।

– ऊर्जा का उपयोग बढ़ायेंगे,
देश को प्रगति पर ले जायेंगे।

– मेरा देश मेरी ऊर्जा,
इसे बचाना प्रगति बढ़ाना।
– बिजली की सही बचत देश का उत्पादन,
बिजली की सही खपत देश की प्रगति।
– बिजली बचे, पानी बचे,
विकास की राह आसान बने।
– प्रण अब ये लेते है, बिजली बचायेंगे मिलकर सब,
ऊर्जा का उपयोग बढ़ायेंगे, हानि पर नजर लगायेंगे अब।
– ऊर्जा का न नशा हो,
प्रगति जब के साथ हो।
– महान देश में अपना कार्य,
बिजली बचाओ, उन्नति बढ़ाओ।
– जो अपने राष्ट्र से प्रेम करते है,
प्रगति हेतु ऊर्जा संरक्षण करते है।
– बिन साधन के बिजली नहीं बनती
बिन बिजली प्रगति नहीं मिलती।
– प्रगति का मूल–मन्त्र है,
ऊर्जा का भरपूर उपयोग।
– महान देश का महान कार्य,
बिजली बचाओ उन्नति बढ़ाओ।
– प्रत्येक यूनिट में निहित है विकास,
बिजली बचाकर बने हम भी भागीदार।
– ऊर्जा का न करो विनाश,
तभी होगा हमारा विकास।
– ऊर्जा संरक्षण देगा रोशनी की किरण,
ऊर्जा का उपयोग प्रगति का मार्ग।
– चलो हम कुछ कर दिखायें,
ऊर्जा बचत में कदम बढ़ायें।
– कृत्रिम ऊर्जा का ना करो ह्रास,
तभी होगा हमारा विकास।

स्लोगन-ऊर्जा संरक्षण (क्रियेटिव)

– पानी बचाओ, बिजली बचाओ,
देश को प्रगतिशील बनाओ।

– बिन साधन के बिजली नहीं बनती,
बिन बिजली प्रगति नहीं मिलती।

– हम आपसे आपकी ही उन्नति मांगते है,
बिजली बचाकर अपना अमूल्य सहयोग दें।

– ऊर्जा की हानि जीवन बने घाणी,
ऊर्जा का उत्पादन जीवन का साधन।

– कैसे यह करुं स्वीकार तुम करो मेरा तिरस्कार,
मैं बिजली यहीं चाहती हूँ तुम करो मेरा सत्कार।

– जन जन ने यह ठाना है,
अब बिजली को बचाना है।

– सी.एफ.एल. लगायें,
बिल में राहत पायें।

– राष्ट्र प्रगति के अमर निशान,
शिक्षा, ऊर्जा उत्पादन और संरक्षण

– जीवन खुशीयों से तुम भर लो,
पानी, बिजली का संरक्षण अब कर लो।

– बिजली संरक्षण से देश विकास,
गाँव–गाँव बिजली, घर–घर रोशन।

– राष्ट्र प्रगति के अमर निशान,
अधिक उत्पादन और संरक्षण।

– जिन खोजा तिन पाईया, गहरे पानी पैठ

जिन बिजली बचावत, तिन पाईया उत्पादन।

– देश का विकास क्रियेशन, प्रोडक्शन, जनरेशन से,

आओ बिजली बचाकर हम भी भागीदार बनें।

– सी.एफ.एल. को भी हम भूल जायेगें,

जब लैड बल्ब को हम अपनायेगें।

– लैड बल्ब में माइक्रोवॉट व्यय,

ज्यादा रोशनी बहुत कम व्यय।

– विकास की राह पर, ऊर्जा उपयोग बढ़ाये चल,

ऊर्जा के ह्यस पर, अपना दिमाग लगाये चल।

– घर का अंधेरा भगाये प्रकाश दीप,

देश का अन्धेरा भगाये ऊर्जा संरक्षण।

– आजादी अब ऊर्जा उत्पादन की,

जिम्मेदारी अब ऊर्जा संरक्षण की।

– भवन निर्माण में देना है ध्यान,

ऊर्जा बचाने का करें समाधान।

– आओ हम सभी ऊर्जा बचाने में भागीदार बनें,

देश की प्रगति में हम सब साझीदार बनें।

– हल्के रंगों से घर को सजायें,

घर में प्रसन्नता का दीप जलायें।

– नगण्य खपत, ज्यादा रोशनी,

लैड बल्ब की सही जानकारी।

– ज्यों चकमक में है आग, ज्यों तिल में है तेल

ऐसे ही बिजली बचत में है, बिजली का उत्पादन

स्लोगन-ऊर्जा संरक्षण (इनोवेटिव)

– यदा यदा ऊर्जायाः विनाशतेः,
तदा तदा नवीन तकनीकैः सृजाम्यहम्।

– चलो हम भी कुछ कर दिखायें,
ऊर्जा बचत में एक कदम बढ़ायें।

– अक्षय ऊर्जा का उपयोग बढ़ाओ,
कृत्रिम ऊर्जा में बचत कराओ।

– इनकंडेसेंट बल्ब हटाओ,
फ्लोरोसेंट बल्ब लगाओ।

– ऊर्जा क्षति को बचाना है,
जीवन स्तर को बढ़ाना है।

– ऊर्जा बढ़ाना – देश को बढ़ाना,
ऊर्जा बचाना – देश को बचाना

– जीवन स्तर बढ़ाओ ज्ञान से,
ऊर्जा स्तर बढ़ाओ विज्ञान से।

– नई तकनीक अपनायेंगे,
बिजली अधिक बचायेंगे।

– देश बढ़ेगा प्रगति की ओर,
जब नई तकनीक अपनायेंगे।

– लेड बल्ब में माइक्रोवॉट व्यय,
बिजली बचाए नई तकनीक अपनाएँ।

– इच्छा पूर्ति का नाम ऊर्जा है,
ऊर्जा बचत का नाम उत्पादन है।

– आओ ज्ञान का प्रकाश फैलाएँ,
विद्युत अपव्यय पर लगाम लगाएँ

– धर्म कहता है सद्कर्म करो,
ऊर्जा बचाने का सही कर्म करो,

– ऊर्जा संरक्षण का करें अभिनन्दन,
प्राकृतिक ऊर्जा से ले आनन्द।

– अंधेरे का भगाये प्रकाश,
ऊर्जा को बचाये दक्षता।

– ऊर्जा के नव स्त्रोत जगाओ,
नई तकनीक को अपनाओ।

– मिल जाता है सूर्य का, दिन में हमें प्रकाश,
तो फिर विद्युत का कर, क्यों हम व्यर्थ ही नाश।

– पंखे कूलर चल रहे, जब खाली है कक्ष,
क्यों न दिखाई दे रही, हानि खड़ी प्रत्यक्ष।

Justice Very Valuable Needful Light

(JVVNL)

Avoid Wasteful Use of Electricity

स्लोगन- ऊर्जा संरक्षण (कन्जरवेशन)

- प्राकृतिक ऊर्जा का करे वंदन, कृत्रिम ऊर्जा का करे सरंक्षण।
- ऐ भाई बिजली जरा देख के जलाओ, जरुरत न हो तो इसे बन्द भी कराओ।
- इतने जहाँ में 'ओम' तुझे बिजली चोर ही मिले, कहाँ है जन जो ऊर्जा संरक्षण की बात करे।
- एक एक बूँद ईंधन बचायें, एक गरीब की झोंपड़ी में दीपक जलायें।
- बाय–बाय स्विचजी, फिजूल में ना रहने देंगे चालूजी।
- आबादी का बढ़ता बोझ, ऊर्जा के घटते स्त्रोत, आओ इस पर करें रोक, ऊर्जा बचत में करें सहयोग।
- अंधेरे को दूर भगाना है, सुन्दर व्यवस्थित घर बनाना है।
- बस एक यूनिट ऊर्जा की बचाओ, बिजली जितनी जरुरत उतनी ही जलाओ।
- ऊर्जा संरक्षण की आदत बनाओ, घर–घर उत्पादन का दीप जलाओ।
- रघुकुल रीत सदा चली आई, वचन हमें निभाना है, बिजली को बचाना है।
- बिजली है अनमोल, हम सब जाने इसका मोल।
- ऊर्जा का ना मिसयूज करो, सही माने में यूज करो,
- अब तो मानो मेरे भाई, समझाती है बिजली माई।
- ऊर्जा का उत्पादन कठिन है जितना, ऊर्जा का संरक्षण आसान है उतना।

- ऊर्जा संरक्षण कर दो मिसाल, देश ऐसे बिरलों पर हो निहाल।
- हर हाल में बिजली को बचाना, ऊर्जा संरक्षण का दीप जलाना।
- बिजली जलाओ उतनी, आवश्यक समझो जितनी।
- बिजली बचाये देश के सारथी, बिजली चुराये देश के घाती।
- बिजली के अपव्यय को रोको, दिनचर्या में इसको ढालो।
- शिक्षा बढ़ायें, ऊर्जा बचायें।
- बिजली बचाने का लेते है प्रण अब, बिजली बचायेंगे मिलकर हम सब।
- मैं थाने कैदूंसा बिजली बचावण में घणों घणों सार सा।
- ऊर्जा लगाये ऊर्जा बचाये, मिलकर हम सब इसे बढ़ायें।
- प्रण अब हम लेते है, बिजली बचायेंगे मिलकर सब।
- ऊर्जा का उपयोग बढ़ायेंगे, हानि पर नजर लगायेंगे।
- बिजली के अपव्यय को रोको, दिनचर्या में इसको ढालो।
- मेरा देश मेरी ऊर्जा, ऊर्जा बचाना उत्पादन बढ़ाना।
- बिजली का सदुपयोग, स्वयं एवं देशहित में हो।
- डंके की चोट पे, बिजली बचाये दौड़ के।
- बिजली को बचाना है, मन ने ये ठाना है।
- बिजली बचाओ देश को आगे बढ़ाओ।
- बिजली है अनमोल, इसे व्यर्थ न गंवाये।
- बचत की आदत, बिल में राहत।

- अंधेरे को दूर भगाना है, घर–घर को रोशन बनाना है।
- बिजली विभाग हमारा मित्र है, हम सब जाने ऊर्जा का मोल, तभी होगा दोस्ती का तोल–मोल

- बिजली बचायेंगे जो, पैसे बचायेंगे वो
- जिसने बिजली की कीमत जानी, खुशहाल हुई उसकी जिन्दगानी
- ईंधन को बचाना है, प्रण हमें यह लेना है।
- सोच–समझ कर सब करें उपयोग, बिजली का अपव्यय, बिल का भुगतान
- बिजली का उत्पादन बहुत मंहगा है, बिजली का संरक्षण बहुत सस्ता है।
- जितनी जरुरत हो, बिजली उतनी ही जलायें।
- बिजली है अनमोल, हम सब जाने इसका मोल।
- बिजली को बचाना है, वचन हमें निभाना है।
- बिजली की सही बचत देश का उत्पादन, बिजली की सही खपत देश की प्रगति।
- जैसा कर्म करोगे, वैसा फल देगा भगवान, जितनी बिजली बचाओगे, उतना उत्पादन पाओगे, कर्म करोगे वैसा फल मिलेगा, यह है गीता का ज्ञान।

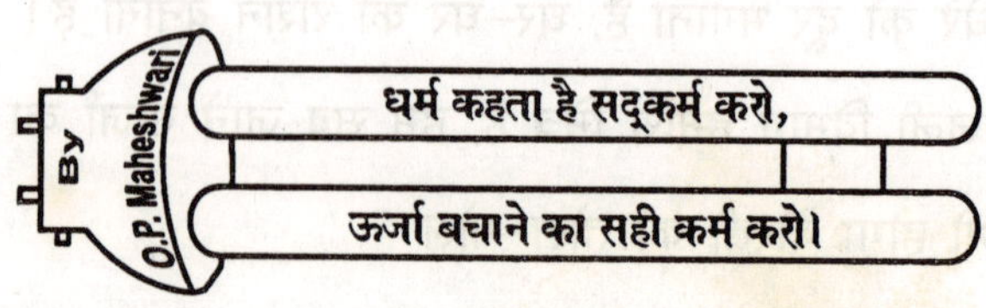

51 क्या आप जानते हैं?

- किसी चालक तार में इलेक्ट्रॉन्स के बहाव को विद्युत धारा कहते हैं।
- वोल्टेज और करण्ठ के गुणनफल को पॉवर कहते हैं जिसकी इकाई वॉट होती है।
- साधारण मानव शरीर का करण्ट रैजिस्टेंस 50,000 Ω सूखी हालत में तथा 1000 ओम गीली अवस्था में रहता है।
- एक किलो यूरेनियम नाभिकीय विखण्डन क्रिया द्वारा एक दिन में 1000 मेगावाट बिजली उत्पन्न करता है।
- 100 वॉट का बल्ब 10 घण्टे जलने पर एक युनिट बिजली का व्यय होता है।
- एक एच.पी. की मोटर लगभग 746 वॉट का व्यय करती है।
- ज्ञात वॉट के लिए वोल्ट (साधारणतया 230 वॉल्ट) से भाग देने पर लिया गया करंट एम्पीयर में ज्ञात हो जाता है।
- पानी से बिजली –

  a. हाईडल प्रोजेक्ट में बिजली का उत्पादन बहते हुए पानी की ऊर्जा के उपयोग से होता है।

  b. हाइड्रो प्रोजेक्ट में स्टोर किये गये पानी की ऊर्जा से बिजली का उत्पादन होता है।

  c. थर्मल प्रोजेक्ट में पानी को भाप में बदलकर टर्बाइन चलाते हैं।

d. टाईडल प्रोजेक्ट में समुद्र के पानी की लहरों की ऊर्जा से बिजली का उत्पादन करते हैं।

❖ सूर्य किरणों में एक तिहाई प्रकाश इन्फ्रारेड किरणों से मिलता है जो किसी वस्तु को गर्म करने का कार्य करती है। यही कारण है कि सूर्य किरणों में प्रकाश के साथ गर्म करने की शक्ति होती है।

❖ दो 60 वॉट के बल्ब के मुकाबले एक 100 वॉट का बल्ब से ज्यादा ल्यूमन रोशनी मिलती है।

❖ लाईट का वेग (वेलोसिटी) 3 X 10^{8} मीटर प्रति सैकण्ड होती है यानि सूर्य से पृथ्वी पर किरण पहुँचने में लगभग आठ मिनट का समय लगता है।

❖ 1 वॉट की सी.एफ.एल. से 100 ल्युमन एवं 40 वॉट की ट्यूब लाईट से 2200 ल्युमन रोशनी मिलती है।

❖ सिलिकन विश्व में सबसे अधिक मात्रा में मिलने वाला अर्द्ध चालक तथा प्रकाश वोल्टीय पदार्थ होता है। सिलिकॉन या केड़मियम पर सूर्य का प्रकाश पड़ने से उसमें इलेक्ट्रॉन प्रवाह (यानि विद्युत) प्रारम्भ हो जाती है।

❖ ए.सी. विद्युत धारा की फ्रीक्वेंसी 50 साईकिल प्रति सैकण्ड होती है।

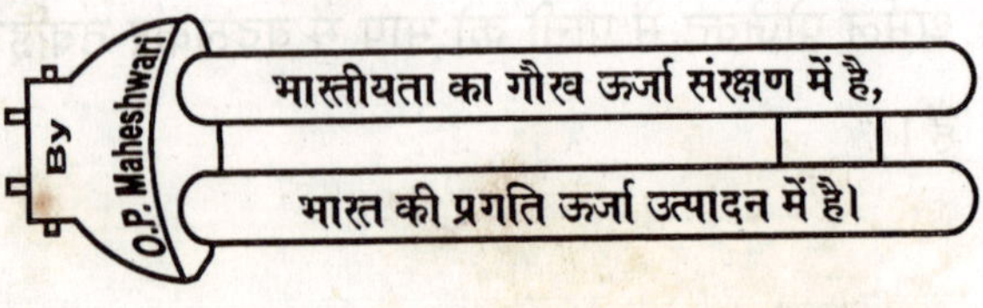

52 ऊर्जा संरक्षण सहयोग हेतु प्रमुख संस्थान

1.	नवीन और नवीकरणीय ऊर्जा ब्लॉक न .14, केन्द्रीय कार्यालय परिसर, नई दिल्ली – 110003	सलाह हेतु
2.	राजस्थान इलेक्ट्रोनिक्स एवं इन्स्ट्रूमेन्ट्स लि. (रील) 2, कनकपुरा औद्योगिक क्षेत्र, सिरसी रोड़, जयपुर फोनः 0141–2173162	सोलर उपकरणों हेतु
3.	सुधा वेन्टिलेटिंग सिस्टम प्रा. लि. बी. 85, एम. आई. डी. सी., अहमदाबाद – 414111 फोन – 0241–2777285, 5610285	टर्बो वेन्टिलेटिंग फेन हेतु
4.	ब्यूरो ऑफ एनर्जी एफिसेन्सी 4 तल, सेवा भवन, आर. के. पुरम, नई दिल्ली – 110066 फोन : 011–26179699	ऊर्जा दक्षता हेतु
5.	जनसम्पर्क अधिकारी जो. वि. वि. नि. लि. न्यू पावर, जोधपुर फोन : 9413359015	बिजली संबंधी सूचना हेतु
6.	पैट्रोलियम कन्जर्वेशन रिसर्च एसोसिएशन संरक्षण भवन 10, भीकाजी कामा प्लेस, नई दिल्ली – 110066, फोन : 011–26198856	पेट्रोल डीजल बचत की सलाह हेतु
7.	राजस्थान अक्षय ऊर्जा निगम 166, युधिष्ठर मार्ग, सी–स्कीम, जयपुर फोनः 0141–2225016 मो. 9772228965	सौर ऊर्जा के उपकरणों के बारे में

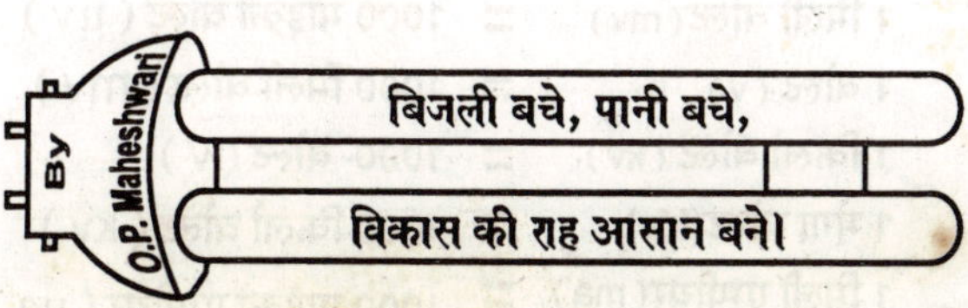

53 प्राईमरी युनिट और गणना सूत्र

युनिट		चिह्न	सूत्र
Force	ताकत	Newton (N)	Mass x acceleration
Work/energy	ऊर्जा	Jule (J)	Force x distance
Power	शक्ति	Walt (W)	Work/time or VxI
Density	घनत्व	D	Kilogram per cubic meter
Velocity	वेग	v	Meter per sec.
Discharge	मात्रा प्रति सेकण्ड	Q	Meter cube per sec.
Pressure	दबाव	Pascal (P)	Force/Area
Horse Power	अश्व शक्ति	H.P.	H.P.=wh/75 or (746watt)
Potential difference	वोल्ट	Volt (V)	Work/charge or IxR
Electric Resistance	अवरोध	Ohm (Ω), R	R=Volt/Amp.
Illumination	रोशनी	Lux (Lx)	Luminous/Area
Conductivity	चालकता	1/Resistance	
Accellaration	त्वरण	Velocity/Time	V/T
Torque	मरोड़	Fxdistance	Force x distance
Temperature	तापक्रम	Kalvin (K) or Centi.	
Electric Capacity		Farad (F)	
Magnetic flux	चुम्बकीय तंरगें	Weber(Wb)	Q/V
Charge	ऋण	Current x time	Pot. diff. x time
Meg.flax denisity	--	Tesla (T)	
Luminous flux		Lumen (Lm)	Mag flux/Area
Stress	बल	Force/Area	cd x Sr
Strain	तनाव	Change in length/ intitial length	
Luminous Intencity	ल्युमन	Candela (Cd)	
Electric current	एम्पीयर	Ampere (A) or I	
Heat	ऊष्मा	joule(J)	

ऊर्जा माप की इकाईयाँ

1 किलो वाट = 10^3 वाट
1 मेगा वाट = 10^6 वाट
1 गिगा वाट = 10^9 वाट
1 टेरा वाट = 10^{12} वाट
1 मिली वोल्ट(mv) = 1000 माइक्रो वोल्ट (μv)
1 वोल्ट (v) = 1000 मिली वोल्ट (mv)
1 किलो वोल्ट (kv) = 1000 वोल्ट (V)
1 मेगा वोल्ट(Mv) = 1000 किलो वोल्ट (kv)
1 मिली एम्पीयर(ma) = 1000 माइक्रो एम्पीयर (μa)

54 प्रयास का आईना

बिजली विभाग की मासिक पत्रिका 'विद्युत वितरण संदेश' में कई सारे लेख, कवितायें आदि का प्रकाशन होता रहा है इन्हीं लगातार प्रयास को देखते हुए विभाग ने **"नेशनल अवार्ड फॉर आउटस्टेन्डिंग एफर्ट इन साइंस एण्ड टेक्नोलोजी कम्यूनिकेशन थ्रू बुक्स एण्ड मैग्जीन"** के लिए नाम प्रस्तावित किया।

वर्ष 2007 में पुस्तक "बिजली कैसे बचाएं?" का प्रकाशन हुआ। इस पुस्तक की उपयोगिता को देखते हुए **ऊर्जा दिवस 2008 पर राज्य स्तरीय अवार्ड माननीय मुख्यमंत्री द्वारा प्रदान किया गया।**

ऊर्जा संरक्षण सप्ताह प्रतिवर्ष बिजली विभाग द्वारा मनाया जाता है। इस सप्ताह में जिला स्तर पर पोस्टर एवं स्लोगन हेतु प्रतियोगिताऐं आयोजित की जाती है इसमें मेरे द्वारा कई सारे **अवार्ड** जीते गये। साथ ही मेरे द्वारा बनाया गया पोस्टर को बड़ा होर्डिंग (फ्लेक्स) बनवाकर विभाग की झांकियों में ट्रक पर लगवाकर जनता में जागृति हेतु उपयोग किया गया। वैसे तो मेरी पहली पुस्तक को और भी कई सम्मान मिले है। विश्व पर्यावरण दिवस पर मेहरानगढ़ ट्रस्ट द्वारा माननीय जोधपुर नरेश द्वारा अवार्ड प्रदान किया गया, समाज के उच्च पदासीन एवं संस्थाओं द्वारा भी समय समय पर सम्मानित करने का क्रम चलता रहा। इसी से उत्साहित होकर सिविल अभियन्ता होते हुए भी पुनः बिजली बचाने के तरीके नामक पुस्तक लिखने का उत्साह मिला।

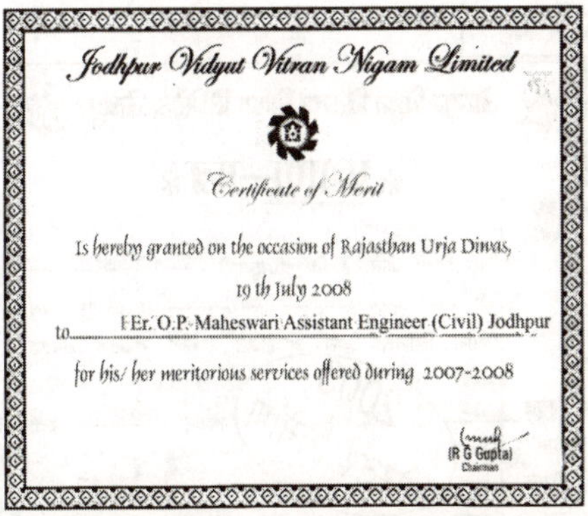

Jodhpur Vidyut Vitran Nigam Limited

Certificate of Merit

Is hereby granted on the occasion of Rajasthan Urja Diwas,
19 th July 2008
to Er. O.P. Maheswari Assistant Engineer (Civil) Jodhpur
for his/ her meritorious services offered during 2007-2008

(R G Gupta)
Chairman

बिजली कैसे बचायें? पुस्तक के लिये माननीय मुख्यमंत्री राजस्थान सरकार द्वारा सम्मान

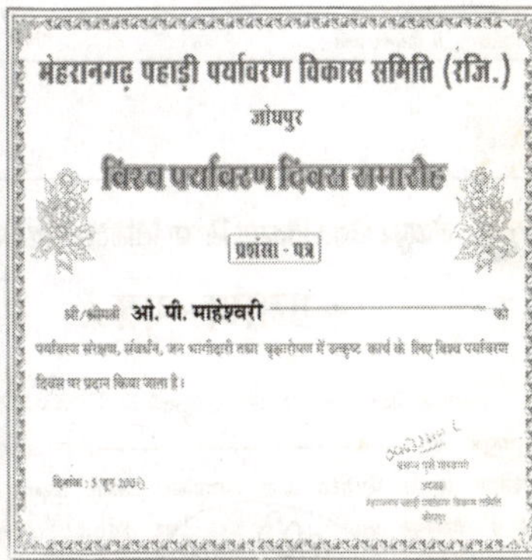

मेहरानगढ़ पहाड़ी पर्यावरण विकास समिति (रजि.)
जोधपुर
विश्व पर्यावरण दिवस समारोह
प्रशंसा - पत्र
श्री/श्रीमती ओ. पी. माहेश्वरी को

पर्यावरण दिवस पर मेहरानगढ़ ट्रस्ट द्वारा किया गया सम्मान

ऊर्जा संरक्षण के लिए जिला स्तरीय प्रतियोगिताओ मे पुरस्कार

जोधपुर विद्युत वितरण निगम लिमिटेड

न्यू पावर हाऊस रोड, जोधपुर

प्रमाण-पत्र

प्रमाणित किया जाता है कि श्री/श्रीमती/कुमारी ओ. पी. माहेश्वरी

पुत्र/पुत्री/पत्नी श्री/श्रीमती सहायक अभियंता (विविध), जोधपुर डिस्कॉम ने

ऊर्जा संरक्षण सप्ताह 14 से 21 दिसम्बर 2005 के

दौरान ... आयोजित ...

प्रतियोगिता में ... प्रथम ...

अतः उन्हें इस प्रमाण ...

2005 स्लोगन प्रति.

21.12.2005

प्रबंध निदेशक

जोधपुर विद्युत वितरण निगम लिमिटेड

न्यू पावर हाऊस रोड, जोधपुर

प्रमाण-पत्र

प्रमाणित किया जाता है कि श्री/श्रीमती/कुमारी ओ. पी. माहेश्वरी

पुत्र/पुत्री/पत्नी श्री/श्रीमती ... ने

ऊर्जा संरक्षण सप्ताह 14 दिसम्बर से 21 दिसम्बर के

दौरान ... आयोजित पोस्टर निर्माण

प्रतियोगि...

अतः ... या जाता है।

2006 पोस्टर निर्माण

दिनांक : 21/12/06

अध्यक्ष एवं प्रबंध निदेशक

जोधपुर विद्युत वितरण निगम लिमिटेड

न्यू पावर हाऊस रोड, जोधपुर

प्रमाण-पत्र

प्रमाणित किया जाता है कि श्री/श्रीमती/कुमारी ओ. पी. माहेश्वरी

पुत्र/पुत्री/पत्नी श्री/श्रीमती सहायक अभियंता, जोधपुर डिस्कॉम ने

ऊर्जा संरक्षण सप्ताह 14 से 21 ... 2005 के

दौरान ... पोस्टर

प्रतियोगिता में ... प्रथ...

अतः उन्हें इस प्रमाण ...

2005 पोस्टर निर्माण

...2005

प्रबंध निदेशक

जोधपुर विद्युत वितरण निगम लिमिटेड, जोधपुर

प्रमाण-पत्र

प्रमाणित किया जाता है कि श्री/श्रीमती/कुमारी ओ. पी. महेश्वरी

पुत्र/पत्नी/पुत्री श्री ... महेश्वरी ने जोधपुर विद्युत

वितरण नि... ऊर्जा संरक्षण सप्ताह (9 दिसम्बर, 2004 से

14 दिस... पोस्टर प्रतियोगिता में

भाग लेकर ... स्थान प्राप्त किया ।

2004 पोस्टर निर्माण

(एस. के. विश्नोई)

प्रबन्ध निदेशक

जोधपुर डिस्कॉम, जोधपुर

स्थान : जोधपुर

दिनांक : 14 दिसम्बर, 2004

जोधपुर विद्युत वितरण निगम लिमिटेड, जोधपुर

* प्रमाण–पत्र *

...माणित किया जाता है कि श्री/कुमारी ओ० पी० माहेश्वरी

...ा श्री ——————— ने जोधपुर विद्युत

... निगम लिमिटेड द्वारा आयोजित "ऊर्जा संरक्षण सप्ताह"

... दिसम्बर 20... ...र 2003) के दौरान

पोस्टर ... लेकर प्रथम स्थान

...केया ।

2003 पोस्टर निर्माण

(एच. डी. चारण)

अध्यक्ष एवं प्रबन्ध निदेशक

जोधपुर डिस्कॉम, जोधपुर

... :- जोधपुर

... :- 14.12.2003

जोधपुर विद्युत वितरण निगम लिमिटेड, जोधपुर

* प्रमाण–पत्र *

प्रमाणित किया जाता है कि श्री/कुमारी ओ० पी० माहेश्वरी

पुत्र/पुत्री श्री ——————— ने जोधपुर विद्युत

वितरण निगम लिमिटेड द्वारा आयोजित "ऊर्जा संरक्षण सप्ताह"

(9 दिसम्बर 20... ...र 2003) के दौरान

स्लोगन ... लेकर तृतीय स्थान

प्राप्त किया ।

2003 स्लोगन निर्माण

(एच. डी. चारण)

अध्यक्ष एवं प्रबन्ध निदेशक

जोधपुर डिस्कॉम, जोधपुर

स्थान :- जोधपुर

दिनांक :- 14.12.2003

लेखक के प्रकाशित लेख, प्राप्त सम्मान एवं अवार्ड

(ऊर्जा संरक्षण हेतु अंतिम 7 वर्ष के)

1. जुलाई 2008 "बिजली कैसे बचायें ?" पुस्तक हेतु ऊर्जा दिवस पर **राज्य स्तरीय अवार्ड मुख्यमंत्री राजस्थान सरकार द्वारा**
2. जून 2009 माहेश्वरी समाज जोधपुर द्वारा सम्मानित एवं **दिसम्बर 2008** समस्त जोधपुर समाज (मुन्दड़ा परिवार) द्वारा अभिनन्दन
3. नवम्बर 2008 माहेश्वरी समाज (पश्चिमी क्षेत्र) जोधपुर द्वारा **सम्मान**
4. जून 2008 "बिजली कैसे बचायें" की जानकारी नवभारत टाइम्स अखबार में
5. जून 2008 माहेश्वरी समाज प्रताप नगर द्वारा वार्षिक उत्सव पर **सम्मान**
6. जून 2008 **विश्व पर्यावरण दिवस पर मेहरानगढ़ ट्रस्ट द्वारा सम्मान**
7. मई 2008 बिजली कैसे बचायें पुस्तक की **समीक्षा** दैनिक भास्कर अखबार में
8. मई 2008 बिजली कैसे बचायें पुस्तक की जानकारी राजस्थान पत्रिका में
9. नवम्बर 2007 ऊर्जा संरक्षण सप्ताह में झांकियों में मेरे बनाये पोस्टर को विभाग द्वारा होर्डिंग बनाकर शहर में प्रदर्शित करना
10. अक्टुबर 2007 ऊर्जा संरक्षण उपाय हेतु शुभकामना पत्र अध्यक्ष विद्युत विभाग राजस्थान द्वारा
11. अक्टुबर 2007 ऊर्जा संरक्षण जागृति के लिए धन्यवाद पत्र ऊर्जा राज्यमंत्री भारत सरकार द्वारा
12. **अगस्त 2007 बिजली कैसे बचायें? पुस्तक का प्रकाशन**
13. जुलाई 2007 बिजली बचने हेतु लेख का **प्रकाशन** माहेश्वरी समाज की पत्रिका में
14. दिसम्बर 2006 ऊर्जा संरक्षण दिवस पर जिला स्तरीय प्रतियोगिता में **अवार्ड**
15. दिसम्बर 2006 बिजली बचाओं तकनीक–रोटरी कल्ब जोधपुर की पत्रिका में
16. नवम्बर 2006 **नेशनल अवार्ड** हेतु विभाग द्वारा नाम प्रस्तावित करना
17. नवम्बर 2006 बिजली बचाने हेतु लेख का **प्रकाशन** निरामय जीवन पत्रिका में
18. अगस्त 2006 बिजली बचाने हेतु लेख का **प्रकाशन** विद्युत वितरण संदेश में
19. जुलाई 2006 बिजली बचाने हेतु लेख का **प्रकाशन** विद्युत वितरण संदेश में
20. जुन 2006 बिजली बचाने हेतु लेख का **प्रकाशन** समाज की स्मारिकाओं में

21. जुन 2006 बिजली हेतु लेख का **प्रकाशन** विद्युत वितरण संदेश में
22. दिसम्बर 2005 ऊर्जा संरक्षण दिवस पर जिला स्तरीय प्रतियोगिता में **अवार्ड**
23. अक्टुबर 2005 ऐशस्लरी से ऐशडाईक का निर्माण हेतु **पेपर प्रकाशन** इण्डियन सोसायाटी ऑफ डेजर्ट टेक्नालॉजी बुलेटिन में
24. अक्टुबर 2005 ऑफ टेक कम बाई पास स्ट्रक्चर का निर्माण हेतु **पेपर प्रकाशन** इण्डियन सोसायटी ऑफ डेजर्ट टेक्नालॉजी बुलेटिन में
25. जुलाई 2005 बिजली बचाने हेतु लेख का **प्रकाशन** समाज की पत्रिकाओं में
26. फरवरी 2005 बिजली बचाने हेतु लेख का **प्रकाशन** विद्युत वितरण संदेश में
27. जनवरी 2005 बिजली बचाने हेतु लेख का **प्रकाशन** विद्युत वितरण संदेश में
28. दिसम्बर 2004 ऊर्जा संरक्षण दिवस पर जिला स्तरीय प्रतियोगिता में **अवार्ड**
29. नवम्बर 2004 बिजली बचाने हेतु–कार्टून्स का **प्रकाशन** विद्युत वितरण संदेश
30. अक्टुबर 2004 बिजली बचाने हेतु लेख का **प्रकाशन** विद्युत वितरण संदेश में
31. सितम्बर2004 बिजली बचाने हेतु लेख का **प्रकाशन** विद्युत वितरण संदेश में
32. अगस्त2004 बिजली बचाने हेतु लेख का **प्रकाशन** विद्युत वितरण संदेश में
33. जुलाई 2004 बिजली बचाने हेतु लेख का **प्रकाशन** समाज की पत्रिकाओं में
34. जनवरी 2004 बिजली बचाने हेतु लेख का **प्रकाशन** विद्युत वितरण संदेश में
35. दिसम्बर 2003 ऊर्जा संरक्षण दिवस पर जिला स्तरीय प्रतियोगिता में **अवार्ड**
36. दिसम्बर 2003 ऊर्जा संरक्षण में प्रयास **वक्ता,** बिजली विभाग सभागार में
37. अक्टुबर 2003 बिजली बचाने हेतु लेख का **प्रकाशन** विद्युत वितरण संदेश में
38. जुलाई 2003 बिजली बचाने हेतु लेख का **प्रकाशन** समाज की पत्रिकाओं में
39. जनवरी 2003 बिजली बचाने हेतु लेख का **प्रकाशन** विद्युत वितरण संदेश में
40. सितम्बर 2002 बिजली बचाने हेतु कविता का **प्रकाशन** विद्युत वितरण संदेश
41. अप्रैल 2002 बिजली बचाने हेतु कविता का **प्रकाशन** विद्युत वितरण संदेश में
42. मार्च 2002 बिजली बचाने हेतु लेख का **प्रकाशन** विद्युत वितरण संदेश में
43. फरवरी 2002 प्राकृतिक प्रकाश व्यवस्था लेख का **प्रकाशन** विद्युत वितरण संदेश में

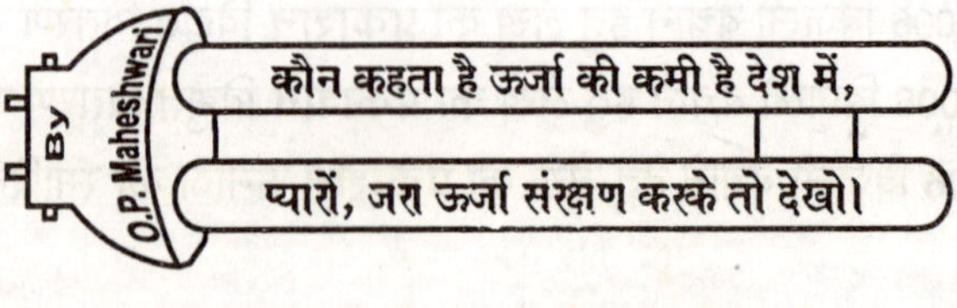

बिजली बचाने के अन्य आयाम

ROTARY LOK
Rotary Club of Jodhpur

Bulletin No. 24 — Date : 09.12.2006

बिजली बचाओ तकनीक

बिजली बचाओ : मुख्य वक्ता
रोटरी क्लब, जोधपुर

पोस्टर में माहेश्वरी, निबंध में आकांक्षा अव्वल रही

जोधपुर, 20 दिसम्बर। जोधपुर डिस्कॉम द्वारा ऊर्जा संरक्षण सप्ताह के तहत खुला वर्ग के लिए आयोजित पोस्टर प्रतियोगिता में ... माहेश्वरी का पोस्टर प्रथम रहा। ...

ऊर्जा संरक्षण के प्रयास
अखबारों में भी

Indian Society of Desert Technology
(Civil Engineering Department)
M.B.M. ENGINEERING COLLEGE, JODHPUR

Dr. G. R. Choudhary, President — Dr. D. G. Purohit, Secretary

To,
Er. O. P. Maheshwari
M.E. (Geotechnical)
A-161, Kamla Nehru Nagar
IInd Phase, Jodhpur (Raj.)

Subject : Inclusion of Paper in Transactions of Indian Society of ...

Dear Sir,

We are thankful for subm... Construction of Embankment ...

The above paper has been ... and found suitable for inclusion in the journal for p...

Thanking you.

ऐश स्लरी से ऐश डाईक का निर्माण
इंडियन सोसायटी ऑफ डेजर्ट
टेक्नोलोजी की बुलेटिन में

ऊर्जा संरक्षण के लक्ष्य की प्राप्ति संभव

शेष पृष्ठ –3 का

...ों एवं अन्य लोगों के ... कार्यक्रम समय–समय पर चलाए है।

वृद्धि हो जाती है। सिविल अभियंता श्री ओ.पी. माहेश्वरी ने भवनों की डिजायनिंग में सुधार करके बिजली बचाने पर जोर दिया। अधिशासी अभियंता आर.के. पुरोहित ने कहा कि ऊर्जा संरक्षण का अर्थ ऊर्जा की खपत ... है अपितु उसका आदर्शतम उपयोग बढ़ाना ... हाउस गैसों का उत्पादन ... परम्परागत साधनों ... वृद्धि होगी ... पारस सेठिया ने ... तकनीक की मशी... अपनाकर तथा पुरानी ... बिजली की बचत कर सकते है।

भवन डिजाईन से बिजली बचाओ
वक्ता, सभागृह, डिस्कोम, जोधपुर

श्री माहेश्वरी समाज समिति-पश्चिमी क्षेत्र, जोधपुर — स्मारिका 2005

स्वस्थ शयन : बिजली की बचत

शयन कक्ष के निर्माण में एवं शयन संबंधित बातें जो डॉक्टर व इंजीनियर के अनुरूप अपनाई जाए तो न केवल सोने का अनुकूल वातावरण मिलेगा अपितु अच्छी नींद में स्वास्थ्य भी अच्छा बना रहेगा। शयन कक्ष में खिड़कियों की इस तरह व्यवस्था होनी चाहिए कि वातावरण की शुद्ध हवा का निरन्तर स्वतः प्रवेश एवं निकास बना रहे। इस क्रॉस वेंटीलेशन ... दिशा में खिड़कियों में से हवा को दक्षिण पश्चिम में प्रवेश करा... निकास से हवा को निकाला जाता है ताकि ... कक्ष में दीवारों से ऊष्मा का विसर्ज... उचित रहता है। शयन कक्ष की लंबी ... आ रही हो तो सूर्य की किरणों को छज्जों, बरामदों, पेडो, ... कर ऊष्णता का प्रभाव कम कर देना चाहिए।

समाज की पुस्तकों में छपे
बिजली बचाने के कई लेख

Indian Society of Desert Technology
(Civil Engineering Department)
M.B.M. ENGINEERING COLLEGE, JODHPUR

Dr. G. R. Choudhary, President — Dr. D. G. Purohit, Secretary

Oct. 2005

To,
Er. O. P. Maheshwari
M.E. (Geotechnical)
A-161, Kamla Nehru Nagar
IInd Phase, Jodhpur (Raj.)

Subject : Inclusion of Paper in Transactions of Indian Society of ...

Dear Sir,

We are thankful for submit... Structures for Hydel Schemes ...

The above paper has bee... found suitable for inclusion in the journal for ...

Thanking you.

'ऑफटेक कम बाईपास स्ट्रक्चर का
निर्माण' इंडियन सोसायटी ऑफ
डेजर्ट टेक्नोलोजी की बुलेटिन में

ई. ओ. पी. माहेश्वरी

अधीक्षण अभियंता सिविल के प्रावैधिक सहायक श्री ओ. पी. माहेश्वरी ने विद्युत वितरण संदेश की स्थापना से लेकर अब तक प्रकाशित पचास अंकों में सर्वाधिक लेख, कविता ... कार्टून प्रकाशित ... माहेश्वरी के बना... सप्ताह के दौ... होने वाली प्रतियोगिताओं में पु... रहे है।

विद्युत वितरण संदेश
में छपे कई सारे लेख

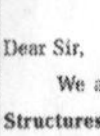

स्वास्थ्यकारी शयन

ई. ओ.पी. माहेश्वरी

शयन कक्ष के निर्माण में एवं शयन सम्बन्धित बातें जो डाक्टर व इंजीनियर के अनुरूप अपनाई जाएं तो न केवल सोने का अनुकूल वातावरण मिलेगा, अपितु अच्छी नींद से स्वास्थ्य भी अच्छा बना रहेगा। शयन कक्ष में खिड़कियों की इस तरह व्यवस्था होनी चाहिए कि वातावरण की शुद्ध ... निरन्तर स्वतः प्रवेश एवं निका... इस क्रॉस वेन्टीलेशन हेतु ... भारत में खिड़कियों में हवा को ...

नहीं सोना चाहिए। वैज्ञानिकों ने पृथ्वी के चुम्बकीय क्षेत्र का मनुष्यों के स्वभाव पर असर पड़ने का गहन अध्ययन किया है कि सिर उत्तर दिशा में रखकर सोने ... तरंगे दब जाती ... शान्ति, सजगता ... का अनुभव होता है।

बिजली बचाने के प्रयास
निरामय जीवन (मासिक) में

बिजली कैसे बचायें ? पुस्तक राज्य स्तरीय सम्मान
पूर्व मुख्यमंत्री राज. सरकार द्वारा

मुख्य वन संरक्षक द्वारा पर्यावरण दिवस पर किया गया सम्मान

एच.एच. महाराजा श्री गजसिंहजी द्वारा पुस्तक हेतु सम्मान

माहेश्वरी समाज, जोधपुर दिपावली स्नेह मिलन-समारोह पर पुस्तक हेतु श्री माणक मोहता न्यायाधिपति राज. उ. न्यायलय द्वारा सम्मान

न्यायाधिपति श्री गोपाल कृष्ण व्यास , राज. उच्च न्यायालय जोधपुर द्वारा पुस्तक हेतु सम्मान

समाज उत्सव पर ऊर्जा संरक्षण हेतु उद्‌बोधन एवं समाज के गणमान्य व्यक्तियों द्वारा पुस्तक हेतु किया गया सम्मान

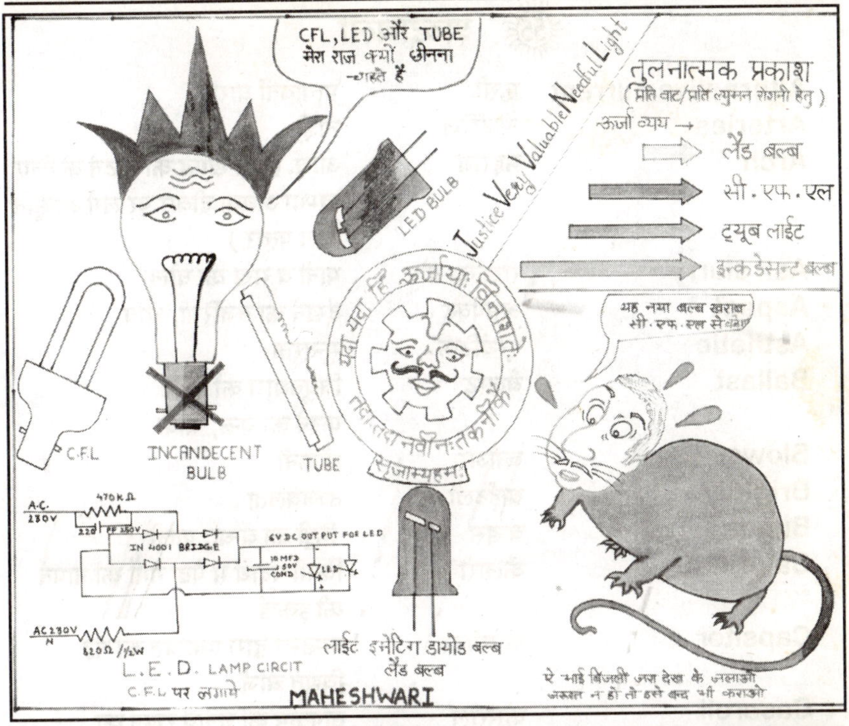
CFL, LED और TUBE
मेरा राज क्यों छीनना चाहते हैं
Justice Very Valuable Needful Light
तुलनात्मक प्रकाश
(प्रति वाट/प्रति ल्युमन रोशनी हेतु)
ऊर्जा व्यय →
लैंड बल्ब
सी. एफ. एल
ट्यूब लाईट
इन्कडेसेन्ट बल्ब
LED BULB
C.F.L
INCANDECENT BULB
TUBE
A.C. 230V
470KΩ
IN 4001 BRIDGE
6V DC OUT PUT FOR LED
AC 230V N
820Ω /½W
L.E.D. LAMP CIRCIT
C.F.L पर लगाये
लाईट इमेटिंग डायोड बल्ब
लैंड बल्ब
MAHESHWARI
ऐ भाई बिजली जरा देख के जलाओ
जरूरत न हो तो इसे बन्द भी कराओ

यदि पानी नहीं बचाया तो!
SAVE WATER
पानी है अनमोल
यदि बिजली नहीं बचाई तो!
SAVE ENERGY
ऊर्जा बचाइयें
गैस बचाओ
SAVE GES
यदि गैस नहीं बचाई तो!
SAVE FUEL
पैट्रोल नहीं बचाया तो!

(55) शब्दावली

Alternative current	ए.सी.	प्रत्यावर्ती धारा
Arteries	आर्टरिज	नाड़ी
Arch	मेहराब	आर्च, (वृत खण्ड को पाटने के लिए खम्भों अथवा दीवार पर लगे आकृति वाले पत्थर)
Ash slurry	राख का घोल	पानी व राख का घोल
Aspect	असपेक्ट	देखने का नजरिया, भाव
Asthetic	एस्थेटिक	सुन्दरता
Ballast	बैलस्ट	विघुतधारा को स्थिर करने का यन्त्र, चाक
Blower	ब्लोअर	धौकनी
Brightly	ब्राईटली	उज्जवलता
Bunds	बन्ड्स	मिट्टी का बन्धा, पाली
Calorie	कैलोरी	किसी पदार्थ में पैदा गर्मी को नापने की इकाई
Capsitor	कपेसीटर	कन्डेसर द्वारा एकत्रित की गई विद्युत चार्ज
Caseroll	केसरोल	तापक्रम को बनाये रखने का बॉक्स
Chamfering	चैम्फरिंग	क्रम से तिरछा करना
Circuit	सर्किट	परिपथ
Compact Fluorescent Lamp	सी.एफ.एल.	फ्लोरोसेंट बल्ब
Concave	कॉन्केव	अन्दर की ओर धंसा हुआ
Convex	कॉन्वेक्स	बाहर की ओर उभरा हुआ
Condensers	कंडेंसर	वह उपाय जिसके द्वारा विद्युत एनर्जी को इकट्ठा कर सकते है और आवश्यकता होने पर ले सकते है।
Condenser Coil	कन्डेन्सनर कॉईल	ठण्डा करने की नलिकाएं
Candescent Bulb	कैन्डसेन्ट बल्ब	तीव्र ऊष्मा वाला स्वेतवर्ण बल्ब
Conductor	चालक	पदार्थ जिसमें विघुत प्रवाह हो सकता हो
Conical Dom	कोनिकल डोम	शंकुनुमा गुम्बज
Conservation	कन्जरवेशन	संरक्षण, क्षति से बचाव
Cooling	कुलिंग	शीतलन
Defrost	डिफ्रौस्ट	बर्फ को हटाना

Device	डिवाईस	साधन
Diffusion	डिफयूजन	फैलाव, विसरित
Dimmer	डिमर	तेज - धीरे करने का स्वीच
Direct current	डी.सी. विद्युत	आवर्ती धारा, डायरेक्ट करंट में प्रवाह की दिशा एवं मात्रा एक समान रहती है।
Dissipater	डिसीपेटर	व्यय करना
Duct	डक्ट	नलिका, वाहनी
Earth Leakage Circuit Braker	ई.एल.सी.बी.	विघुत लिकेज को जमीन में प्रवाह करने का यन्त्र
Earthing	अर्थिंग	उपकरण एवं मानव की सुरक्षा के लिए करंट को अर्थ तार द्वारा जमीन में प्रवाहित करने की क्रिया
Elegance	एलिगेंस	सौंदर्य
Elliptical	इलेप्टिकल	अण्डाकार आकार
Embakment	ऐम्बेकमेन्ट	तटबन्ध
Energy	ऊर्जा	कार्य करने की शक्ति
Energy Conservation	ऊर्जा संरक्षण	ऊर्जा बचाने का कार्य
Float Glass	फ्लोट ग्लास	लैम्प पर लगने वाला ग्लास
Flux	फलक्स	चार्ज का बहाव
Focus	फोकस	केन्द्रित, किरणों को एक बिन्दू पर केन्द्रित करना
Fuse	फ्यूज़	धातु के पतले तार का टुकड़ा जो अधिक करंट आने पर गर्म होकर पिघल जाता हो।
Glare	ग्लेअर	चमक
Glass	ग्लास	शीशा, कॉच
Glaze	ग्लेज	चमकदार सतह
Grinding	ग्राईन्डिग	घिसाई
Grouping	ग्रुपिंग	एक वर्ग में साथ-साथ रखना
Gypsum	जिप्सम	खड्डी
Heat	ऊष्मा	गर्म होना
HP	एच. पी.	मशीन द्वारा एक सैकण्ड में किया गया कार्य
Hydraulic Ram	हाईड्रोलिक रैम	जल शक्ति से चलने वाला पम्प
Illumination	इल्यूमिनेसंस	प्रतिवर्ग मीटर पर पड़ने वाला फलक्स

Insulator	इन्सुलेटर	विघुतरोधी, विघुतधारा का अवरोधक, कुचालक
Incandescent	इन्कैन्डैसेंट	साधारण बल्ब
Induction	इन्डक्शन	तार के चारों ओर बहने वाला विद्युत धारा
Jule	जूल	वह काम जो एक न्यूटन का बल एक मीटर की दूरी तक हटाने में होता हो।
Lantern	लालटेन	रोशनी के लिए रोशनदान
Light Emitting Diode	एल.ई.डी.	प्रकाश किरणो का उत्सर्जन डायोड, लैडबल्ब
Liquid Petroleum Gas	एल.पी.जी.	लिक्वीड पेट्रोलियम गैस,
Louver	लूवर	प्रकाश किरणों को रोकने के लिए लगी स्ट्रिपस, झिलमिली
Lumen	ल्यूमन	मोमबत्ती के एक फीट दूरी पर मापा गया प्रकाश
Luminance	लूमीनेंस	चमक नापने की इकाई, प्रदिप्ति
luminous	ल्यूमनस	प्रकाशवान
Lux	लक्स	प्रतिवर्ग मीटर प्रकाश की मात्रा
Moniter	मोनिटर	छत पर बनी खिड़की
Monotony	मोनोटोनी	एकरसता
Multi stand Wire	मल्टी स्टैण्ड तार	पतले तारों से बना एक वायर
Orientation	ओरिअन्टेशन	विन्यास, परिस्थितियों के अनुरूप व्यवस्थित करना
Parabolic	पैराबौलिक	वक्र परवलय
Parallel circuit	पैरेलल सर्किट	जब दो या दो से अधिक उपकरणों को एक - एक सिरे से आपस में जोड़कर सप्लाई स्त्रोत से दूसरे तार से जोड़ दिया जाता है।
Power	पावर	एक सैकण्ड में किया गया काम, शक्ति
Porosity	पोरासिटी	छिद्रमयता, रन्ध्रमयता
Prospect	प्रोस्पेक्ट	अन्वेषण करना, खोजना
Radiation	विकिरण	किरणों का फैलाना
Reflector	रिफ्लैक्टर	परावर्तक
Reflection	रिफ्लैक्शन	परावर्तन

Refraction	रिफ्रैक्शन	प्रकाश किरणों को एक तरफ मोड़ना
Refrigerator	रिफ्रिजरेटर	फ्रीज, ठण्डा करने का केबिनेट
Reinforced Cement Concrete	आर.सी.सी.	लोहे की तारों के साथ सीमेंट कंकरीट
Resistance	रेजिस्टेंस	विद्युत धारा के मार्ग में किसी चालक तार द्वारा रूकावट/अवरोधक
Riser	राईजर	सीढ़ियों का खड़ा भाग
Roominess	रूमिनेस	फैलावट
See - Saw	सी सौ	ऊपर नीचे को झूमना
Separator	सेपरेटर	अलग रखने की व्यवस्था
Semi Conductor	अर्धचालक	कम चालकता का धातु
Series circuit	सीरीज सर्किट	जब दो से अधिक उपकरण एक के बाद एक लगातार क्रम में लगाते है।
Sieve Shaker	सीव शेकर	छलनी को हिलाकर छानना
Sensors	सेन्सर्स	स्वचलित स्विच
Shade	शैड	काला रंग मिलाने से बना रंग
Skylight	स्काई लाईट	छत से रोशनी लेना
Span	स्पान	चौड़ाई
Splayed	स्प्लेड	बाहर की ओर अन्दर की अपेक्षा बड़ा रखना
Stair Headroom	स्टेयर हैडरूम	सीढ़ियों को ढकने का कमरा
Sun Braker	सन ब्रेकर	सूर्य की किरणों को रोकना
Tapper	टैपर	नुकीली अथवा तिरछी सतह
Terrace	टैरस	खुली छत
Texture	टैक्सचर	बनावट
Thermostat	थर्मोस्टेट	तापक्रम को नियन्त्रित करने का उपकरण
Transformer	ट्रांसफोर्मर	ए.सी. वोल्टेज को कम अथवा अधिक करने वाली मशीन
Thrust	थ्रस्ट	धक्का, ढकेलना
Tint	टिन्ट	सफेद रंग मिलाने से बना रंग
Ventilation	वेन्टीलेशन	हवा का प्रवाह
Work	वर्क	पावर जो किसी चीज को चलाने में सफल हो जाये।

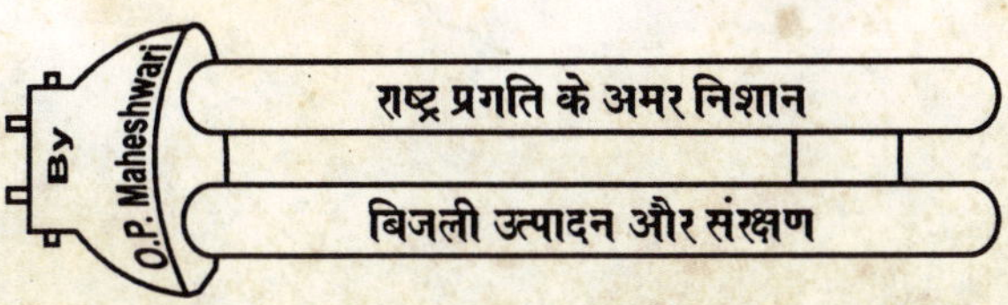